桐华

云中歌

壹

绿罗裙

湖南文艺出版社
HUNAN LITERATURE AND ART PUBLISHING HOUSE　博集天卷
CS-BOOKY

昔我往矣，杨柳依依。
今我来思，雨雪霏霏。
行道迟迟，载渴载饥。
我心伤悲，莫知我哀！

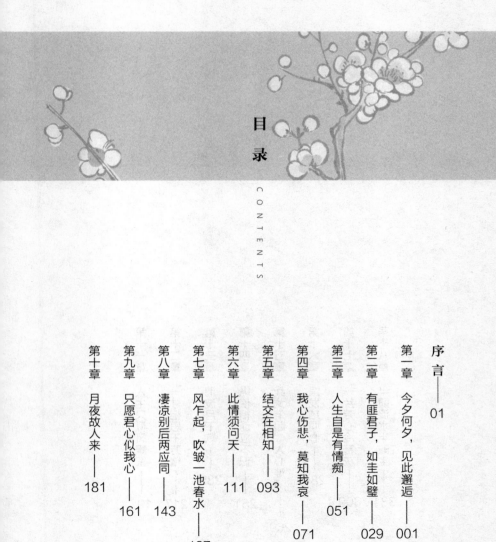

目录

CONTENTS

目 录

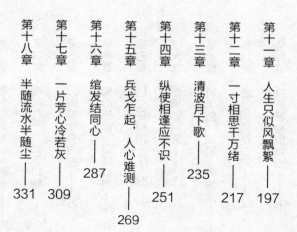

C O N T E N T S

西汉自高祖刘邦立国，经惠、文、景帝，到汉武帝即位之初，"汉兴六十余载，海内艾安，府库充实"（《汉书·公孙弘卜式兒宽传》）。

汉武帝在位期间，虽雄才伟略，却好大喜功，穷兵黩武，起居奢侈。由于"外事四夷之功，内盛耳目之好，征发烦数，百姓贫耗"（《汉书·刑法志》），到汉武帝晚年，汉朝已是"海内虚耗，户口减半"（《汉书·昭帝纪》）。

汉武帝的连年征战、穷奢极欲，导致国库空虚。为了弥补用度，汉武帝允许买官和犯法者以钱赎罪。"用度不足，乃行一切之变，使犯法者赎罪，入谷者补吏，是以天下奢侈，官乱民贫，盗贼并起，亡命者众"（《汉书·贡禹传》）。

吏治混乱，富者越富，穷者越穷，社会矛盾日趋激化，各地纷纷起义，"百姓贫耗，穷民犯法"（《汉书·刑法志》）。

"盗贼滋起。南阳有梅免、百政，楚有段中、杜少，齐有徐勃，燕、赵之间有坚卢、范主之属。大群至数千人，擅自号，攻城邑，取库兵，释死罪，缚辱郡守、都尉，杀二千石，为檄告县趣具食；小群以百数，掠卤乡里者不可称数"（《汉书·酷吏传》）。

汉武帝采用的政策则是任用张汤、赵禹、王温舒、减宣、尹齐、杨仆等酷吏，实行残酷的高压统治。汉武帝之前，从高祖到景帝，历经四代皇帝，《汉书·酷吏传》不过收录了两个酷吏，而武帝一朝，就有酷吏十一人。

刑罚一再加重。律令从汉初刘邦在位时的九章，增至三百五十九章，只"大辟"一项就有四百零九条、一千八百八十二事。以死刑为例比的刑法多至一万三千四百七十二事。"文书盈于几阁，典者不能遍睹"（《汉书·刑法志》）。

即使如此严苛的刑罚，依然不能阻止走投无路的百姓起义。

汉武帝一直希望四夷臣服，但直到他死，四夷问题也未真正解决。因为内乱，匈奴、西羌、西南夷、乌桓等外族的外乱也纷起。

汉武帝晚年，面对岌岌可危的大汉天下，想到秦朝亡于穷民起义的前车之鉴，才意识到自己一生之过，向天下颁布《罪己诏》："朕即位以来，所为狂悖，使天下愁苦，不可追悔。"

只是汉武帝虽有心改过，却年事已高，无力回天，只能将风雨飘摇的大汉社稷传给了年仅八岁的汉昭帝。

第一章　今夕何夕，见此邂逅

万里荒漠，如火骄阳。

金子般灿烂的黄色，充盈在天地间。

刺眼阳光下点点反射的白光，那是动物的残骸，或者人的尸骨。

楼兰城外的白龙堆沙漠以龙卷风和变幻不定的地形闻名。

没有熟悉的楼兰向导引路，几乎没有任何机会能活着走出这片大漠。

连绵起伏的沙丘上，一行数十人正在死亡边缘挣扎。

七天前，他们的楼兰向导背叛了他们，利用一场突来的沙暴，趁乱扔下了这帮汉人。

这一行人，武功体力都不弱，但在残酷的自然面前，却如蝼蚁一般渺小。

如果再寻不到水源，他们就会永久地留在这里，变成那森白骨架中的一部分。

赵破奴摇了摇水囊，这是最后的几口水了。

他将水囊捧给一个十二三岁的少年。

少年的视线从他已经爆裂的唇上一扫而过，淡淡地说："你喝了这几口水。"

赵破奴刚要说话，少年又低声补了句："这是我的命令。"

众人都只当少年是赵破奴的亲戚，赵破奴借勘查西域的机会带他出来历练一番，只有赵破奴知道少年的命令意味着什么。

赵破奴拿回了水囊，却没有喝，把水囊别回了腰间。心中只有一个信念，他一定要把少年活着带出沙漠，即使以他们所有人的鲜血为水。

"你出入沙漠多次，这么多人中只有你最熟悉沙漠，我们能否活下去的关键就是你，把水喝下去，维持住你的清醒头脑，想法子带我们走出沙漠。即使我们都要死，你也应该是最后一个。"少年虽然说着事关生死的话语，语气却好像事不关己。

在沙漠中徒步七日，在饥饿、干渴、死亡的煎熬下，不少人的意志早已垮掉，面上满是灰败的绝望，可这个不过十二三岁的少年，虽然也是嘴唇干裂，面容憔悴，神色却是清冷淡然。

太阳毫不留情地炙烤着大地，炙烤着他们的身体。

他们的生命一点一滴地蒸发。

每一粒金黄的沙子都跳着死神的舞蹈，欢迎着他们的到来。

走在最前面的赵破奴忽地做了个停下的手势，所有人都停住了脚步。

少年看到赵破奴侧耳倾听的样子，也凝神去听。

"叮咚、叮咚……"

若有若无的铃铛声。

几个人惊喜地大叫起来："驼铃声！是驼铃声！"

从死亡的阴影中看到一线生的希望，这个好像还远在天际的铃铛声不啻是天籁之音。

少年却依旧面色清冷，面临死亡时，他没有黯然绝望，有生的希望时，他也没有喜悦兴奋，透着一切都事不关己的淡漠。

赵破奴挥了挥手示意众人安静："铃声有些古怪，如果是商旅的骆驼队，声音不应该这么单薄，听着好像只有一峰骆驼，可有几个人敢孤身穿行大漠？地处西域，来人是敌是友还不一定，提高警惕。"

"叮咚、叮咚……"

伴着驼铃声，大漠的尽头，在火一般燃烧的金黄色中，冉冉飘起一团绿影。

七天未见绿色的人，顿生亲切感，少年也不禁觉得干渴淡了几分。

待近了时，众人才看清一峰小小的雪白骆驼上侧坐着一个小小的人，不过七八岁年纪，一身绿衫，笑靥如花。

众人伸着脖子往后看，却再见不到任何人。

一峰神俊异常的骆驼，一个精灵可爱的女孩，众人只觉诡异，刹那间想起许多荒诞的西域传说，雪山神女、荒漠妖女……

小女孩笑着向他们招了招手："我娘让我来带你们出沙漠。"

赵破奴问："你娘是谁？就你一个人吗？"

小女孩诧异地说："我娘就是我娘呀！怎么就我一个呢？"拍了拍骆驼，"我有铃铛，这是二哥送我的朋友。"指了指自己身后，"还有雪狼，娘吩咐她保护我。"

众人这才发现小骆驼身后还随着一头浑身银白的狼。

一头狼却让众人想到了矜持高贵的字眼。不怕狼的骆驼？不吃骆驼的狼？众人惊诧未完。

"还有……"小女孩又从衣领内掏出一个小竹哨呜呜吹了两声，仰头望着天上两只随哨声落下的雕说："还有小谦和小淘，这是爹爹给我找的朋友。"

两只白雕还不大，但展翅间已露天空霸主的威严。

一只落在了骆驼背上，一只却想落到狼头上，狼警告地嗥叫了一声，伸爪欲扑，雕儿悻悻地飞起，却还不甘心地盘旋着。

小女孩笑说："小淘，不要逗雪姐姐了，就在铃铛背上休息一下吧！"

众人看得又是惊奇，又是好玩，也明白过来为何小女孩能找到他们。

赵破奴身子一震，心内骤然间翻江倒海，他一面细细打量着女孩，一面问："你娘姓什么？你爹爹姓什么？你叫什么名字？你娘为何命你带我们出沙漠？"

"哎呀！大叔叔，娘亲就是娘亲呀！我叫云歌，我娘说有位赵叔叔对她有恩，就让我来领路了。你们走不走呢？还要两天才能出沙漠呢！"

云歌侧坐在骆驼上，说话时，两只脚一荡一荡。

一双葱绿的鞋子，鞋面上各缀着一颗龙眼大的珍珠。一只鞋她倒是规规矩矩地穿着，一只鞋却是半趿着，露着一截雪白的纤足，随着她一荡一荡，在绿罗裙间若隐若现。

云歌看到少年望着她的脚看，因为还是天真烂漫的年龄，也不觉得有什么不好意思，反倒朝少年甜甜一笑。

少年却是年少早慧，已懂人事，本只是因为美丽而欣赏的无意之举，被云歌一笑，脸却不禁红起来，匆匆移开了视线，身上不合年龄的清冷漠然淡了几分。

赵破奴看不出来这个小姑娘是天真未解事，还是故意相瞒，知道再问也问不出名堂来，只能作罢。被一对雕儿的名字触动了往事，心中伤痛难言，虽知道万分不可能，可还是隐隐盼着自己的胡思乱想是真，"我就姓赵，云歌儿，那就烦劳你领路了。"

云歌跳下骆驼，笑向赵破奴恭敬地行了一礼："赵叔叔，云歌代娘亲给您问好。"又指着骆驼背上挂着的一排水囊，"这是给赵叔叔的。"

众人未等她语落，已经齐声欢呼，一扫先前的沉郁，笑闹道："赵爷，就知道您是我们的救星。"

赵破奴解下一个水囊正要给少年送去，却发现云歌已经拿了她自己的水囊给少年，"你叫什么名字？"

少年似没有听到云歌的问题，沉默地接过水囊，沉默地喝着水。

其他人都一连声地对云歌道谢，少年却没有一声谢谢，甚至一个表示谢意的眼神都没有，神情清淡到近乎冷漠。

云歌倒是一点不见怪，背着双手，仰着脑袋，笑眯眯地看着少年。

少年将水囊递回给云歌时，望见她弯弯如月牙的眼睛，终于淡淡地说："赵陵。"

云歌立即清脆地叫了一声"陵哥哥"，配着一个明媚如人间四月天的笑颜，从未被人如此唤过的赵陵只觉惯常黑漆漆的心中也投入了一线阳光。

富丽堂皇的屋宇，青铜熏炉中的渺渺青烟让高坐在上位的人面目模糊。

一个四岁的小儿正立在宴席中央，背着双手诵书。

"……众圣辅德，贤能佐职，教化大行，天下和洽，万民皆安仁乐谊，各得其宜，动作应礼，从容中道。故孔子曰'如有王者，必世而后仁'，此之谓也。尧在位七十载，乃逊于位以禅虞舜。尧崩，天下不归尧子丹朱而归舜。舜知不可辟，乃即天子之位，以禹为相，因尧之辅佐，继其统业，是以垂拱无为而天下治。孔子曰'《韶》尽美矣，又尽善矣'，此之谓也。至于殷纣，逆天暴物，杀戮贤知，残贼百姓……"

两侧旁听的人都面露惊叹之色，神童之名果非虚传。

高坐在上方的老者也难得地笑着点点头。

小儿背完书，刚想如往常一般扑进母亲怀中，又立即记起母亲事先一再叮嘱的话，于是一副大人模样地作揖行礼，然后挺直腰板，板着面孔，一步一顿地踱着小方步退回自己的位置。

他看没有人注意，立即冲母亲做了个邀功的鬼脸。

侧坐在老者一旁的女子含着笑轻点了点头，示意他坐好。

风和日丽的夏日，蝉声阵阵。

五岁的小儿藏在书房的帘幕背后，一双乌黑灵动的大眼睛盯着外面。

外面脚步匆匆，一个女子温柔的声音响起："陵儿。"

小儿惊慌下，立即想出声阻止，已是晚了一步。

只听见齐齐的尖叫声，放置在门上面的水桶已经随着女子推门的动作翻倒。

一桶混了墨汁的黑水全部倒在女子身上。

女子从头到脚变成了落水的黑乌鸦，一旁的侍女吓得立即黑压压地跪了一地。

小儿的贴身侍从于安早已经吓得瘫软在地，心里万分悔恨。他才刚做贴身奴才，才刚学会谄媚，才刚贪污了一点钱，才刚摸了一把侍女姐姐的手，难道天妒英才，不给他机会做天下第一奸诈奴才，这就要了他的命？

小儿紧张地揪着帘子，母亲最爱美丽，这次肯定完了！

女子在屋子门口静默地站了一会儿，刚开始的不可置信和惊怒，都慢慢化成了一脸无奈，"陵儿，出来！"

小儿从帘子后探了个脑袋出来，快速晃了一下，又缩了回去，"阿姊把我画的画给剪了，我是想捉弄阿姊的。我会背书，会写字，会听先生的话，会不欺负阿姊，会……"

女子走到小儿身前，揪着小儿的衣服领子把他拽出了帘子，用力给了小儿一个拥抱，又在小儿脸上揉了几把。

小儿越来越害怕，终于停下了嘴里的唠叨，低下了头，"我错了。"

女子看到他的样子，蓦然大笑起来，对身后的侍女吩咐，"你们还跪着做什么？还不去准备沐浴用具？要最大的浴桶。"

小小的人儿本来衣饰精致，此时却也是满身墨水。他瘪着嘴，看着母亲，一脸敢怒不敢言的神色，母亲肯定是故意的。

自从三岁时失足落过一次水，他最讨厌的就是在浴桶里洗澡。

女子看到他的样子，笑着在他的脸颊上亲了下，"是洗澡，还是领罚，自己选。"

小儿刚想说"领罚"，看到女子眼睛瞟着于安，立即耷拉下了脑袋。

果然是唯女子与小人难养也，人家一个就很凄惨了，他却是两个都有，认命吧！

重重叠叠的帷幕。

他曾经躲在这里让母亲找不到，在帘子内偷看母亲的焦急；

也曾经躲在这里，突然跳出来吓唬过母亲和阿姊；

也在不愿意听先生授课时躲到过这里……

可是今天，他一点都听不懂帘子外面的人的对话。

他只觉得害怕，一种从没有过的恐惧。母亲正在跪地哀求，她的额头都已经磕出了血，可为什么父亲仍然只是视线冰冷地看着母亲？不是所有人都说他最宠爱母亲吗？

"为了陵儿，你必须死！"

父亲只是说着一个最简单的句子，他却怎么都不能明白。

为什么为了他，母亲就要死？他才不要母亲死！

他正要从帘里钻出，身后的于安死死扣住了他的身体和嘴。

于安满头冷汗，眼睛中全是哀求。他在于安的按压下，一动不能动。

两个宫人拖了母亲出去，母亲原本的呜咽哀求声，变成了凄厉的叫声："让我再见陵儿一面……陵儿，陵儿，陵儿……"

母亲额头的鲜血落在地面上。

一滴，一滴，一滴……

渗进地板中，成为他心上一生都抹不去的痕迹。

那血腥气永远都漂浮在大殿内，也永远漂浮在他的鼻端。

母亲时而哀求悲痛，时而绝望凄厉的声音，在黑暗的大殿内，和着血腥味，徘徊不止。

夜夜，日日，月月，年年；

年年，月月，日日，夜夜。

从没有停止过……

陵儿，陵儿，陵儿……

母亲额头的血越落越急，越落越多，已经淹没到他的胸口。

"母亲，不是我的错！不是我的错……"

是你的错，是你害死了你的母亲，是你的错……

赵陵整个人在毯子里缩成一团，一头冷汗，却紧咬着嘴唇，一声都不肯出。

"陵哥哥，陵哥哥……"云歌轻摇着赵陵。

赵陵从噩梦中醒来的一瞬，一把推开了云歌，"大胆奴才，谁准你……"

等看清是云歌，看清楚自己是睡在苍茫广阔又自由的天地间，而非暗影重重的殿堂内，他立即收了声音，眼神渐渐从冷厉变成了迷茫。

云歌被赵陵推得一屁股坐到地上，却只是揉着屁股，小声地问："你做噩梦了吗？"

赵陵定定地看着夜色深处，似乎没有听见云歌的话。

云歌坐到篝火旁，在自己随身携带的荷包里，翻了一会儿，找出几颗酸枣丢进水中，待水煮开后，端给赵陵。

赵陵盯着云歌手中的杯子，没有接的意思。

云歌轻声说："颜色虽然难看，可效果很好，酸枣有安定心神的作用。"

赵陵依然没有动，云歌的眼睛骨碌转了一圈，"我不肯喝药时，我娘都给我唱歌哄我喝药，我也唱歌给你听，好不好？"

见她似乎张口就要唱起来，赵陵看了一眼沉睡的众人，端过了碗。

云歌笑眯眯地望着他，赵陵喝完水，一声不吭地躺下睡觉。

云歌拥着毯子看了他一会儿后，往他身边凑了凑。

她凑一寸，赵陵沉默地后退一寸，云歌再凑一寸，赵陵又后退一寸，云歌再凑一寸，赵陵又后退一寸……

赵陵终于忍无可忍，压着声音问："你想干什么？"

"我睡不着，你正好也睡不着，那我们说会儿话，好不好？你给我讲个故事好不好？"

"不会。"

"那我给你讲故事。"云歌未等他同意，已经开始自说自话，"有一年，我爹爹带我去爬雪山……"

赵陵本想装睡，让云歌停止唠叨，云歌却自己一人讲得很是开心，讲完了她的雪山经历，又开始讲她的二哥、三哥，赵陵冷着声音说："我要睡觉了。"

"那你睡吧！我娘给我讲故事时，我也是听着听着就睡着了……我三哥和我去大秦①时，我五岁。大秦有很多人是金黄色的头发，碧蓝色的眼睛，很漂亮。不过我不喜欢他们，他们把狮子饿很多天，然后放了狮子出来和人斗，很多人坐在那里看，我讨厌看这个，三哥却顶喜欢看。他们送给爹爹两头小狮子，被三哥拿了去养……你肯定不相信，但我发誓真有这样一个国家……"

云歌还想啰唆，赵陵截道："天地之大，无奇不有，为什么不相信？先帝在位时，安息②和条支③已有使者来拜见过，《史记·大宛列传》中都有记述。既然西域再向西能有繁华可比大汉的安息帝国，那安息的西边也很有可能有别的国家。听闻安息商人为了独霸我朝的丝绸，从中间获利，才不肯将更西之地的地形告诉西域胡商和大汉商人。"

云歌和别人讲述她的故事时，很多人都嘲笑她胡说八道，第一次碰到有人相信，一下子兴奋起来，"你相信我的故事？确如你所料，

---

① 大秦：古国名，中国古时对罗马帝国的称呼。

② 安息：即"帕提亚王国"，西亚古国。

③ 条支：古西域国名、地名。据《汉书·西域传》和《后汉书·西域传》记载，地处安息西界，临波斯湾。

大秦就在安息之西，你去过安息吗？安息也很好玩。"

赵陵没有理会云歌的问题，云歌等了一瞬，见他不回答，笑了笑，又自顾自地开始讲自己的故事。

赵陵这次却没有再出声阻止，只是闭着眼睛，不知道是睡是醒。

赵陵从小到大，碍于他的身份地位，从没有人敢当面违逆他，和他说话时都是或谨小慎微，或恭敬惧怕，或谄媚顺从。

他第一次碰到像云歌这样脸皮这么厚的人，偏偏还厚得一副理所当然的样子，一点眼色都不懂得看。

本来只是无奈地忍受云歌的噪音，可渐渐地，他在不知不觉中开始真正听云歌的故事。

从塞北草原到大漠戈壁，从珠穆朗玛峰到帕米尔高原，从惊涛骇浪的大海到安静宁和的雪窟，从西域匈奴的高超马技到大秦安息的奇巧工艺……

云歌的故事中有一个他从未接触过的世界，是他在书册中读到过，却绝不可能看到和摸到的世界。

对他而言，那是一个近乎传说的世界。

最后是他仍然在等着她的下一个故事，云歌却在"……那头小狼竟然会偷东西，还是贪财的小偷，专偷那些晶晶亮的宝石……我快被它气死了……我就打它屁股……打它屁股……"的断续声中睡去。

赵陵缓缓睁开了眼睛，翻了个身子，凝视着云歌。

即使在睡觉，云歌的眉眼间也充满了笑意，如她的名字一般自在写意。细密纤长的睫毛，在星光下，如两只小蝴蝶正在休憩。

云歌睡觉很不老实，裹着毯子翻来翻去。

眼看着越翻离篝火越近，云歌的头发仿佛已经散发出了焦味，她却依旧睡得人事不知，赵陵只能万般无奈地起身把她拽回来。

她又朝着赵陵翻过来，越翻越近，赵陵轻轻把她推开，她又翻出去，翻向篝火……

拽回来，推出去，拽回来，推出去……

赵破奴第二日醒来时，看到的一幕就是：云歌抱着赵陵的胳膊，正睡得香甜，嘴边犹带着笑意，不知道做了什么好梦。而赵陵却是一个古怪至极的姿势，拽着云歌衣袖一小角，似怕她跑掉，又似怕她接近。明明睡得很沉，偏偏脸上全是疲惫无奈。

其他人都笑起来，赵破奴却是吃惊地瞪了云歌和赵陵半晌。早就听闻赵陵睡觉时不许任何人接近，甚至守在屋子里都不行，只有于安可以守在门口。一路同行，也的确如传闻，云歌怎么让赵陵屈服的？

走完这段戈壁，进入前面草原，就代表着他们已经进入大汉疆域。

赵破奴的神情轻松了几分，幸不辱命，终于平安。

雪狼忽然一声低啸，挡在了云歌身前。

赵破奴立即命众人围成圈子，把赵陵护在了圈子中间。

不一会儿，就看见几个衣衫褴褛的人在拼命奔跑，有大汉官兵在后追赶，眼看着他们就要跑出大汉疆域，可利箭从他们背后穿胸而过，几个人倒在地上。

云歌看到箭飞出的刹那，已经驱雪狼上前，可雪狼只来得及把一个少年扑倒在地。

"大胆狂徒，竟然敢帮钦犯。杀！"马上的军官一挥手就要放箭。

赵破奴立即叫道："官爷，我们都是汉人，是奉公守法的商人。"

军官盯着他们打量了一会儿，下令停止放箭，示意他们上前说话。几句问话，句句不离货物和钱。

赵破奴已经明白军官的意思，偷瞟了眼赵陵，双手奉上一个厚重的钱袋，"官爷们守护边防辛苦了，请各位官爷喝酒驱寒。"

军官掂量了一下手中的钱袋，皮笑肉不笑地说："你们来往一趟大汉、西域就可以回家抱老婆孩子，我们还要在这里替你们清除乱民。"

有人早就看军官不顺眼，刚想发作，被赵破奴盯了一眼，只能忍气沉默。

赵破奴命一旁的人又奉上一袋钱，军官才勉强满意，"你们可以走了。"

云歌却不肯离开，执意要带那个已经昏厥过去的少年一起走，赵破奴无奈下只能再次送上钱财，向军官求情。军官冷笑起来，"这是造反的乱民，死罪！你们是不是也不想活了？"

赵陵冷冷开口："他才多大？不过十三四岁，能造谁的反？"

军官大怒，挥鞭打向赵陵。

云歌一手轻巧地拽开了赵陵，一手轻扬，只见一团黑色的烟雾，军官捂着眼睛哭喊起来，"我的眼睛，我的眼睛。"

其他士兵立即拔刀挽弓，眼见就是一场血战。

云歌不知害怕，反倒轻声笑起来："乖孩子，别哭，别哭！你的眼睛没有事情，不是毒，是西边一个国家出产的食料，只是让你一时不能打人而已，回去用清水冲洗一下就没事了。"

一直清冷的赵陵，听到云歌笑语，看到军官的狼狈样子，唇角也轻抿了丝笑，负手而立，一副看好戏的样子。

这两个人……年龄不大，脾气却一个比一个大！

为了这一队官兵日后能保住性命，只能牺牲自己了。

赵破奴无奈地叹了口气，一面大叫着不要动手，一面从怀中掏出一卷文书递给军官的随从，"这是我们出门前，家中老爷的一封信。"

随从正要挥手打开，瞟到文书上的封印，面色大变，立即接过细看，又趴在军官耳边嘀咕了一阵。

军官忙连连作揖，"您怎么不早说您是赵将军的亲戚呢？误会，全是误会……"

军官又是道歉，又是要还钱，还说要请他们去喝酒吃饭，终于在赵破奴一再拒绝，一再表示不介意，还和军官称兄道弟了一番后，官兵们才离去。

众人都嬉笑起来，"赵爷，您怎么对他们那么客气？这不是折他们的寿吗？"赵破奴却是看着赵陵好似清清淡淡的神色，心中重重叹了口气。

救下的少年估计是饿过头了，又连日惊怕，直到晚上才醒转。

醒来后，一滴眼泪都没有，只是沉默地吃饼，一连吃了八张，还要再吃。

云歌惊叫起来："你会撑死的！"

少年仍旧死死盯着饼子，"吃了这一顿就没有下一顿了，撑死总比饿死好。爹说了，饿死鬼连投胎都难。"

云歌皱眉看着少年，一向很少说话的赵陵突然说："把剩下的饼子都给他。"

云歌立即将所有的饼子收到一个布囊里递给少年，少年抬眼盯向赵陵，一脸迟疑，赵陵微微点了下头。

少年接过布囊，紧紧地抱在怀里，生怕有人会抢走的样子。突然间，他的眼泪就掉了下来，"娘，我有吃的了，娘……爹……我有吃的了，你不要把妹妹卖掉……娘……娘饿死了，爹……我爹死了，我爹也死了……"

刚开始是无声地落泪，渐渐变成了号啕大哭，最后变成了撕心裂肺的哭叫声，一声声撕裂了宁静的夜色。

因为收成不好，他们实在交不起赋税，可如果不交赋税，官老爷就要收走土地，为了保住土地，父母就只好把妹妹卖了。

可是第二年因为闹了蝗灾，收成还是不好，交过赋税，他们是一点吃的都没有了，村里的树皮都被扒光了，饿极了甚至连土都吃。

实在活不下去，有人说去富贵老爷手里抢吃的，他们就去抢吃的了，然后官府说他们造反，他们觉得不管了，只要能活下去，造反就造反吧！可是他们还是一个个都死了，都死了……

"为什么你们有吃的？为什么我们没有吃的？娘说这是命！是谁规定的命？"

少年满面泪痕，视线在他们脸上一个个盯过，可是没有一个人能回答他的问题。

"和我们一起造反的识字先生说是皇帝的错，因为皇帝老是要打仗，为了打胜仗就要好多钱，所以赋税一再加重，人们交不起赋税，就没了土地，变成了流民，为了镇压流民，刑罚只能越来越重，一点小罪就要株连全家。既然是皇帝的错，那为什么不许我们造皇帝的反？为什么还说造反是错的？”

赵破奴连着说了几声"不要说了，住口"，都没能止住少年的话语。

云歌其实听不大懂少年的话，只觉少年可怜，于是边听边点头："我犯错时，娘亲都会让我罚站。如果是皇帝的错，的确应该造他的反，你们没有错。"

赵破奴已经不敢再看赵陵的神色，唯一的感觉就是想仰天长哭，难道是他杀孽太多，老天打算选择今日惩罚他？

赵陵目视着篝火，徐徐说："官逼才民反，不是你们的错。"

少年说："救命之恩不可忘。我听到大家叫她云歌，小公子，你叫什么？"

赵陵道："你并没有欠我什么，不必记住我的名字。"

少年未再多问，紧紧抱着饼子和水囊，起身朝夜色深处走去，"你们是富贵人，我是穷人，我们的命不同。我应该谢你们救我，可也正是因为你们这样的富贵人让我娘和我爹死了，所以我不能谢你们。我叫月生，我会记住你们的救命大恩，日后必报。"

"喂，你去哪里？"云歌叫道。

"不用担心我，我一定会活下去，我还要去找妹妹。"少年回头深深看了一眼云歌，身影一瘸一拐地融入夜色中。

围着篝火坐着的众人都沉默无语。

半晌后，才有一个人低低地说："现在的地方官吏大部分都如我们今日碰见的那个兵官，欺软怕硬，欺善怕恶，见钱眼开，对上谄媚，对下欺压，义正词严地说什么大汉律法，不能放人，可转眼就又因为惧怕权贵，把人放了。"

赵破奴已经连阻止的力气都没有了，只能大喊："天晚了，都睡觉！"

赵陵起身向外走去，赵破奴想跟上去，赵陵头都未回地说："我想一个人走一走。"

赵破奴为难地立在那里，云歌朝赵陵追去，向赵破奴指了指雪狼，示意他不要担心。

赵陵走了一路，都没有理会云歌，后来索性坐到草地上，默默盯着夜色尽头发呆。

云歌在他身后站了良久，赵陵一直一动不动。

云歌用黛笔在自己手上画了眼睛眉毛鼻子，一只手的人有胡子，一只手的人戴着花。

云歌把手放到赵陵眼前演起了手戏，一会儿小姑娘的声音，一会儿老头子的声音。

"你为什么不开心？"

"我没有不开心。"

"你骗人，不是骗自己说没有不开心就可以开心的。"

老头子板着脸不回答，戴着花的手又问："你为什么整天冷着脸？"

"因为我觉得这样看上去显得我比较深沉，比较与众不同。"

"虽然我觉得你冷着脸挺好看，可是我觉得你笑一笑会更好……"

"云歌！"赵陵忍无可忍地扭头，看见的却是一张比星光更璀璨的笑脸。

两人鼻翼对鼻翼，彼此间呼吸可闻。

云歌轻轻说："陵哥哥，我明天就要走了。"

云歌自己都不知道为何，语声忽然变得有些干涩。

也许因为赵陵是第一个能听她唠叨，也能听懂她唠叨的哥哥。她虽有两个哥哥，可因为父亲四十多岁才有的她，所以二哥年龄长她太多，即使疼她，能说的话却很少。

三哥年龄差得少一些，却绝对没这个耐心听她嘀咕，昨天晚上，要换成是三哥，早拎着她的脖领子把她丢到大漠里去了。

赵陵愣了一瞬，才接受这个事实，是呀！她只是刚认识的小姑娘，她并不是会一直随着他回长安的人，可是这样明媚的笑颜……

恍惚间，他只觉得似乎已认识她很久，也已经很习惯于她的叽叽喳喳。难道这就是"白头如新，倾盖如故"？

云歌看赵陵盯着她发呆，她笑凑到他的眼前，朝他吹了口气，"我就要走了，不许你想别的事情，只许想我！"

云歌是天真烂漫的笑语，赵陵却是心蓦然急跳，猛地撇过了头，"云歌，你再给我讲个故事。"

这个似乎连话都懒得多说的人居然会请她再讲个故事，云歌喜悦地大叫了一声，"躺下，躺下，你一边看星星，一边听我讲故事。我有很多好听的故事。"

云歌未等赵陵答应，就扳着赵陵的肩让他躺下，自己躺到赵陵身侧，赵陵的身子不自禁地就移开了一些，云歌却毫无所觉地顺势挪了挪，又凑到了赵陵身旁，靠着赵陵的肩膀，"你想听什么故事？"

赵陵的身子虽然僵硬，却没有再躲开，淡淡地说："讲讲你为什么脸皮这么厚？"

"啊！嗯？什么？哦！有吗？"云歌嘴里嗯嗯啊啊了半晌，终于泄气地说："人家脸皮哪里厚了？我们家脸皮最厚的是我三哥，错了！他是压根儿没有脸皮，因为他除了吃什么都不在乎。其实我的脸皮是很薄的……"

云歌说着说着哈哈笑起来，笑声像银铃，在星空下荡开，听着她的笑声，赵陵恍惚地想着长安城的那座空旷寂寞又黑沉的宫殿，也许有了云歌的笑声，那座宫殿也会变得如她的笑颜，温暖明媚。也许随着她飞翔过的脚步，他也能飞翔于天地间，至少他的心可以。

赵破奴来叫二人睡觉时，看到的就是星空下并肩而躺的二人。

云歌靠在赵陵肩头，嘀嘀咕咕说个不停，赵陵虽然一声不吭，神情却是从没有见过的温和。

赵破奴心中暗惊，大着胆子上前说："已经很晚了，明天还要赶路，趁早休息吧！"

赵陵眼锋一扫，赵破奴只觉心中所思所想竟然无一能隐藏，腿一软，差点跪下来。

"云歌，我有些渴了，你去帮我拿些水来，再拿两条毯子过来。"赵陵对云歌说，云歌笑点了下头，大步跑着去拿东西。

赵陵依旧躺着未动，凝视着头顶的星空，"云歌的父母是谁？"

赵破奴心中震惊，面上却不敢露出半分异样，恭敬地回道："我不知道。"

"不知道？天山雪驼和汗血宝马被誉为西域两宝，先皇为了得到汗血宝马，发兵数十万攻打大宛，倾大汉国力，死伤无数，才得了宝马。这世间有几个人能用得起天山雪驼？还有大漠天上的王白雕，地上的王狼陪伴，云歌又说了你和她的娘亲认识，这般的人物在你认识的人中能有几个？"

"我真的不知道。对方指点我们走出大漠是一番好意，又何必追究对方来历？"

赵陵沉默了一瞬，轻描淡写地说："我不是想追查他们的身份，我……我想留下云歌。"

赵破奴大惊失色，一下跪到了地上，"不可！万万不可！云歌的父母肯定不会同意！"

"这里不是你跪的地方，你起来。"赵陵唇角微翘，似笑非笑，"你是替云歌的父母担心，还是替我担心？我倒想见见他们，只要扣下云歌，她的父母即使是神龙，也要显身……"

云歌从远处一蹦一跳地过来，身侧的铃铛驮着毯子，"陵哥哥，水来了。"

赵陵向赵破奴挥了下手，示意他退下。

赵破奴面色沉重地起身而去，如果云歌真是她的孩子，那当年……当年的事情究竟是怎么回事？

他不敢再往下想，心中只暗定主意，无论如何也不能让云歌被扣下，哪怕一死。

赵陵用毯子把两人裹好。

一狼、一驼卧在他们身后，两只雕卧在骆驼身上。

草原的夜空低而空旷，繁星缀满天，再加上他们这个奇怪的组合，有一种神秘幽静的美。

"陵哥哥，你还会来西域吗？或者去塞北？或者出海？听说南疆苗岭很好玩，我还没去过，我们可以一起去。"

"恐怕不会，就这一次机会还是我费尽心思才争取到的，这也许会是我这辈子走过的最远的地方。你年纪比我小，去过的地方却远远比我多。"

两人沉默下来，赵陵忽地问："云歌，你的故事中从来没有提到过长安，你愿意来长安玩吗？"

云歌轻叹口气，"我爹爹和娘亲不会答应，爹爹和娘亲不许我和三哥踏入大汉疆域，而且我要回家，不过……"她的眼睛瞬即又亮起来，"我爹爹说过，儿女就是小鹰，大了就会飞出去，我爹娘从来不管我二哥的行踪。过几年，等我长大一些时，等我也能自己飞时，我去长安找你玩。"

赵陵望着她晶晶亮的眼睛，怎么能让这样一双眼睛蒙上阴影呢？

半晌后，他缓缓点了点头，"好，我在长安等你。"

云歌笑拍着手，"我们拉钩，谁都不许说话不算话。我到长安后，你可要尽地主之谊呀！"

赵陵不解，"什么拉钩？"

云歌一面教他，一面诧异地问："你怎么连拉钩都不会？你小时候都做些什么？"

两人小拇指相钩，云歌的声音清脆悦耳："拉钩，上吊，一百年，不许变！"两人的大拇指相对一按时，云歌自己又大笑着加了句，"谁变谁是小猪！"

赵陵第一次露了笑意。他不笑时眼睛内幽暗黑沉，可这一笑却仿似令满天的星辰都溶化在他的眼睛中，黑眸内点点璀璨的光芒闪动。

云歌看得一呆，脱口道："你笑起来真好看，比天上的星星还好看。"

赵陵的笑意敛去，自己有多久没有真心笑过了？是从那个夜晚，躲在帘子后，听到父亲要杀死母亲时吗？太想忘记，也在努力忘记，可是每一个瞬间只是越发清楚……

赵陵从衣领内掏出一个东西，挂到云歌颈间，"你到长安城后出示这个给守门人，就可以见到我。"

云歌低头细看，一条好似黑色丝线编织的绳子，手感特异，看着没什么特别，挂着的东西却很别致，好像是女子的一副耳坠。

赵陵淡淡解释："这是我母亲在临走前的一晚上，拔发为绳，用自己的头发编织了这个绳子，做了挂坠给我留个纪念。"

云歌一听，急得想摘下来，"你母亲去哪里了？这是你母亲为你做的，我不能收。你要怕我找不到你，就给我你腰间的玉佩做信物吧！"

赵陵按住了她的手，"等下次见到我，你再还给我就行了，它虽是我最珍惜的东西，可有时候我也不想见它。挂在我心口，常压得我喘不过气来。这个玉佩……"赵陵小指头钩着腰间藏着的玉佩晃了晃，微光闪烁间，上面刻着的一条飞龙好似活了一般，"我自己都憎恨它，怎么会让你戴着它？"

云歌并没有听懂赵陵的话，但看到赵陵幽黑双眸中的暗潮涌动，心里莫名一涩，不禁乖乖点点头，收下了发绳。

云歌摸了摸自己头发，只有绾着发髻的丝带，脖子上戴着的竹哨是用来和小谦小淘交流的，手上也没有饰物，腰间只有装了姜片、胡椒、酸枣的荷包，这个肯定不能送人……从头到脚摸完自己，身无余物。

赵陵看她面色着急，淡淡说："你不用送我东西。"

云歌蹙着眉头，"来而不往非礼也！啊……对了！我看你刚见我时，盯着我的鞋子看，好像很喜欢，我送你一只鞋子，好不好？"云歌说着话，已经脱下了脚上的鞋子，掸去鞋上的灰后，递给了赵陵。

赵陵愣了一瞬，哭笑不得，"你知道女子送绣鞋给男子是什么意思吗？"

云歌茫然地看着赵陵，眼睛忽闪忽闪。

赵陵盯了她一会儿后，唇角慢慢逸出了笑，接过刚有他手掌大的鞋，郑重地收进了怀中，一字字地说："我收下了。云歌，你也一定要记住！"

云歌用力点头，"爹爹和我讲过诺言的意义，这是我许下的诺言，我定会遵守，我一定会去找你，你也一定要等我。"

云歌的眼睛专注而坚定，赵陵知道她人虽不大，心志却十分坚定，此话定会实现，伸掌与她对击了三下，"以星辰为盟，绝无悔改"。

第一次有人如此待她，珍而重之，若待成人，云歌欣然而笑，忽想起昨夜的事情，"陵哥哥，你经常做噩梦吗？"

赵陵没有回答。

云歌摸了摸他锁着的眉头，"我做噩梦，或者心里不高兴时，娘就会唱歌给我听。以后你若做噩梦，我就给你唱歌，我会唱很多歌，我还会讲很多故事。"

云歌清了清嗓子，唱了起来：

黑黑的天空低垂
亮亮的繁星相随
虫儿飞虫儿飞
你在思念谁

天上的星星流泪
地上的花儿枯萎
冷风吹冷风吹
只要有你陪

虫儿飞花儿睡
一双又一对才美
不怕天黑只怕心碎
不管累不累

云歌的声音犹有童稚，温馨舒缓的曲调荡漾在夜空下，听得人也轻快起来。

云歌见赵陵微笑，心中十分欢喜。

虽是童谣，歌词却别有深意。云歌对词意显然还未真正理解，反倒赵陵心有所感，一直沉默地凝视着云歌。

歌声中，云歌没有让赵陵睡去，反倒把自己哄睡着了。

傻云歌，能驱走噩梦的并不是歌声，而是歌声里的爱意，是因为唱歌的人有一颗守护的心。

知道她睡觉不老实，赵陵轻轻地把她往怀里揽了揽，把毯子裹紧了些。

自从八岁后，他第一次与人如此亲近，他在用身体温暖她时，温暖的更是自己。

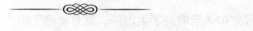

太阳升起时，云歌才迷迷糊糊醒转，待真正清醒，懊恼地大叫："哎呀！我怎么睡着了？陵哥哥，你怎么不叫醒我？我的故事还没有讲完呢！我昨日还想把我家喜欢偷宝石的小狼的故事讲完。"

赵陵把云歌抱放到骆驼上，"下次再讲也来得及，等你到长安后，我们会有很多时间听你讲故事。"

天空中传来几声雕鸣，小淘和小谦立即冲向了高空，迎向两只正在高空盘旋的大雕。

云歌瘪着嘴，笑吐吐舌头，"哎哟！爹爹不知道又带娘亲去了哪里，打发了三哥来接我。三哥可是个急性子，顶讨厌等人，我得走了。"

赵陵微一颔首，云歌策着骆驼离去，一面频频向他挥手。

绿罗裙下，两只脚一荡一荡，一只雪白，一只葱绿。

赵陵忽想起一事，叫道："赵是我母亲的姓，在长安时我姓刘……"看到赵破奴和其他人正遥遥走来，赵陵立即吞下了未出口的话。

云歌手儿拢在嘴边，回身说："记住了！"

赵破奴一夜未睡，思量的都是如何打消赵陵留下云歌的念头，却不料清早看到的是两人告别的一幕。

他心中一松，可接着又是一阵失落。

如果赵陵真扣下了云歌，那他就可以见到她的父母。

念头未转完又立即暗自谴责，竟然为了私念，全然不顾大局。何况真要算起来，赵陵和他们之间也许还有血海怨恨，如今这样安然道别，以后永无瓜葛才是最好。

雪狼护送云歌到了集市外，就自动停了脚步。

云歌笑向雪狼告别，"雪姐姐，谢谢你了。"

雪狼矜持地转身离去，姿态优雅高贵。

云歌打量了一下自己，裙裾卷皱，一只脚的鞋半趿着，一只脚压根儿没有穿鞋，不禁好笑地想，难怪二哥说家有蕙质淑女时，三哥老是不屑地一声冷哼，讥笑道："我们家是有一个淑女，不过不是二哥口中的淑女，而是雪姐，云歌儿顶多算一个举止有些奇怪的蠢妖女。"

刚到绿洲外围，就看见了三哥。

她那美丽如孔雀，骄傲如孔雀，自恋亦如孔雀的三哥，正坐在榆树顶上，望着天空。

榆树下，几个乞丐正在殴打一个和三哥年岁差不多大的男孩子，那个男孩子的头发包在一顶破旧毡帽子中，身子缩成一团，任由众人的脚落在身上，不管他人打得再凶，都没有发出一丝声音，如果不是他的手脚偶尔还会动一下，倒让人觉得已是一个死人。

云歌轻叹一声，三哥说她是妖女，她倒觉得三哥行事更是古怪，底下就要出人命，三哥却一副压根儿没有看见的样子，依旧能专心欣赏蓝天白云。

不要说以众凌寡，就是看在年纪差不多大，也该"小孩子"帮"小孩子"呀！

"几位大叔，不要打了。"云歌笑眯眯地柔声说。

几个乞丐正打得过瘾，哪里会理会一个小姑娘？

"几位大叔，不要打了。"云歌加大了音量，乞丐依旧没有理会。

"几位大叔，不要打了。"云歌又加大了音量，乞丐们依旧照打。

……

"几位大叔，不要打了。"一声好似狼啸的声音，响彻林间，震得树上的叶子哗哗而落。

几个乞丐被吓得立即住手，两个胆小的只觉心神刹那被夺，小腿肚子都吓得直摆。

云歌眯着眼睛，笑着向几个乞丐行礼，笑靥如花一般娇嫩，声音却穿云裂石如狼嚎，"大叔，真是对不住，我不知道要说这么大声，大叔们才能听到，刚才说话太小声了。"

一个年轻的乞丐耳朵被震得嗡嗡直响，心头火起，正想喝骂云歌，一个年纪大的乞丐想起草原上流传的驱策狼群的狼女传闻，忙拦住了年轻的乞丐，赔着笑脸对云歌说："小姑娘，我们的耳朵很好，听得到您说话。您快不要这样说话了，把狼群招来了，可了不得！我们这些可怜人，夜晚都在外面露宿，怕的就是它们。"

云歌笑着点头，很乖的样子，声音也立即变得小小的，"原来大叔们的耳朵都很好。大叔，你们不要打小哥哥了。"

年纪大的乞丐立即答应，示意其余乞丐随他离开。

"小妖孽！小杂种！"年轻的乞丐不甘心地又踢了一脚地上的男孩子，打量了一眼云歌，露出失望之色，正打算要离开，忽瞥到云歌鞋子上嵌的珍珠，眼睛一亮，吞了口唾沫，全然不顾老乞丐的眼色，觍着脸说："小姑娘，这可不是我们的错，是这位小杂种……小兄弟偷了我们的钱……"

榆树上传来一声冷哼，"云歌，你有完没完？我要走了。"

三哥吹了声口哨，就从榆树上轻飘飘地飞出，恰落在一匹不知道从哪里悄无声息蹿出的马上。

云歌知道三哥是说走就走的人，绝对不是吓唬她。

座下的马又是二哥给他的汗血宝马，一旦撒开蹄子，绝对不是未长大的铃铛追得上的，急得直叫："三哥，你等等我，你等等我。"

眼前这个十岁上下的少年，一身华衣，贵气逼人，坐在马上高傲得如一只正在开屏的孔雀，行动间如鬼魅一般悄无声息。

乞丐们虽不懂高深的功夫，但常年乞讨，一点眼力还有。就是那个年轻乞丐也明白过来，今日的便宜不好占，一个不小心只怕会把命都搭进去，再不敢吭声。年纪大的乞丐连连向云歌行了几礼后，带着其余人匆匆离去。

云歌本想立即就走，可看到地上的男孩一身的血，心中放心不下，匆匆跳下骆驼去扶他，"小哥哥，你觉得怎么样？"

地上的男孩子闻声睁开眼睛。

一双如黑色玛瑙石般美丽的眼睛，比雨后的天空更明净，更清透，只是他的眼睛没有宝石的清澄光辉，而是带着荒漠一般的死寂荒芜。

云歌心中震动，她从未见过这么漂亮的眼睛，也从未见过这么绝望的眼睛。

男孩子抹了把脸上的血，看到云歌望着他的脸发呆，心中一声冷笑，索性一把拽下了帽子。一头夹杂着无数银丝的长发直飘而下，桀骜不驯地张扬在风中。黑白二色相映，对比强烈，衬得玛瑙石般的眼睛中透着难言的妖气。

他对着云歌一笑，几分邪气，几分讥讽，几分蔑视，"富贵人家的小姐，您善良纯洁的心已经向世人表露过了，我也被您的善良深深打动了，我会铭记住您的恩德，您可以骑上您的骆驼离开了。"

少年虽然满脸血污，可难掩五官的精致。

他的面容融合了汉人和胡人的最大优点，线条既深刻又柔和，完美得如玉石雕成。配着一头半黑半白的头发，犹有稚气的脸露着一股异样的沧桑和邪魅。

他虽然衣着破烂，躺在泥泞中，可神态高贵傲慢，让云歌觉得他如同一位王子，只不过……是……魔王的王子。

云歌鼓了鼓腮帮子，眼珠子一转后笑起来，"你想气我，我偏不生气！你要去看大夫，你流了好多血。"

云歌的反应未如他所料，少年不禁深深盯了一眼云歌，又看了看远处马上云歌的三哥，哈哈笑起来，"富贵人家的小姐，看大夫那是有钱人做的事情，我贱命一条，不用花那么多工夫。不过越是命贱的人，越是会活下去，老天还指望着我给他解闷逗乐呢！我没那么容易死，您走您的路吧！"

"云歌儿！"三哥仰头望天，眉头攒成一团，夹了下马腹，马已经蹿出去。

云歌着急地大嚷："三哥，我给你做'风荷凝露'吃，是我新近想出来的菜式。"

此时就是天下至宝、大汉的国玺和氏璧放在三哥的马蹄下，三哥也会眼睛都不眨地任由马蹄踩踏上去，可唯有吃，能让他停住马。

三哥勒住缰绳，"二十声。"

云歌忙点点头，这是自小和三哥惯用的计时方式，二十声，就是从一数到二十，多一下也不候。

云歌笑问男孩："是不是有钱了，你就会去看大夫？"

男孩子的眼睛中透出讥诮，故意用自己乌黑的手去抓住了云歌的手，一个黑脏如泥，一个皓洁如云，云泥之别，云歌却一点没有感觉，反倒顺手握住了他的手，又问了一遍，"是不是有钱了，你就会去看大夫？"

男孩子望着云歌的手，一时怔住，没有吭声。

云歌笑道："不吭声，我就当你答应了。三哥，你有钱吗？"

三哥头都未回地说："我没有带钱出门。我可不会被骗，家里面有一个蠢人就够了。即使有，也不会给那么没用的男人。"

地上的男孩不怒反笑，放开了云歌的手，躺回地上，好似躺在舒服的软榻上，笑得懒洋洋又惬意的样子，唇边的讥诮不知道是在嘲笑别人，还是嘲笑自己，似乎透着悲哀。

爱笑的云歌却敛去了笑，很认真地说："被乞丐打不见得就是没用，他们以大欺小，以多欺寡是他们不对。"

地上的男孩子依旧笑得没心没肺的样子，黑玛瑙般的眼睛中，光芒点点，又冰冷如刀锋。

三哥哼了一声，冷着声音说："十五、十六……"

云歌正着急间，地上的男孩子嘲笑地说："富贵人家的小姐，您如果没有钱，不如把您脚上的珍珠赏了我吧！我去换了钱找大夫。"既然已经被人看作骗子，不如就骗了。那粒珍珠看大小和成色，不要说看大夫，就是买一家医馆都可以了。

"这个也可以换钱的吗？"云歌只觉得珠子缀在鞋子上挺好看，所以让娘亲找人去做了鞋子，此时才知道可以换钱，笑着一点头，立即去拽珍珠，珍珠是用金丝嵌缠到鞋面，很是坚固，一时拽不下来。

"十八、十九……"

云歌匆匆把鞋子脱下，放到男孩子手边，回身跳上了骆驼，追在三哥身后离去，犹远远地叮嘱："记得去看大夫，君子一言，驷马难追！"

男孩子躺在地上，目送着雪白骆驼上的绿罗裙远去。

薄唇轻抿，依旧是一个懒洋洋的笑。

眼睛中，死寂荒芜的背后，透出了比最漆黑的黑夜更黑暗的伤痛。

他缓缓握住了手边的绣鞋，唇边的讥诮和邪气越发地重。

原来在他人眼中意味着富贵和幸福生活的东西，在她的眼中不过是一颗用来戏耍的珠子。

"我从来不是君子！也绝不打算做君子！"

他狠狠地用力把鞋子扔了出去，仰望着高高在上，没有任何表情，也永远不会悲悯的天空大笑起来。

这就是命运吗？

老天又是凭什么决定谁该富贵？谁该低贱？谁该死？谁又该活？谁的命就更宝贵？

死老天！我绝不遵从你规定的命运，你从我手里夺去的，我一定都会加倍拿回来！我会遇鬼杀鬼，遇神杀神！

时光荏苒，光阴似箭。

落花年年相似，人却年年不同。

寒暑转换间，当日的烂漫女孩已到及笄之年。

一间通透明亮的屋子，虽只是一间，却有一般人家几间那么大。

因屋子的地下生着火，外面寒意仍重，屋内却已如阳春三月。

窗上笼着的是碧茜纱，屋内摆着的是汉玉几，一旁的青石乳钵内散置着滚圆的东海珍珠。

少女娇俏的笑语声隐隐传来。

虽听到人语声，从门口望进去却不见人影。

只看到高低间隔、错落有致的檀木架子，上面放满了各种盆栽。

有的结着累累的红子；有的开着碗口大的白花；有的只一色翠绿，从架子顶端直倾泻到地上，像是绿色瀑布；有的却是沿着架子攀援而上，直到屋顶，在屋顶上开出一朵朵火红的星星花。

郁郁葱葱的绿色中，各种奇花异草争奇斗艳；融融暖意中，一室草木特有的芳香。

一重屋宇，却恍若两个世界，猛然间，都会以为误入了仙子居。

再往里走，绕过芬芳的花木，待看到水磨石的灶台，定会怀疑看花了眼。

即使这个灶台砌得神气非凡，也绝不应该出现在这个屋子中。可这的的确确是一间厨房，此时正有一个面纱遮颜的黑衣女子在做菜。

云歌斜斜坐在窗台上，双脚悬空，惬意地踢踏着鞋子。云歌一边嗑着瓜子，一边看着阿竹做菜，"阿竹，你是做菜，不是练剑，手放轻松一些！没有招式，没有规矩，只有心意和心情。"

阿竹却依旧十分严肃，垂目盯着自己手中的菜刀，切出来的菜每一片都大小一样，厚薄一样。

云歌不用去量也知道肯定和她第一次教阿竹切菜时，她示范切出的菜一模一样。

想到阿竹待会儿炒菜时，每个动作也都完全和她一样，甚至连手势之间的间隔时间，阿竹也会一瞬不差地重复，云歌不禁无奈地摇了摇头。

云歌正心中暗骂三哥，怎么能把一个好好的用刀高手逼成这样？一个小丫头匆匆跑到门口，嚷着说："小姐，又有个不怕死的来给你提亲了。"

云歌嗤一声讥笑："等娘亲把他们轰出去时，你再来叫我去看热闹。"

小丫头笑着跑走，却是一去再未回来。

云歌渐渐起了疑惑，对阿竹说："我去前厅看看，一会儿就回来。"

阿竹点了点头，却未料到云歌这个"一会儿就回来"，也变成了一去不回。

阿竹在厨房内直等到天黑都未见云歌回来。

趁着夜色，云歌背着包裹，偷偷从墙头翻出了园子。

她回头看了几眼园子，似有犹豫，最终还是大步跑着离开。

在她身后的暗影中，一个年青的声音说："云歌儿真被爹料中了，被我几句话一激，真就离家出走。这下人都跑了，提亲的人可以回了，娘也不必再为难。爹，要我过几日把她抓回来吗？"

一声轻微的叹息，似带着几分笑意，又似带着几分怅惘："如果我因为担心，而盯着你的行踪，你会乐意吗？"

年青的声音没有回答。

"小鹰长大了总要飞出去，老鹰不可能照顾小鹰一辈子，她总要学会如何照顾自己。随她去吧！我的女儿难道连自己都照顾不了？"

"那就不管她了？"年青的声音平淡中却似含着笑意。

"……"

沉默了一瞬后，一声几分自嘲的叹气："道理是一回事情，却真做不到，四十多岁才得了个宝贝女儿，不免偏宠了些，总觉得云儿还没有长大。"

"爹呢？爹又要和娘出远门？"

声音中满是笑意："好不容易等到你们都长大了，当然要该干什么就去干什么了。"

年青的声音也笑起来，说话语气像朋友多过像父子："云歌儿最喜欢黏着你们，爹，你不会是故作为难地不拒绝求亲，而把云歌儿这个小尾巴气出家门吧？"

微风中，笑声轻荡。

可他却在爹依旧锐利如鹰的眼睛中捕捉到了几分说不清道不明的东西，似乎想起了一个故人。

在他心中，即使天掉下来，父亲也不过掸掸袖上灰，他实在无法想象什么人能令父亲有如此神情。

已经从家里跑出来好几日，云歌依然是满腹委屈。

不明白一向宠她的爹爹和娘亲为什么没有把那个上门来提亲的人

打出去，不但没有赶出去，听丫头说还招呼得十分周到。

三哥更过分，不但不帮她拿主意，还对她十分不耐烦。

三哥行事说话本就倨傲，当时更是一副巴望着她赶紧嫁人的样子。

云歌满腹的委屈无人可说，又是气愤又是伤心，当夜就从家里跑了出来。

人都跑了，看他们怎么办，要嫁他们自己去嫁，她反正绝对不会嫁。

人人都以为她忘记了，爹爹和娘亲也肯定认为她忘记了，可是她没有忘。

她很清楚地记得自己许过的诺言。

当日领路后回家，爹爹和娘亲见到她脖子上的饰物，问她从何而来，她如实相告，却没有想到，爹爹和娘亲的神色都变得严肃起来。

她惊怕下，约定和送鞋之事就未敢再告诉爹娘。

娘亲把发绳收走，并且命她承诺，永不再想着去找陵哥哥玩。她哭闹着不肯答应，那是娘亲和爹爹第一次没有顺她的心意。

最后娘亲禁不住她哭闹，虽然没有再逼她发誓不去找陵哥哥，可娘亲也无论如何不肯把发绳还给她。

后来她偷偷去磨爹爹，想把发绳拿回，在她心中山崩于前都不会皱眉的爹爹居然轻叹了口气，对她说："云儿，你娘亲是为了你好，不要让你娘亲担心。"

虽然这么多年过去，陵哥哥的面容都已经模糊，可那个星空下的笑容却一直提醒着她，提醒着她许下的诺言。

当她第一次从书籍中明白，原来女子送男子绣鞋是私订终身的意思，她心跳得快要蹦出胸膛，明明四周没有人，她却立即把书册合拢，好似做了不该做的事情。

那一天，整日都精神恍惚，似愁似喜。晚上也睡不着觉，只能跑到屋顶上去看星星。

天上璀璨的星光，一如那个夜晚，他暗沉如黑夜的眼睛中透出的点点光芒。

在那个瞬间，她才真正明白他当日所说的话："我收下了。云歌，你也一定要记住！"

他收下了，他已经给了他的承诺。

云歌回忆着和陵哥哥相处的一点一滴，她从小到大唯一的朋友。

躺在璀璨的星河下，想着长安城内的陵哥哥此时也可以看到这片星空，云歌有一种很奇怪的感觉，觉得他此时肯定也在望着漫天星斗，既静静回忆着他们之间的约定，又期许着重逢之日的喜悦。

她心中的愁思渐去，一种很难言喻的欣喜渐增。

云歌躺在屋顶，对着天上的星星轻声说："我记着呢！满天的星星都见证了我的诺言，我可不敢忘记。"

从此后，云歌有了一个天大的秘密。

独自一人时，会不自禁地偷偷笑出来；怕冷清，喜热闹的她突然爱上了独处，常常一个人能望着星空发半夜的呆；会在听到顽童笑唱"娶媳妇，穿红衣"时，脸蓦然变红；还不愿意再穿任何红色的衣服，因为她暗暗觉得这个颜色是要在某一天穿给一个人看的。

她一直计划着何时去找陵哥哥，本来还犯愁怎么和爹娘说去长安才能不引起他们的疑心，没想到爹娘竟然想给她定亲，既然爹娘都不想再留着她了，那她索性就离家出走，正好去长安见陵哥哥。

不过没有了发绳信物，不知道能否找到陵哥哥，见了陵哥哥，又该怎么解释呢？说他给自己的东西被娘亲没收了？

云歌心中暗叹一声，先不要想这些，等到了长安再说吧！总会有办法。

一路东行，云歌心中暗赞，难怪大汉会被赞誉为天朝，市井繁华确非一般国家可比，新奇的玩意儿也比比皆是。

但云歌自小见过无数珍玩异宝，父母兄长都是不系于外物的人，所以再稀奇的东西，她也顶多就是多看一眼，于她而言都是身外之物。一路最留心的倒是最日常的吃，但凡听到哪个饭庄酒店的东西好吃，必定要去尝一尝。

唉！爹爹、娘亲、哥哥都不要她了，她干吗还要为了他们学做菜呢？

虽然心中满是郁闷，可自小到大的习惯哪里那么容易说改就改？

云歌仍然禁不住每到一地方就一家家酒楼跑着。

遇见上好的调味料也总是忍不住买一点揣在身上。

满心哀怨中，会红着脸暗想，不做给三哥吃，可以做给陵哥哥吃。

因为心中烦闷，她常扮了乞丐行路，既是存了好玩的心思，也是因为心中难过，存了和父母赌气的心思。只觉得自己越是落魄邋遢，似乎越能让父母难受，也才越能缓解自己心中的难受。

云歌出门时，还是天寒地冻。一路游玩到长安城时，已经是春暖花开的季节。

刚到长安城外的少陵原，云歌就听闻七里香酒楼的酒很是有名，所以决定去尝一尝这个七里香怎么个香飘七里。

还未到酒楼，就看到酒楼前围着不少人。云歌心中一喜，有热闹可以看呢！

可看热闹，人人都很是喜欢，个个探着脖子往里挤，云歌跳了半天脚，也没有看到里面究竟是什么热闹。

云歌看了看里八圈、外八圈围满的人，抿嘴一笑，从袋子里摸出昨日刚摘的鱼腥草，顺手揉碎，将汁液抹在手上，探着双手往人群里面挤。

鱼腥草，顾名思义就知道味道很是不好闻。前面的人闻到异味，再瞅到云歌的邋遢样子，都皱着鼻子，骂骂咧咧地躲开。

云歌一路顺风地占据了最佳视野，而且绝对再无人来挤她。

她往嘴里面丢了一颗酸梅，拢起双手，瞪大眼睛，准备专心看戏。

一个和云歌年纪差不多大的女子，容貌明丽，眉眼间颇有几分泼辣劲，此时正在斥骂一个年纪比她们略小的少年。女子一手握着扁担，一手拧着少年的耳朵，"看你下次还敢不敢偷钱？"

少年衣衫褴褛，身形很是单薄，被女子气势所吓，身子瑟瑟发抖，只是频频求饶，"许姐姐，你就看在我上无八十岁老母，下无八岁娇儿，孤零零一个人，饶了我这一次……"

女子满面怒气，仍然不住口地骂着少年，一面骂着，一面还用扁担打了几下少年。

少年的耳朵通红，看着好像马上就要被揪掉。失主想开口求情，却被女子的泼辣厉害吓住，只喃喃地说："算了，算了！"

云歌一路假扮乞丐，受了不少恶气和白眼，此时看到少年的样子，又听到孤零零一个人的字眼，立即起了同病相怜之情。

正琢磨着如何解救少年，七里香的店主走了出来。因为人全挤在门口看热闹，影响了做生意，所以店主出来说了几句求情的话。

那个女子好像和店主很熟，不好再生气，狠狠瞪了少年几眼，不甘愿地放他离去。

女子把挑来的酒卖给店主后，仔细地把钱一枚枚数过，小心地收进怀中，拿着扁担离去。

云歌眼睛骨碌碌几转，悄悄地尾随在女子身后。

以为没有人留意，却不知道她在外面看热闹时，酒楼上，坐于窗边的一个戴着墨竹笠、遮去面容的锦衣男子一直在看她，此时看她离开，立即下了楼，不远不近地缀在她身后。

云歌跟着那个女子，行了一段路，待走到一个僻静小巷，看左右无人，正打算下手，忽闻一声"平君"，云歌做贼心虚，立即缩回了墙角后面。

一个身材颀长，面容英俊的男子从远处走来。

穿着洗得泛白的黑袍，脚上的鞋满是补丁，手里拎着一只毛几近光秃的鸡。

他的穿着虽然寒酸落魄，人却没有丝毫寒酸气，行走间像一头狮子般慵懒随意。眼中隐隐透着高高在上的冷淡，可他脸上的笑容却满是开朗明快，流露着人间平凡升斗小民的卑微暖意。

尊贵、卑微，冷淡、温暖，极其不调和的气质却在男子的隐明间融于一身。

云歌气恼地瞪向拎着鸡的男子，心却立即漏跳了一拍。

虽然举止笑容截然不同，可这双眼睛……好熟悉！

即使在灿烂的阳光下，即使笑着，依然是暗影沉沉，冷意潸潸。可是云歌知道，如果这双眼睛也笑时，会比夜晚的星光更璀璨。

那个叫平君的女子掏出藏在怀里的钱，数了一半，递给拎鸡的男子，"拿着！"

男子不肯接受，"今日斗鸡，赢了钱。"

"赢的钱还要还前几日的欠账。这是卖酒富余的钱，我娘不会知道，你不用担心她会唠叨，再说……"平君扬眉一笑，从怀里掏了块玉佩出来，在男子眼前转悠了几下，又立即收好，"你的东西抵押在我这里，我还怕你将来不还我吗？我可会连本带利一块儿算。"

男子扬声而笑，笑声爽朗。他再未推辞，接过钱，随手揣进怀里。又从平君手里拿过扁担，帮她拿着，两人低声笑语，一路并肩而行。

云歌脑中一片迷茫，那块玉佩？那块玉佩！阳光下飞舞着的游龙和当日星光下的一模一样。

她发了一会儿怔，掏出随身所带的生姜块在眼睛上一抹，眼睛立即通红，眼泪也是扑簌簌直落。

云歌快步跑着冲向前面并肩而行的两人，男子反应甚快，听到脚步声，立即回头，眼睛中满是戒备，可云歌已经撞在平君身上。

男子握住云歌的胳膊，刚想斥责，可看到乞儿的大花脸上，一双泪花盈盈的点漆黑瞳，觉得莫名的几分亲切，要出口的话顿在了舌尖，手也松了劲。

云歌立即抽回手，视线在他脸上一转，压着声音对平君说了句"对不起"，依旧跌跌撞撞地匆匆向前跑去。

平君被云歌恰撞到胸部，本来一脸羞恼，可看到云歌的神情，顾不上生气，扬声叫道："小兄弟，谁欺负你了？"话音未落，云歌的身影已经不见。

男子立即反应过来："平君，你快查查，丢东西了吗？"

平君探手入怀，立即跺着脚，又是气，又是笑，又是着急，"居然有人敢太岁头上动土！刘病已，你这个少陵原的游侠头儿也有着道的一天呀！不是传闻这些人都是你的手下吗？"

云歌支着下巴，蹲在树荫下，呆呆看着地上的玉佩。

几个时辰过去，人都未动过。

本来还想着进了长安，没有了发绳该怎么找人，却没有想到刚到长安近郊，就碰上了陵哥哥。

人的长相会随着时间改变，可玉佩却绝对不会变。

这个玉佩和当年挂在陵哥哥腰间的一模一样，绝对不会错！玉器和其他东西不一样，金银首饰也许会重样，玉器却除非由同一块玉，同一个雕刻师傅雕成，否则绝不可能一样。

还有那双她一直都记得的眼睛。

来长安前，她想过无数可能，也许她会找不到陵哥哥，也许陵哥哥不在长安，却从没有想过一种可能：陵哥哥会忘记她。

可现在，她不敢再确定陵哥哥还记得那么多年前的约定，毕竟那已是几千个日子以前的事了。

而当年他不肯给她的玉佩，如今却在另一个女子的手中。

云歌此时就如一个在沙漠中跋涉的人，以为走到某个地方就能有泉水，可等走到后，却发现竟然也是荒漠一片。

茫然无力中，她只觉脑子似乎不怎么管用，一边一遍遍对自己说"陵哥哥不可能会忘记我，不可能"，一边却又有个小小的声音不停地对她说"他忘记了，他已经忘记了"。

云歌发了半晌呆，肚子咕咕叫时，才想起自己本来是去七里香酒楼吃饭的，结果闹了半日，还滴水未进。

她拖着脚步，随意进了家面店，打算先吃些东西。

店主看到她的打扮本来很是不情愿，云歌满腹心事，没有精力再戏弄他人，扬手扔了几倍的钱给店主，店主立即态度大变，吩咐什么做什么。

面的味道实在一般，云歌又满腹心事，虽然饿，却吃不下。正低着头，一根根数着面条吃，店里本来喧哗的人语声，却突然都消失了，寂静得针落可闻。

云歌抬头随意望去，立即呆住。

一个锦衣男子立在店门口，正缓缓摘下头上的墨竹笠。

一个简单的动作，他做来却是异样的风流倜傥、高蹈出尘。光华流转间，令人不能直视。

白玉冠束着的一头乌发，比黑夜更黑，比绸缎更柔顺，比宝石更有光泽。

他的五官胡汉难辨，棱角比汉人多了几分硬朗，比胡人又多了几分温雅，完美若玉石雕成。

这样的人不该出现在简陋的店堂中，应该踏着玉石阶，挽着美人手，行在水晶帘里，可他偏偏出现了，而且笑容亲切温暖，对店主说话谦谦有礼，好似对方是很重要、很尊贵的人："麻烦您给我做碗面。"

因为他的出现，所有的人都停止了吃面，所有的人都盯着他看，所有的人都生了自惭形秽的心思，想要离开，却又舍不得离开。

云歌见过不少气宇出众的人，可此人雅如静水明月，飘若高空流云，暖如季春微风，清若松映寒塘。

云歌一瞬间想了很多词语，却没有一个适合来形容他。

他给人的感觉，一眼看过去似乎很清楚，但流云无根，水影无形，风过无痕，一分的清楚下却是十分的难以捉摸。

这样的人物倒是生平仅见。

男子看云歌盯着他的眼睛看，黑玛瑙石般的眼眸中光芒一闪而过。

云歌虽然暗赞对方的风姿，但自小到大，随着父母周游天下，见过的奇人奇事很多，她呆看着对方的原因，只是因为心中一点莫名的触动。

像是游山玩水时，忽然看到某处风景，明知很陌生，却觉得恍恍惚惚的熟悉，好似梦中来过一般。

云歌想了一会儿，却实在想不起来，只得作罢，低下了头，继续数着面条吃面。

哼！臭三哥，你这只臭孔雀，不知道见了这个人，会不会少几分自恋？可是立即又想到三哥哪里会来长安？爹爹，娘亲，哥哥都在千里之外了，这里只有她一个人，孤零零的一个人……

男子笑问云歌："我可以坐这里吗？"

云歌扫了一眼店堂，虽然再无空位，可也没有必要找她搭桌子。

那边一个老美女，那边一个中美女都盯着他看呢！他完全可以找她们搭桌子，何必找她这个满身泥污的人？

"吃饭时被人盯着，再好吃的饭菜也减了味道。"男子眉间几许无奈，笑容温和如三月阳光。

云歌一路行来，但凡穿着乞丐装，更多是白眼相向，此时这个男子却对她一如她穿着最好的衣服。云歌不禁对此人生了一分好感，轻点了下头。

男子拱手道谢，坐在了她的对面。

当众人的眼光都齐刷刷地盯到她身上时，云歌开始万分后悔答应男子和自己搭桌。

不过，后悔也晚了，忍着吧！

店主端上来一个精致美丽到和整个店堂丝毫不配的碗，碗内的肉片比别人多，比别人好，面也比别人多，阵阵扑鼻的香气明确地告诉云歌，这碗面做得比自己的好吃许多。

云歌重重叹了口气，这就是美色的力量！不是只有女人长得美可以占便宜，男人长得美，也是可以的。

　　男子看云歌看一眼他的面，才极其痛苦地吃一口自己的面。温和一笑，将面碗推给云歌，"我可以分你一半。"

　　云歌立即毫不客气地将他碗中的面捞了一半过来。

　　"我叫孟珏，孟子的孟，玉中之王的珏。"

　　云歌正埋首专心吃面，愣了一瞬才明白男子在自我介绍，她口里还含着一大口面，含含糊糊地说："我叫云歌。"

　　云歌吃完面，叹了口气说："牛尾骨、金丝枣、地朴姜，放在黄土密封的陶罐中炖熬三日，骨髓入汤，虽然材料不好，选的牛有些老了，不过做法已不错了。"

　　孟珏夹着面，点头一笑，似乎也是赞赏面的味道。

　　云歌轻叹一声，这个人怎么可以连吃面的姿势都能这么好看？

　　云歌支着下巴，无意识地望着孟珏发呆，手在袖子中把玩着玉佩。

　　来长安的目的就是寻找陵哥哥，人如愿找到了，可她反倒不知道接下来该怎么办了。

　　孟珏看着好似盯着自己，实际却根本没有看他的云歌，眼睛中流转过一丝不悦，一丝如释重负，短短一瞬，又全变成了春风般温和的笑意。

　　云歌依旧在怔怔发呆，孟珏眼风扫到店外的人，立即叫店主过来结账。他进袖子掏了半日，却还是没有把钱掏出来。

　　店主和店堂内众人的神色都变得诧异而奇怪，孟珏低声叹气："钱袋肯定是被刚才撞了我一下的乞丐偷走了。"

　　云歌一听，脸立即烫了起来，只觉得孟珏说的就是她。

　　幸亏脸有泥污，倒是看不出来脸红，云歌掏了钱扔给店主，"够了吗？"

　　店主立即笑起来："够了，足够了！"

　　孟珏只是浅浅而笑地看着云歌掏钱的动作，没有推辞，也没有道谢。

　　云歌和孟珏并肩走出店堂时，身后犹传来店主的感慨："怪事年年有，今日还真是特别多！开店二十年，第一次见进店吃饭的乞丐，第一次见到如天人般的公子。可衣着华贵的公子，吃不起一碗面，反倒一身泥污的乞丐出手豪阔。"

云歌瞥到前面行走的二人，立即想溜。偏偏孟珏拽住了她，诚恳地向她道谢，云歌几次用力，都没有从孟珏手中抽出胳膊。

孟珏的相貌本就极其引人注意，此时和一个衣衫褴褛的乞丐拉拉扯扯，更是让街上的人都停了脚步观看。

行走在前面的许平君和刘病已也回头看发生了什么事情，两人看到云歌，立即大步赶了过来。

许平君人未到，声先到："臭乞丐，把偷的东西交出来，否则要你好看！"

街上的人闻声，都鄙夷地盯向云歌，孟珏满脸诧异地松了手。

云歌想跑，刘病已挡在了她面前，面上嘻嘻笑着，语声却满是寒意，"你面孔看着陌生，外地来的吗？如果手头一时紧，江湖救急也没什么，可不该下手如此狠。行规一，不偷妇人，男女有别，偷妇人免不了手脚上占人家便宜；行规二，不偷硬货，玉器这些东西往往是世代相传的传家宝贝，是家族血缘的一点念想，你连这些规矩都不懂吗？"

云歌想过无数次和陵哥哥重逢时的场面，高兴的，悲伤的，也想过无数次陵哥哥见了她，会对她说什么，甚至还幻想过她要假装不认识他，看他会如何和她说话。

可原来是这样的……原来是厌弃鄙夷的眼神，是斥责冷淡的语气。

她怔怔看着对面的陵哥哥，半晌后才嗫嚅着问："你姓刘吗？"

当日陵哥哥说自己叫赵陵，后来却又告诉她是化名，云歌此时唯一能肯定的就是陵哥哥姓刘，名字却不知道是否真叫陵。

刘病已以为对方已经知道他的身份，知道他是长安城外地痞混混的头儿，点头说："是。"

"还给我！"许平君向云歌伸手索要玉佩，语气严厉。

云歌咬着唇，迟疑了一瞬，才缓缓掏出玉佩，递给许平君。

许平君要拿，云歌却好像舍不得地没有松力。

许平君狠用了下力，才从云歌手中夺了过去。看街上的人都盯着她们看，想起刘病已叮嘱过玉佩绝不可给外人看到，遂不敢细看，匆匆将玉佩掩入袖中，暗中摸了摸，确定无误，方放下悬了半日的心。

"年纪不大，有手有脚，只要肯吃苦，哪里不能讨一碗饭吃？偏偏不学好，去做这些不正经的事情！"许平君本来一直心恨这个占了她便宜，又偷了她东西的小乞丐，可此时看到小乞丐一脸茫然若失，泪花隐隐的眼中暗藏伤心，嘴里虽然还在训斥，心却已经软了下来。

刘病已听到许平君的训斥声，带着几分尴尬，无奈地嘻嘻笑着。

一旁围观的人，有知道刘病已平日所为，也都强忍着笑意。要论不学好，这长安城外的少陵原，有谁比得过刘病已？虽然自己不偷不抢，可那些偷抢的江湖游侠都是他的朋友。耕田打铁喂牛，没有精通的，斗鸡走狗倒是声名远播，甚至有长安城内的富豪贵胄慕名前来找他赌博。

云歌深看了刘病已一眼，又细看了许平君一眼。

他的玉佩已送了别人，那些讲过的故事，他肯定已经忘记了，曾经许过的诺言，他们谁都不能忘，也肯定已经全忘了。

云歌嘴唇轻颤，几次都想张口，可看到许平君正盯着她。少女的矜持羞涩让她怎么都没有办法问出口。

算了！已经践约来长安见过他，他却已经忘记了，一切就这样吧！

云歌默默地从刘病已身侧走过，神态迷茫，像是一个在十字路口迷了路的人，不知该去何从。

"等一等！"

云歌心头骤跳，回身盯着刘病已。

其实刘病已也不知道为何叫住云歌，愣了一瞬，极是温和地说："不要再偷东西了。"说着将自己身上的钱拿了出来，递给云歌。

许平君神情嗔怒，嘴唇动了动，却忍了下来。

云歌盯着刘病已的眼睛，"你的钱要还账，给了我，你怎么办？"

刘病已洒然一笑，豪侠之气尽显，"千金散去仍会来。"

云歌侧头而笑，声音却透着哽咽："多谢你了，你愿意帮我，我很开心，不过我不需要你的钱。"

她瞟了眼强压着不开心的许平君，匆匆扭过了头，快步跑着离去。

刘病已本想叫住云歌，但看到许平君正盯着他，终只是挠了挠脑袋，带着歉意朝许平君而笑。

许平君狠瞪了他一眼，扭身就走。

刘病已忙匆匆去追，经过孟珏身侧时，两人都是深深盯了对方一眼，又彼此点头一笑，一个笑得豪爽如丈夫，一个笑得温润如君子。

街上的人见没有热闹可看，都慢慢散去。

孟珏却是站立未动，负手而立，唇边含着抹笑，凝视着云歌消失的方向。

夕阳将他的身影拖出一个长长的影子，街道上经过的人虽多，可不知道什么原因，都自动地远远避开他。

云歌一直沿着街道不停地走，天色已经黑透，她仍然不知道自己该去哪里，只能继续不停地走着。

"客官，住店吗？价格实惠，屋子干净，免费热水澡。"路旁的客栈，小二正在店门口招揽生意。

云歌停住了脚步，向客栈行去，小儿把她挡在了客栈门口："要讨吃的到后门去，那里有剩菜施舍。"

云歌木着脸，伸手入怀掏钱，一摸却是一个空。

原先在家时，从来不知道钱财重要，可一路行来，她早已经明白"一文钱逼死英雄"的道理，心内立即着急紧张起来，浑身上下翻找，不但钱袋并携带的首饰不翼而飞，连她收调料的各种荷包也丢了。

她苦恼到极点，叹气苦笑起来，二哥常说"一饮一啄，莫非前缘"，可这个报应也来得太快了。

小二仅有的几分耐心早已用完，大力把云歌推了出去，"再挡在门口，休要怪我们不客气！"

小二的脸比翻书还快，语音还未落，又一脸巴结奉承，喜滋滋地迎上来，云歌正奇怪，已听到身后一把温和的声音，"他和我一起。"

小二一个磕巴都不打地立即朝云歌热情叫了声"少爷"，一面接过孟珏手中的钱，一面热情地说："公子肯定是要最好的房了，我们正好有一套独户小园，有独立的花园、厨房，优雅清静，既适合常住，也适合短憩……"

孟珏的脸隐在斗笠下，难见神情，云歌瞟了他一眼，提步离去。

"云歌，你下午请过我吃饭，这算作谢礼。"

云歌犹豫着没有说话，却实在身心疲惫，再加上素来在钱财上洒脱，遂木着脸，点了下头，跟在孟珏身后进了客栈。

暖暖的热水澡洗去了她身上的风尘污垢，却洗不去她心上的疲惫茫然。在榻上躺了半晌仍然无法入睡。

听到熟悉的琴音隐隐传来，她心内微动，不禁披衣起来。

一路之上，是为了好玩才扮作男子，并非刻意隐瞒自己的女儿身，所以只是把头发随意绾了下，就出了门。

一弯潭水，假山累累叠叠，上面种着郁郁葱葱的藤萝，潭水一侧，青石间植了几丛竹子，高低疏密，错落有致。

孟珏一身月白的袍子，正坐于翠竹前，随手拨弄着琴。一头绸缎般的乌发近乎奢华地披散而下，直落地面。

此情此景，令云歌想起了一首读过的诗，觉得用在孟珏身上再合适不过，"瞻彼淇奥，绿竹猗猗。有匪君子，如切如磋，如琢如磨。"

听到云歌的脚步声，孟珏抬眼望向云歌，仿佛有月光随着他的眼眸倾泻而下，刹那间整个庭院都笼罩在一片清辉中。

他并没有对云歌的女儿容貌流露丝毫惊疑，眸光淡淡从云歌脸上扫过，就又凝注到琴上。

云歌也免去了解释，默默坐在另外一块石头上。

从小就听的曲子，让云歌心上的疲惫缓解了几分。

一曲完毕，两人依旧没有说话。

沉默了好一会儿后，云歌才说："'昔我往矣，杨柳依依。今我来思，雨雪霏霏。'我二哥也很喜欢这首曲子，以前我不开心时，二哥常弹给我听。"

"嗯。"

"我不是小偷，我没有偷那个女子的玉佩。我刚开始是想捉弄她一下，后来只是想仔细看一下她的玉佩。"

"我知道。"

云歌疑惑地看向孟珏，孟珏的视线从她的脸上掠过，"刚开始的确有些吃惊，可仔细一想你的言行举止，就知道你出身富裕之家。"

"你肯定心里纳闷，不是小偷还会偷东西？二哥有一个好朋友，是很出名的妙手空空儿，他是好人，不是坏人。他为了吃我做的菜，教了我他的本领。不过他和我吹嘘说，如果他说自己是天下第二，就绝对不敢有人说天下第一，可我的钱被人偷了，我一点都没有察觉。以后见了他，一定要当面嘲笑他一番，牛皮吹破天！"云歌说着，咧嘴笑起来。

孟珏低垂的眼内闪过思量，唇角却依旧含着笑，轻轻拨弄了下琴弦，叮叮咚咚几声脆响，好似附和着云歌的笑。

"这段时间我一直很倒霉，本来以为到了长安能开心，可是没有想到是更不开心。和你说完话心里舒服多了，也想通了，既来之，则安之，反正我现在有家回不得，那就好好在长安游玩一番，也不枉千里迢迢来一趟。"云歌拍了拍双手，笑眯眯地站起来，"多谢你肯听我唠叨！不打扰你了，我回屋子睡觉了。"

云歌走了两步，突然转身，不料正对上孟珏盯着她背影的眼睛，那里面似有锐光，一闪而过，她怔了一下，笑着说："我叫云歌，白云的云，歌声的歌，玉中之王，现在我们真正是朋友了。"

一夜好眠，窗外太阳照得屋内透亮时，云歌眼睛半睁不睁，心满意足地展了个懒腰，"红日高挂，春睡迟迟！"

窗外一把温和的声音，含着笑意，"既然知道春睡迟迟，那就该赶快起来了。"

云歌立即脸面飞红，随即自己又掩着嘴，无声地笑起来："孟珏，你能借我些钱吗？我想买套衣服穿。心情好了，也不想做乞儿了。"

"好！你先洗漱吧！衣服过一会儿就送来。"

孟珏的眼光果然没有让云歌失望，衣服精致却不张扬，于细微处见功夫，还恰好是自己最喜欢的颜色。

云歌打量着镜中的自己，一袭绿罗裙，盈盈而立，倒是有几分窈窕淑女的味道。她朝镜中的自己做了个鬼脸，转身跑出了屋子。

"孟珏，你是长安人吗？"

"不是。"

"那你来长安做什么，是玩的吗？"

"来做生意。"

"啊？"云歌轻笑，"你可不像生意人。"

孟珏笑着反问："你来长安做什么？"

"我？我……我算是来玩的吧！不过现在我已经分文没有，玩不起了。我想先赚点钱再说。"

孟珏笑看向云歌："你打算做什么赚钱？虽然是大汉天子脚下，可讨生活也并不容易，特别是女子，不如我帮你……"

云歌扬眉而笑："不要瞧不起我哦！只要天下人要吃饭，我就能赚到钱，我待会儿就可以还你钱。我打算先去七里香工作几日，顺便研究一下他们的酒。你要和我一块儿去吗？"

孟珏凝视着云歌，似有几分意外，笑容却依旧未变，"也好，正好去吃中饭。"

孟珏和云歌并肩走入七里香时，整个酒楼一瞬间就变得寂静无声。

小二愣了半晌，才上前招呼，没有问他们，就把他们领到了最好的位置，"客官想吃点什么？"

孟珏看向云歌，云歌问："想吃什么都可以吗？"

"我们的店虽然还不敢和城内的一品居相比，可也是声名在外，很多城内的贵公子都特意来吃饭，姑娘尽管点吧！"

"那就好！嗯……太麻烦的不好做，只能尽量简单一点！先来一份三潭映月润喉，再上一份周公吐哺，一份嫦娥舞月，最后要一壶黄金甲解腥。"

　　小二面色尴尬，除了最后一壶黄金甲隐约猜到和菊花相关，别的是根本不知道，可先头夸下了海口，不好意思收回，只能强撑着说："二位先稍等一下，我去问问厨子，食材可齐全。"

　　孟珏笑看着云歌，眼中含了打趣，云歌朝他吐了吐舌头。

　　店主和一个厨子一块儿走到云歌身旁，恭敬行礼："还请姑娘恕罪，周公吐哺，我们还约略知道做法，可实在惭愧，三潭映月和嫦娥舞月却不甚明白，不知道姑娘可否解释一下？"

　　云歌抿唇而笑："三潭映月，取塞外伊逊之水，济南趵突之水，燕北玉泉之水，清煮长安城外珍珠泉中的月亮鱼，小火炖熬，直到鱼肉尽化于汤中，拿纱过滤去残渣，只留已成乳白色的汤，最后用浸过西塞山水的桃花花瓣和沙盐调味。嫦娥舞月，选用小嫩的笔杆青，就是青鳝了，因为长度一定不能比一管笔长，也不能比一管笔短，所以又称笔杆青。取其脊背肉，在油锅内旺火烹制，配以二十四味调料，出锅后色泽乌亮，纯嫩爽口，香气浓郁，最后盛入白玉盘，盘要如满月，因为鳝脊细长，蜿蜒其中，恰似嫦娥舒展广袖，故名嫦娥舞月。"

　　云歌语声清脆悦耳，一通话说得一个磕巴都未打，好似一切都简单得不能再简单，却听得店主和厨子面面相觑。

　　店主深深作了一个揖："失敬，失敬！姑娘竟是此中高手。嫦娥舞月，仓促间，我们还勉强做得，可三潭映月却实在做不了。"

　　云歌还未答话，一个爽脆泼辣的女子声音响起："不就是炒鳝鱼吗？哪里来的那么多花样子，还嫦娥舞月呢！恐怕是存心来砸场子的！"

　　云歌侧头一看，竟是许平君，她正扛着一大罐酒走过桌旁。

　　一旁的店主立即说："此话并不对，色、香、味乃评价一道菜的三个标准，名字好坏和形色是否悦目都极其重要。"

　　云歌浅浅而笑，没有回话，只深深吸了吸鼻子，"好香的酒！应该只是普通的高粱酒，却偏偏有一股难说的清香，一下就变得不同凡响，这是什么香气呢？不是花香，也不是料香……"

许平君诧异地回头盯了云歌一眼，虽然认出了孟珏，可显然未认出挑剔食物的云歌就是昨日的落魄乞丐，她得意一笑，"你慢慢猜吧！这个酒楼的店主已经猜了好几年了。那么容易被你猜中了，我还卖得什么钱？"

云歌满面诧异，"此店的酒是你酿造的？"

许平君自顾转身走了，根本没有理会云歌的问题。

云歌皱眉思索着酒的香气，店主和厨子大气不敢喘地静静等候，孟珏轻唤了声"云歌"，云歌方回过神来，忙立起向店主和厨子行礼道歉："其实我今日来，吃饭为次，主要是为了找份工作，你们需要厨子吗？"

店主惊疑不定地打量着云歌，虽然已经感觉出云歌精于饮食一道，可怎么看，都看不出来她需要做厨子为生。

云歌笑指了指孟珏："我的衣服是他给我买的，我还欠着他的钱呢！不如我今日先做嫦娥舞月和周公吐哺，店主若觉得我做得还能吃，那就留下我，如不行，我们就吃饭结账。"

那个年老的厨子大大瞅了眼孟珏，似乎对孟珏一个看着很有钱的大男人，居然还要让身边水葱般的云歌出来挣钱很是不满，孟珏只能苦笑。

店主心内暗暗合计，好的厨子可遇不可求，一旦错过，即使肠子悔青了也没有用，何况自己本来就一直琢磨着如何进入长安城和一品居一较长短，这个女子倒好像是老天赐给自己的一个机会，"那好！姑娘点的这两份菜都很考功夫，周公吐哺，食材普通，考的是调味功夫，于普通中见珍奇，嫦娥舞月考的是刀功和配色，为什么这道菜要叫嫦娥舞月，而不叫炒鳝鱼，全在刀功了。"

云歌对孟珏盈盈一笑："我的第一个客人就是孟公子了，多谢惠顾！"站起身，随着厨子进了内堂。

顿饭功夫，菜未到，香先到，整座酒楼的人都吸着鼻子向内堂探望。

周公吐哺不是用一般的陶罐子盛放，而是装在一个大小适中的剜空冬瓜中，小二故意一步步地慢走。

冬瓜外面雕刻着"周公吐哺、天下归心"图，瓜皮的绿为底，瓜肉的白为图，绿白二色相映，精美得像艺术品而非一道菜。

菜肴过处，香气浮动，众人都啧啧称叹。

另外一个小二捧着白玉盘，其上鳝鱼整看如女子广袖，单看如袖子舞动时的水纹，说不尽的袅娜风流。

"周公吐哺。"

"嫦娥舞月。"

随着小二高声报上菜名，立即有人叫着自己也要这两份菜。

店主笑得整张脸发着光："本店新聘大厨，一日只为一个顾客做菜，今日名额已完，各位明日请早！"

云歌笑嘻嘻地坐到孟珏对面，孟珏给她倒了杯茶，"恭喜！"

"怎么样？"

云歌眼巴巴地盯着孟珏，孟珏先吃了一口剜空冬瓜内盛着的丸子，又夹了一筷子鳝鱼，细细咀嚼了半晌，"嗯，好吃，是我吃过最好吃的，也是最好看的炖丸子和炒鳝鱼。"

云歌身后立即传来一阵笑声，想是许平君听到孟珏说"最好看的炖丸子和炒鳝鱼"，深有同感，不禁失声而笑。

云歌侧头看许平君，许平君一扬眉，目中含了几分挑衅，云歌却是朝她淡淡一笑，回头看着孟珏筷子夹着的丸子也大笑起来。

许平君一怔，几分讪讪，嘲笑声反倒小了，她打了一壶酒放到云歌的桌上："听常叔说你以后也在七里香做工，今日第一次见面，算我请你的了。"

云歌愣了一瞬，朝许平君笑："多谢。"

孟珏笑看着云歌和许平君二人："今日口福不浅，既有美食，又有美酒。"

三人正在说话，昨日被许平君揪着耳朵骂的少年，旋风一般冲进店堂，袖子带血，脸上犹有泪痕："许姐姐，许姐姐，了不得了！我们打死了人，大哥被官府抓走了！"

许平君脸上刹那血色全无，声音尖锐地问："何小七，你们又打架了？究竟是谁打死了人？病已不会杀人的。"

"一个长安城内来的李公子来和大哥斗鸡，输了后想要强买大哥的鸡，大哥的脾气，姐姐知道，如果好商好量，再宝贝的东西都不是什么大不了的事情，碰到意气相投的人，不要说买，就是白送，大哥也愿意。可那个李公子实在欺负人，大哥的脾气上来，不管他出什么价钱都不肯卖，那个公子恼羞成怒后命家丁殴打大哥，我们一看大哥被人打，那还能行？立即召集了一帮兄弟打回去，后来惊动了官府，大哥不肯牵累我们，一个人把过失都兜揽了过去，官府就把……把大哥抓起来了。"

"你们……你们……"许平君气得揪住了何小七的耳朵，"民不与官斗，你们怎么连这个都不懂？有没有伤着人？"

"大哥刚开始一直不许我们动手，可后来斗鸡场内一片混乱，人人都打红了眼睛，对方的一个家丁被打死了，那个公子也被大哥砸断了腿……啊！"何小七捂着耳朵，一声惨号，许平君已经丢下他，冲出了店堂。

云歌听到店主常叔叹气，装作不在意地随口问："常叔，这位姐姐和那个大哥都是什么人？"

常叔又是重叹了口气，"你日后在店里工作，会和许丫头熟悉起来，那个刘病已更是少陵原的'名人'，你也不可不知。许丫头是刀子嘴，豆腐心，人也能干，一个女孩子比人家的儿子都强。刘病已，你却是能避多远就避多远，最好能一辈子不说话。传闻他家里人已经全死了，只剩了他一个，却净给祖宗抹黑。明明会读书识字，才学听说还不错，可性格顽劣不堪，不肯学好，斗鸡走狗、打架赌博，无一不精，是长安城郊的混混头子。许丫头她爹原先还是个官，虽不大，家里也衣食无忧，后来却因为触怒藩王，受了宫刑，许丫头她娘自从守了活寡，脾气一天比一天坏……"

"什么是……"云歌听到宫刑，刚想问那是什么刑罚，再听到后面一句守活寡，心里约莫明白了几分，立即不好意思地说："没什么，常叔，你继续说。"

"许老头现在整日都喝得醉醺醺，只要有酒，什么事情都不管，和刘病已倒是很谈得来，也不知道他们都谈些什么。许丫头她娘却是恨极了刘病已，可碰上刘病已这样的泼皮，她是什么办法都没有，只能不搭理他。许丫头和刘病已自小认识，对他却是极好，一如对亲兄长。唉！许丫头的日子因为这个刘病已就没有太平过。刘病已这次只怕难逃死罪，他是头断不过一个碗口疤，可怜许丫头了！"常叔唠叨完闲话，赶着去招呼客人。

云歌默默沉思，难怪觉得陵哥哥性格大变，原来是遭逢剧变，只是不知道发生了什么，他的亲人竟都死了。

"打死了人非要偿命吗？"

"律法上是这么说，但是官字两个口……看打死的是谁，和是谁打死了人。"孟珏唇边抿了一丝笑，低垂的眼睛内却是一丝笑意都没有。

云歌问："什么意思？"

"举个例子，一般的百姓或者一般的官员，如果触怒了王侯，下场是什么？许平君的父亲只因为犯了小错就受了宫刑。同样是汉武帝在位时，我朝的一品大臣，关内侯李敢被骠骑将军霍去病射杀，若换成别人，肯定要祸及满门，可因为杀人的人是汉武帝的宠臣霍去病，当时又正是卫氏家族权傲天下时，堂堂一个侯爷的死，对天下的交代不过是一句轻描淡写的'被鹿撞死了'。"

想到刘病已现在的落魄，再想到何小七所说的长安城内来的贵公子，云歌再吃不下东西，只思量着应该先去打听清楚事情的前因后果，对孟珏说："我已经吃饱了，你若有事就去忙吧！不用陪我，我一个人可以去逛街玩。"

"好！晚上见，对了，昨日住的地方你可喜欢？"

云歌点点头。

"我也挺喜欢，打算长租下来，做个临时落脚的地方。打个商量，你先不要另找地方住了，每日给我做一顿晚饭，算作屋钱。我在这里待不长，等生意谈好，就要离开，借着个人情，赶紧享几天口福。"

云歌想着这样倒是大家都得利，她即使要找房子，也不是立即就能找到，遂颔首答应。

云歌在长安城内转悠了一下午，却因为人生地不熟，这场人命案又似乎牵扯的人很不一般，被问到的人经常前一瞬还谈兴盎然，后一瞬却立即脸色大变，摇着手，只是让云歌走，竟是什么有用的消息都没有打听到。

云歌无奈下只好去寻许平君，看看她那边可有什么消息。

黄土混着麦草砌成的院墙，不少地方已经裂开，门扉也已经破裂，隔着缝隙就能隐约看到院内的人影。

云歌听到院内激烈的吵架声，犹豫着该不该敲门，不知道敲门后该如何问，又该如何解释。

看到一个身影向门边行来，她赶紧躲到了一边。

"我不要你管我，这些钱既然是我挣的，我有权决定怎么花。"许平君一边嚷着，一边冲出了门。

一个身形矮胖的妇人追到门口哭喊着："生个女儿倒是生了个冤家，我的命怎么这么苦？饿死了也好！一了百了！大家都给那个丧门星陪葬才称了你的愿。"

云歌打量了一眼妇人，悄悄跟在了许平君身后。

许平君跑着转过墙角，一下慢了脚步，云歌看她肩膀轻轻颤抖，显然是在哭泣。

不过一会儿，许平君的脚步又越来越快，七拐八绕地进了一个僻静的巷子，猛地顿住了脚步，盯着前面的店铺半晌都没有动。

云歌顺着许平君的视线，看到店铺门扉侧处的一个"当"字，也不禁有些怔忡。

许平君呆呆站了会儿，一咬唇走进了店铺。

云歌隐在门侧，侧耳听着。

"玉佩的成色太一般了，雕功也差……"

云歌苦笑着摇摇头。她虽从不在这些东西上留心，可三哥在衣食起居上不厌求精，所用都一定要最好中的最好，那块玉佩就是比三哥的配饰都只好不差，这个店主还敢说成色一般，那天下好的估计也没有了。

店主挑了半天错，最后才慢吞吞、不情愿地报了一个极其不合理的价钱，而且要是死当才肯给这个价钱，如果活当连三分之一都没有。

许平君低着头，摸着手中的玉佩，抬头的一瞬，眼中有泪，语气缓慢却坚定，"死当，价钱再增加一倍，要就要，不要就算。"

云歌看到许平君拿着钱匆匆离去，已经约略明白许平君要拿钱去做什么。

仔细地看了看当铺，把它的位置记清楚后，重重叹了口气，脚步沉重地离开。

脑中思绪纷杂，却一个主意也没有。如果是二哥，大概只需轻声几句话，就肯定能找出解决的法子，如果是三哥，他马蹄过处，管你是官府还是大牢，人早就救出，可她怎么就这么没有用呢？难怪三哥老说她蠢，她的确蠢。

回到客栈时，天色已经全黑，她看到孟珏屋中的灯光，才想起答应过孟珏给他做晚饭，虽然一点心绪都没有，却更不愿意失言。

正挽起袖子要去做菜，孟珏推门而出，"今日就算了，我已经让客栈的厨子做了饭菜，你若没有在外面吃过，就一起来吃一点。"

云歌随孟珏走进屋子，拿着筷子半晌，却没有吃一口。

孟珏问："云歌，你有心事吗？"

云歌摇摇头，夹了筷菜，却实在吃不下，只能放下筷子，"孟珏，你对长安熟悉吗？"

"家中长辈有不少生意在此，还算熟悉，官面上的人也认识几个。"

云歌听到后一句，心中一动，立即说："那你……那能不能麻烦你……麻烦你……"

云歌自小到大，第一次开口求人帮忙，何况还是一个认识不久的人，话说得结结巴巴，孟珏也不相催，只是微笑着静听。

"你能不能帮忙打听一下官府会怎么处置刘病已，有没有办法通融一下？我……我以后一定会报答你的。"

云歌本来还担心，如果孟珏问她为何要关心刘病已一个陌生人，她该如何说，因为现在的情形下，她不愿意告诉别人她和刘病已认识，却不料孟珏根本没有多问，只是温和地说："你不是说过我们是朋友了吗？朋友之间本就应该彼此照应。这件案子动静很大，我也听闻了一二。你一边吃饭，我一边说给你听。"

云歌立即端起碗大吃了一口饭，眼睛却是忽闪忽闪地直盯着孟珏。

"刘病已得罪的人叫李蜀，这位李蜀公子的父亲虽然是个官，可在长安城实在还排不上号，但是李蜀的姐姐却是骠骑将军、桑乐侯上官安的侍妾。"

云歌一脸茫然，"上官安的官很大很大？"

"你知道大汉当今皇后的姓氏吗？"

云歌一脸羞愧地摇摇头。

"不知道也没什么。"孟珏笑着给她夹了一筷子菜，"这事要细说起来就很复杂了，我大致给你讲一下，当今陛下登基时，还是稚龄，所以武帝刘彻就委任了四个托孤大臣，上官桀、桑弘羊、金日磾、霍光，这四个人，除金日磾因病早逝，剩下的三人就是现在大汉天下的三大权臣。当今皇后上官小妹，是上官桀的孙女，霍光的外孙女，虽然今年只有十二岁，却已经当了六年的皇后。"

"上官安是上官皇后的亲戚？"

"上官安的女儿就是上官皇后，他的父亲是托孤大臣之首左将军上官桀，岳父则是大司马大将军霍光。"

云歌"啊"了一声，口中的饭菜再也咽不下。什么左将军、大司马大将军的，云歌实在分不清楚他们的分量，可"皇后"二字的意思却是十分明白。上官皇后六岁就入宫封后，显然不是因为自己。只此一点就可以想见她身后家族的势力。难怪许平君会哭，会连玉佩都舍得当了死当换钱。人若都没有了，还有什么舍不得？

"可是，孟珏，那个人不是刘病已打死的呀！刘病已即使犯了法，那也最多是打伤了那个公子而已。我们有办法查出打死人的是谁吗？"

"刘病已是长安城外这一带的游侠头，如果真的是他手下的人打死了家丁，以游侠们重义轻生的江湖风气，你觉得他们会看着刘病已死吗？想替罪的人大有人在，可全部被官府打回来了，因为说辞口供都漏洞百出。"

云歌皱着眉头思索，"你的意思……你的意思……不是刘病已的朋友打死了人，那是谁？总不可能是那个公子的人吧？除非另有人暗中……否则……"

孟珏赞许地点头，"就算不是，也不远了。刘病已不是不知道李公子的背景，已经一再克制，可对方一意闹事，刘病已也许不完全知道为什么，但应该早明白绝不是为了一只斗鸡。武帝在位时，因为征战频繁，将文帝在位时定的赋税三十税一，改成了什一税率，赋税大增，再加上战争的人口消耗，到武帝晚年已经是海内虚耗、户口减半，十室半空。当今皇帝为了与民休息，宣布将赋税减少，恢复文帝所定税赋，可朝中官员意见相左，分为了几派，以霍光为首的贤良派，以桑弘羊为首的大夫派，以上官桀为首的仕族派……"

孟珏的目光低垂，盯着手中握着的茶杯，心思似乎完全沉浸在自己的思绪中。

他一会儿说汉武帝，一会儿说汉文帝，一会儿又说赋税，云歌约略懂一些，但大半听不明白。

虽然好像和刘病已的事情一点关系没有，但知道他所说的肯定不是废话，只能努力去听。

孟珏若有所思地看向云歌，幽深的眼内光芒流转，似乎在寻求着什么，又在昭示着什么。

云歌看不懂，只能抱歉又惭愧地看着孟珏，"对不起，我只听懂了一点赋税的事情，那些什么党派，我没有听懂。"

孟珏仿佛突然惊醒，眼内光芒迅速敛去，淡淡一笑，"是我说废话了。简单地说，少陵原的地方官是上官桀的人，而他们没有遵照皇帝的法令与民休息。民众蒙昧好欺，刘病已却不是那么好愚弄，他对官员设定的赋税提出了质疑。如果事情闹大了，上官桀绝对不会为了底下的小卒子费什么功夫，地方官为了自己的安危，利用了那个李蜀，至于究竟是李蜀心甘情愿地帮他，还是李蜀也被上了套就不得而知。事情到此，化解得还算巧妙，上官安大概就顺水推舟了。"

云歌木木地坐着，半日都一动不动，孟珏一声不吭地看着她。

原来是个死套。上官桀，上官安，这些陌生的名字，却代表着高高在上的权势，一个普通人永远无法对抗的权势。

云歌一下站了起来，"孟珏，你借我些钱，好吗？恐怕要好多，好多，我想买通狱卒去看看陵……刘病已，我还想去买一样东西。"

孟珏端着茶杯，轻抿了一口，"借钱没有问题。不过光靠钱救不了人，你家里人可有什么办法？"

云歌眼中升起了蒙蒙水汽，"如果是在西域，甚至再往西，过帕米尔，直到条支、安息、大秦，也许我爹爹都能帮我想办法，爹爹虽然不是权贵，只是个普通人，但我觉得只要爹爹想做的事情，没有做不到的。可是这是大汉，是长安，我爹爹和娘亲从来没有来过大汉，我二哥、三哥也没有来过大汉，而且……而且他们也绝对不会来。"

云歌说话时，孟珏一直凝视着她的眼睛，似乎透过她的眼睛研判着话语的真假，面上的神情虽没有变化，可眼内却闪过了几丝淡淡的失望。

云歌垂头丧气地坐下，"前段日子还一直生爹娘的气，现在却盼望着爹爹或者哥哥能是大汉有权势的人，可是再有权势，也不可能超过皇后呀！除非是皇帝。早知道今日，我应该练好武功，现在就可以去劫狱，会做菜什么用都没有。"

云歌说到劫狱时，一丝异样都没有，一副理所当然该如此做的样子，和平日行事间的温和截然不同。

孟珏不禁抿了丝笑，"劫狱是大罪，你肯劫，刘病已还不见得肯和你流亡天涯，从此有家归不得，居无定所。"

云歌脸色越发黯淡，头越垂越低。

"做菜？"孟珏沉吟了一瞬，"我倒是有一个法子，可以一试，不知道你肯不肯？"

云歌一下跳了起来，"我肯！我肯！我什么都肯！"

"你先吃饭，吃完饭我再和你说。"

"我一定吃，我边吃，你边说，好不好？"

云歌一脸恳求，孟珏几分无奈地摇了摇头，只能同意，"有上官桀在，他即使不说话，朝堂内也无人敢轻易得罪上官安。只有一个人，就是同为先帝托孤大臣的大司马大将军霍光，可以扭转整件事情。毕竟就如你所说，此事虽然出了人命，可并非刘病已先动手，人命也并非他犯下。"

"可是这个霍光不是上官安的岳父吗？他怎么会帮我？"

孟珏把玩着手中的茶杯，淡淡笑着，"在皇家，亲戚和敌人不过是一线之间，会变来变去。传闻霍光是一个很讲究饮食的人，如果你能引起他的注意，设法直接向他陈词，把握好分寸，此案也许会罪不至死。不过成功的机会只有不到一成，而且搞不好，你会因此和上官家族结仇，说不定也会得罪霍氏家族，后果……你懂吗？"

云歌重重点了下头，"这个我明白，机会再小，我也要试一下。"

"我会打点一下官府内能买通的人，尽量让刘病已在牢狱中少受几分苦，然后我们一起想办法引起霍光的注意，让他肯来吃你做的菜。我能做的就这么多了，之后的事情全都要靠你自己。"

云歌站起来，向孟珏郑重地行了一礼，心中满是感激，"谢谢你！"

"何必那么客气？"孟珏欠了欠身子，回了半礼，随口问："你如此尽心帮刘病已是为何？我本来以为你们是陌生人。"

云歌轻叹了口气，因心中对孟珏感激，再未犹豫地说："他是我小时候……一个很……要好的朋友。只不过因为多年未见，他已经忘记我了，我也不打算和他提起以前的事情。"

孟珏沉默了一会儿，似笑非笑地说，"是啊！多年过去，见面不识也很正常。"

不知道孟珏用的什么法子，短短时间内居然先后请来了长安城内最红的歌舞女、诗赋最流行的才子，以及大小官员来七里香品菜，甚至长公主的内幸丁外人都特意来吃了云歌做的菜。

到现在，云歌还一想起当日傻乎乎地问孟珏"什么叫内幸，内幸是什么品级的官员"就脸红。倒是孟珏脸色没有任何异样，像是回答今天是什么日子一样回答了她的问题，"内幸不是官名，是对一种身份的称呼，指他是用身体侍奉公主的人，如同妃子的称呼，只不过妃子有品级。丁外人正得宠，很骄横跋扈，你明日一切小心，不过也不用担心，只要没有错处，他拿了我的钱，肯定不会为难你。"

孟珏建议云歌只负责做菜，抛头露面的事情交给常叔负责，而云歌本就是只喜欢做菜，并不喜欢交际应付所有人，所以乐得听从孟珏的建议。

在孟珏的安排下，常叔特意隐去了云歌的身份和性别，所有来吃菜的人，除了丁外人，都没有见过云歌。

名人的效应，云歌非凡的手艺，再加上孟珏有心的安排，一传十，十传百，一时间云歌这个神秘的厨师成了长安城内的话题人物。

七里香也因为云歌而声名鹊起，在长安城内开了分店，风头直逼长安城内的百年老字号一品居。

在孟珏的有心谋划下，一品居的大厨为了捍卫自己"天下第一厨"的名号，被迫向云歌挑战，用公开擂台赛的方式决一胜负。

经过协商，七里香和一品居达成协议，打算请五名公开评判，由他们当众尝菜决定胜负。

孟珏又提议增设两个隐席，可以卖给想做评判、却又因为自己的身份，不方便公开参加的人，价高者得之。隐席的席位隐于室内，有窗户通向擂台，是当众品论菜式，还是独自吃完后暗中点评，由他们自己决定。

一品居在长安享誉百年，很多高门世家的公子小姐自小就在一品居吃饭，而七里香不过是长安城外的小店，论和长安城内权贵的关系，当然一品居占优势。一品居的大厨觉得孟珏的提议对己有利，遂欣然答应。

在一品居和七里香的共同努力下，一场厨师大赛比点花魁还热闹，从达官贵人到市井小贩，人人都谈论着这场大赛，争执着究竟是华贵的一品居赢，还是平凡的七里香赢。

有人觉得一品居的厨师经验丰富，用料老到，而且一品居能在风波迭起的长安城雄立百年，其幕后主事人的势力不可低估，自然一品居赢；可也有不少人看好七里香，认为菜式新颖，别出心裁，有心人更看出云歌短短时间内就能在长安城声名鹊起，背后的势力也绝不一般。

在众人纷纷的议论中，有钱就赚的赌坊甚至开出了赌局，欢迎各人去下注赌这场百年难见的厨师之争，越发将声势推到了极致。

云歌却对胜负根本未上心，甚至内心深处很有些不喜这样浓艳的虚华和热闹，她满心挂虑的就是霍光是否会来，"孟珏，这样做就可以吸引霍光大人来吗？"

"机会很小。不过不管他来不来，这次的事情已经是长安城街知巷闻，他肯定会听闻你的名头和技艺，迟早会来尝你做的菜。"

云歌听到孟珏肯定的话语，才感觉好过一点，遂静下心来，认真准备着大赛的菜肴，只心内暗暗祈祷着孟珏有意设置的两个隐席能把霍光吸引来。

对两个隐席的争夺，异乎寻常的激烈，直到开赛前一天，才被人用天价竞购走。

那个价位让七里香的店主常叔目瞪口呆，居然有人会为了尝几盘菜，开出如此天价？

都说因为先帝连年征战，国困民贫，可看来影响的只是一般百姓，这长安城的富豪依旧一掷千金。

常叔想着七里香将来在长安城的美好"钱景"，眼睛前面全是黄灿灿的金光，本就已经把云歌看作重宝，此时看云歌的目光更是"水般温柔，火般深情"。

到比赛当日，好不容易等到隐席的两位评判到了，云歌立即拖着孟珏去看。

肯花费天价购买隐席的人应该都是因为身份特殊，不想露面，所以为了方便隐席评判进出，特设了壁廊，只供他们出入。

此时壁廊中，一位素袍公子正一面慢走，一面观赏着壁廊两侧所挂的画轴。

那人年纪和云歌差不多，五官秀雅出众，行止间若拂柳，美是美，却失之阴柔，若是女子，倒算绝色。

"太年轻了，肯定不会是霍光。"云歌低声嘟囔。

那个公子虽听到了脚步声，却丝毫没有搭理他们的意思，只静静赏玩着墙上的画，任由他们站立在一旁。

好半晌后，方语声冷淡地问："这些字画是你们拜托谁所选？虽然没有一幅是出自名家之手，但更显选画人的眼光，长安城内胸中有丘壑的人不少，可既有丘壑，又有这雅趣、眼界的人却不多。"

孟珏笑回："能入公子眼就好，这些字画是在下所挑。"

那个公子轻"咦"了一声，终于微侧了头，目光扫向孟珏，在看到孟珏的一瞬，不禁顿住，似乎惊诧于凤凰何故会停留于寻常院。

孟珏微微一笑，欠身示礼，那个公子似有些不好意思，脸微红，却只点了下头表示回礼，就移开了视线，看向云歌。

云歌朝他笑着行礼，他微抬了下巴盯着云歌，既未回礼，也没有任何表情。

云歌不在乎地嘻嘻一笑，耸了耸肩膀就自顾低下了头，暗暗祈求下一个隐席的评判能是霍光。

孟珏伸手请素袍公子先行，他还未举步，一阵女子的嬉笑声，夹着扑鼻的香气传来，三人都向外看去。

一个华衣男子正搂着一个容貌艳丽的女子进入壁廊。男子的身材高挑刚健，却看不清楚长什么样子，因为他的头正埋在女子脖子间吻着，女子欲躲不躲，娇笑声不断。

素袍公子不屑再看，冷哼一声，撇过了头，神色不悦地盯着墙上的绢画。

云歌脸有些烧，可又觉得好玩，如此放浪形骸的人倒是值得仔细看看长什么样子。

云歌似乎听到孟珏轻到无的一声叹息，她侧头看向孟珏，却见孟珏面色如常，容色温和地看着前方。

那个男子直到经过他们身前时才微抬了抬头，身子依旧半贴在女子身上，目光轻飘飘地在云歌面上一转，头就又靠回了女子肩上，紧拥着女子进入了他们的席位。

云歌并未看清他的长相，只觉他有一双极其清亮的眼睛。

帘子还未完全落下，就听到绸缎撕裂的声音和急速的喘息声。

一旁的素袍公子寒着脸看向领路的仆人，孟珏立即说："我们会重新给公子设清静的房间，方便公子品尝菜肴。"

孟珏示意仆人退下，他亲自上前领路。

素袍公子看着孟珏的出尘风姿，听着一旁时低时高的娇喘声，红着脸低下了头，默默跟在了孟珏身后。身上的倨傲终于淡去，多了几分一般人的温和。

云歌也是脸面滚烫，低着头吐吐舌头，一声不吭地向外跑去，脑子里面滑稽地想着，我们应该再给那位公子和姑娘准备衣裳，否则待会儿他们怎么出门回去呢？

呀！呀！云歌儿，你在想什么呢？云歌拍了拍自己的脸颊，好不知羞！

听到外面嘈杂的人语声，她一下醒觉，今天还有很重要的事情要做。

　　既然来的两个人都不是霍光，那她还需要做得努力很多，赢不赢并不重要，但是一定要让长安城的人都记住她做的菜，都谈论她做的菜。只要霍光喜好饮食一道，就一定要吸引他来吃她做的菜。

　　风荷凝露：以竹为碗，雕成荷叶状，透明的牛蹄筋做成珍珠大小，旧年梅花熬炖，配用无根水。入口之初，觉得淡，但吃过几口后，只觉清纯爽脆，唇齿留香，如同夏日清晨饮了荷叶上的第一颗露珠，整个人都似乎浸润了月色。

　　馨香盈袖：一块长方形的白色糕点，没有任何点缀地盛放在青玉盘中。初看了，只觉诧异，这也能算一道菜？但当你迟疑着咬了第一口，青杏、薄荷、柑橘的香味萦绕在口鼻间，清爽青涩中，让人不禁想起少年时因为一个人的第一次心跳加速；咬第二口，白豆蔻、胡椒、肉桂、甘姜，辛辣甘甜中，让人想起了暗夜下的销魂；咬第三口，青松，绿叶，晚香玉，余香悠长中，让人想起了相思的缠绵……一口又一口，竟是口口香不同，不过指长的糕点，吃完后很久，却依旧觉得香气盈袖，如美人在怀。

　　……

　　整整一天，云歌都待在厨房，全副身心放在菜肴上。

　　最后经过五位评判和两位隐评的评断，九道菜式，云歌三胜一平五负，虽然输了，可虽败犹荣。

　　云歌在选料、调味、菜式整体编排上输了，可她在菜肴上表现出来的创新和细巧心思，特别是她善于将诗赋、书画、歌舞的意境化用到菜式中，从菜名到吃法都极具意趣，让原本在君子眼中腌臜的厨房变得高雅起来，极大地博取了长安城内文人才子的赞誉，云歌因此博得了"雅厨"的称号。

因为云歌只负责做菜，从不露面，惹得众人纷纷猜测这个神秘雅厨的年龄长相，有人说是一个容貌俊美的少年，有人说肯定相貌丑陋，反正越传越离谱，云歌自己听了都觉得好笑。

有人是真心欣赏云歌所做的菜，有人只是附庸风雅，还有人只是为了出风头，不管什么原因，在众人的追捧下，吃雅厨所做的菜成为长安城内一条衡量你是否有钱、是否有才、是否有品位的象征。

一时间，长安城内的达官贵人、才子淑女纷纷来预订云歌的菜肴，可霍府的帖子却一直没有出现。

云歌为了一点渺茫的希望，苦苦奋斗。

刘病已案子的最后宣判日却丝毫不因为她的祈求而迟来，依旧一日日地到了眼前。

短短一个月的时间，许平君整个人瘦了一圈，眉眼间全是伤心疲惫。

因为云歌和许平君同在七里香工作，云歌又刻意亲近，许平君正值心中悲伤无助，少了几分平日的锐利泼辣，多了几分迷茫软弱，两人逐渐走近，虽还未到无话不说的地步，可也极是亲近。

宣判之日，云歌陪着许平君一同去听刘病已的审判。两人听到"带犯人上堂"时，视线都立即凝到了一个方向。

不一会儿，就见刘病已被官差带到了堂上。一身囚服的他难掩憔悴，可行走间傲视众人的慵懒冷淡反倒越发强烈，唇边挂着一个懒懒的笑，一副游戏风尘，全然没有将生死放在心上的样子。

龙游浅水遭虾戏，虎落平阳被犬欺。云歌忽然想起教她偷东西的侯老头常念叨的话，心中满是伤感。

刘病已看到许平君时，面上带了歉然。

许平君眼中全是哀求，刘病已却只是抱歉地看了她一会儿，就转开了视线。

刘病已看到云歌和许平君交握的手，眼光在云歌脸上顿了一瞬，露出惊诧的神色。

云歌朝他挤了一个笑，刘病已眉微扬，唇微挑，也还了云歌一个笑。

审判过程，所有证词证据都是一面倒，刘病已一直含笑而听，仿若审判的对象不是自己。

结果早在预料中，可当那块秋后问斩的判牌丢下时，云歌仍旧是手足冰凉，但心中的一点决不放弃，绝不能让陵哥哥死，支持着她越发站得笔直。

许平君身子几晃，软倒在云歌身上，再难克制地哭嚷出来："人不是病已杀的，病已，你为什么不说？兄弟义气比命还重要吗？你为什么要护着那些地痞无赖？"

看到官差拿着刑杖瞪过来，云歌忙捂住了许平君的嘴。

刘病已感激地向云歌微点了下头，云歌半拖半抱地把许平君弄出了府衙。

因为官府怕刘病已的兄弟闹事，所以不许任何一人进入，一大群等在外面听消息的人看到云歌和许平君出来，都立即围了上来。

许平君一边哭，一边怨恨地骂着让他们都滚开。

何小七人虽不大，却十分机灵，立即吩咐大家都先离开。

这些人看到许平君的反应，已经猜到几分结果，因心中有愧，都一声不吭地离开。

何小七不敢说话，只用眼神问云歌，云歌朝何小七摇了摇头，嘱咐他送许平君回家，自己匆匆去找孟珏。

孟珏正和一个容貌清癯、气度雍华、四十多岁的男子坐于七里香饮茶，瞅到云歌进来，仿佛没有看见云歌满面的焦急，未等她开口，就笑说："云歌，等了你大半日，茶都喝了两壶。快去拣你拿手的菜做来吃。今日碰到知己，一定要庆祝一下。"

云歌呆了一下，和孟珏的目光相对时，立有所悟，忙压下心内诸般感情，点头应好，转身进了内堂匆匆忙碌。

孟珏看着她的背影，有些发怔，又立即收回心神，笑看向对面的男子。

两盏茶的工夫，云歌就端了三盘菜上来。

男子每吃一道菜，云歌就轻声报上菜名，越往后越紧张，手紧拽着自己的袖子，大气都不敢喘。

黛青的玉盘，如同夜晚的天空，点点星子罗列成星空的样子。男子夹了一个星星，咬了一口后问："甜中苦，明明是木瓜，却透着苦瓜的味道。三道菜，一道是绿衣，一道是驺虞，这道叫什么名字？"

云歌低着头回道："小星。"

"嘒彼小星，三五在东。肃肃宵征，夙夜在公。是命不同！"男子慢声低吟，"绿衣，驺虞、小星，菜中有悼亡愤怨之音，姑娘的亲人有难吗？若心中不平，不妨讲出来，人命虽贵贱不同，可世间总有公理。"

云歌瞟了眼孟珏，看他没有反对的意思，遂低着头，细细地把刘病已的事情讲了出来，那个中年男子一面听着，一面吃菜，其间一丝表情都没有。

眼前的男子深不可测，喜怒点滴不显，听到女婿的名字时，夹菜的手连顿都未顿一下。

云歌一段话讲完，已是一背脊的冷汗。

那个男子听完云歌的话，没有理会她，对孟珏含了丝笑问："小兄弟既然已经猜测到我的身份，怎么还敢任由这个丫头在我面前说出这番话？"

孟珏立即站起来，向男子行大礼，"霍大人，你刚进来时，草民的确不知道你的身份。谁能想到大汉的大司马大将军竟然会一个随从不带，徒步就走了进来？还和草民说话聊天，待若朋友。所以刚开始草民只是把你当作了风尘异人，后来看到大人的吃饭姿势，心中略有疑惑，又留意到大人袖口内的宫绣，联系到大人起先的谈吐，草民才有八九分推测，也因为有先前草民一时大胆的品茶论交，草民才觉得，云歌的话在大人面前，没有什么说不得。也许律法下其理不通，可大人一定能体谅其情。"

云歌听完孟珏的话，立即向霍光行礼，"民女云歌见过霍大人。"

"你叫云歌？很好听的名字，你父母定是盼你一生自在写意。"霍光语气温和地让云歌起身，"难为你小小年纪就一个人在外面闯荡，我的女儿成君和你年纪相仿，她还只知道撒娇闹脾气。"

云歌说："霍小姐金枝玉叶，岂是民女敢比？"

霍光视线停留在云歌眉目间，有些恍惚，"看到你，倒有几分莫名的熟悉亲切感，这大概就是世人常说的眼缘吧！"

话里的内容大出云歌意外，云歌不禁大着胆子细看了霍光几眼，许是因为霍光的温和，云歌只觉心里也生了几分亲近，笑着向霍光行礼，"谢霍大人厚爱。"

霍光站起身，向外踱步而去，"你说的事情，我会命人重新查过，公正地按大汉律法处置。"

霍光的背影刚走远，云歌就猛一转身，握住了孟珏的胳膊，一面跳着，一面高兴地大叫："我们成功了，成功了！多谢你！多谢你！多谢你！"

孟珏的身子被云歌摇得晃来晃去，"够了，够了，不用谢了！"

说到后来，发现云歌根本没有听进耳朵里面去，想到云歌这一个月来紧锁的眉头，难见的笑颜，心中微软，遂只静静站着，任由云歌在他身边雀跃。

云歌跳闹了一会儿，蓦然发觉自己和孟珏的亲昵，她立即放开了孟珏的胳膊，大退了一步，脸颊飞红，讷讷地说："我去告诉许姐姐这个好消息。"

云歌不敢看孟珏，话还没有说完，就迅速转身，如一只蝴蝶般，翩翩飞出了店堂，飞入了阳光明媚的大街上。

孟珏临窗凝视着云歌的背影，眼中不知是讥还是怜。

真是个蠢丫头！

霍光的话，你到底听懂了几分？

忽地轻叹口气，算了！没工夫再陪这个丫头折腾了。

看云歌现在对他的态度，他的目的早已经达到，也该收手了。

刘病已，这一次就先便宜了你。

"一月。"

一道黑影不知道从哪里飞出，悄无声息地落在屋子内的暗影处，"回公子，霍光进入七里香后，窗下赏风景的人，隔座吃饭的人都应该是保护他的侍从。"

　　孟珏微微而笑。

　　三大权臣中，性格最谨慎的就是霍光。他怎么会给对手机会去暗杀他？

　　"通知李蜀，就说这个游戏到此为止，霍光已经介入，他应该不想惊动了上官桀。他要的钱财都给他，他想要月姬，就让月姬先陪他玩一阵。丁外人那边也再下些功夫，他要什么就给什么，他喜欢高，那就顺了他的心意，尽力往高处捧。"

　　一月低声说："公子费了不少钱财把刘病已不落痕迹地弄进狱中，放过了这次机会未免可惜。"

　　孟珏淡笑："我自然有我的原因。想要刘病已的命，总会有机会，现在别的事情更重要。"

　　他此行本是特意为了云歌而来，却没有料到撞见了寻访多年的人。

　　云歌在树荫底下凝视着偷来的玉佩发呆时，隐在暗处的他也是思绪复杂地盯着玉佩。

　　虽然只见过一次，可因为那块玉佩浸润着无数亲人的鲜血，早已经是刻入骨、铭进心。

　　刘病已？他记得玉佩主人的真名应该叫刘询。

　　他曾派了无数人寻访刘询的下落，甚至以为这个人也许已经死了，却没有想到刘询的胆子那么大，只改了个名字，就敢在天子脚下定居。可转念一想，最危险的地方不也是最安全吗？只此一点，刘病已此人就不容低估。

　　幼年的遭遇一幕幕从脑中滑过，他唯一想做的就是幼时想过无数次的事情，杀了刘病已。

　　父亲不是说过刘询的命最宝贵、刘询的血统最高贵吗？那好……就让最高贵的人因为最低贱的人而死吧！堂堂的卫皇孙，因为一个低贱的家丁而死，如果父亲在地下知道了，不是很有意思吗？

　　只是没有料到的事情太多了，孟珏没有料到会因为云歌找到刘病已，也没有料到云歌对刘病已的关心非同一般，现在又结识了霍光，而霍光对刘病已的态度难以预测。

当年为了夺取太子之位，燕王、广陵王早就蠢蠢欲动，却因为有卫青在，一直不能成功。

当卫氏家族的守护神卫青去世后，在众人明里暗里齐心合力的陷害下，卫太子刘据被逼造反，事败后，皇后卫子夫自尽，太子的全家也尽死，仅剩的血脉刘询流落民间。

为了斩草除根，江充在明，昌邑王、燕王、广陵王在暗，还有上官桀和钩弋夫人都想尽了办法去杀刘询，可霍光冒着风险偷偷护住了刘询，以至于众人都以为刘询早死。

但这么多年间，霍光却又对刘询不闻不问，任其自生自灭，似乎霍光的心底深处也很乐意看到刘询死。

孟珏现在不确定霍光究竟知不知道刘病已就是刘询，也不能确定霍光对刘病已究竟是什么态度。而目前，他还不想去试探霍光的底线。

况且，他固然不喜刘病已，可更不想因为刘病已让上官桀回想起当年的旧事，心生警惕，坏了他的事情。

一月弯了弯身子，"属下明白了。"

一月刚想走，孟珏又说："转告大公子，请他顾及一下自己的安危，若被人知道他私进长安，安个谋反罪名丝毫不为过，请他立即回昌邑。"

一月颇是为难，孟珏沉默了会儿，轻叹口气，"实在劝不动就罢了，过几日我和他一起回去。这几日你们看好他，注意有没有人留意到你们。"

一月行了一礼后，悄无声息地消失在暗影中。

孟珏一个人负手立于窗边，居高临下地俯瞰着长安城的子民在他脚下来来往往。

午后的阳光透过窗户的阴影照到他身上，少了几分光明处的暖，多了几分阴影下的冷。

第四章
我心伤悲，
莫知我哀

云歌还一心等着重新审判，事情突然就起了意料之外的变化。

有人到官府自首，承认混乱中不小心打死了李家的家丁，口供没有任何漏洞。

刘病已身上的命案简单明了地销了，死罪自然可免。

但是因为聚众闹事，死罪虽然免了，活罪却是难逃，判了十八个月的监禁。

云歌满心的困惑不解，转而又想，管它那么多呢？只要陵哥哥没有事情就好。

她和许平君还没有高兴完，又传出消息，皇帝宣旨大赦天下。

刘病已的罪名也在大赦之列，一场人头就要落地的大祸，竟然短短几日就莫名其妙地化解了。

云歌陪许平君去接刘病已。看到刘病已走出监牢，许平君立即迎了上去。

云歌立在原地没有动，只远远看着许平君冲到刘病已身前，似乎在哭，又似乎在生气，刘病已不停作揖道歉，许平君终于破涕而笑。

那个与她有终身之约的人正细心宽慰着另一个女子。

云歌移开了视线，望着远处的天空，心中难言的酸涩。

刘病已和许平君并肩向云歌行来。

许平君一脸开心，反倒在鬼门关前捡回一条命的刘病已未见多兴奋。

依旧如往日一般，笑得懒洋洋，似乎很温暖，可云歌总觉得他那漫不经心的笑容下透着冷漠。

"病已，这是我新近结识的朋友云歌，你不要小看她哦！她年纪不大，可已经是长安城的名人了，她的规矩是每天只给一个顾客做菜，连长公主想吃她做的菜都要事先下帖子呢！你今日有口福了，云歌晚上亲自下厨做菜给我们吃，给你洗洗晦气，不过这可全是我的面子。"平君说着嘻嘻笑起来。

云歌紧张得手紧紧拽着衣带，可刘病已听到她的名字后，没有任何异样，视线在她脸上顿了一下，笑着做了一揖，"多谢姑娘。"

云歌的手缓缓松开，无力地垂落。

他真的全都忘记了！大漠中相处的两日已彻底湮没在几千个分别的日子里了！

知道他这声多谢全是为了许平君，云歌唇边缓缓浮起了一个恍惚的笑，欠身回礼，"公子客气了。"

许平君笑着拽云歌起来，在鼻子前扇了扇，"酸气冲天！你们两个怎么文绉绉的？云歌，你既然叫我许姐姐，那就直接唤病已一声刘大哥就行了。病已直接叫你云歌，可好？"

云歌一直笑着，笑得嘴巴发酸，嘴里发苦，用力点头，"好。"

云歌正在厨房做丸子，满手的油腻，听到掀帘子的声音，头未回地说："许姐姐，帮我系一下围裙，带子松了。"

来人手势轻缓地帮她系着带子。

云歌觉得有点不对，身后的人沉默得不像爱热闹、喜说话的许平君。

刚想回头，鼻端闻到沐浴后的皂荚香，混着青年男子的体味，她立即猜到是谁。

脸变得滚烫，身体僵硬，一动不敢动地站着。

刘病已系好带子后，笑走到一旁，毫不在意地问："还有什么要我帮忙？这些菜要洗吗？"

云歌低着头，一面揉着丸子，一面细声说："不用了，我一个人做得过来。"

刘病已却已经端过盆子，洗了起来，"又要你出钱，又要你出力，我也不能全吃白食呀！"

云歌不敢抬头地做着丸子，两人之间沉默了下来，好半晌都只听到盆子里的水声。

云歌只觉得屋子太安静了，好像再安静一些，就能听到自己的心怦怦跳的声音。

急匆匆地张口欲说话，想打破屋子的安静："你……"

"你……"却不料刘病已也是欲张口说话。

两人一愣，又是同时开口："你先说。"

刘病已不禁笑起来，云歌也笑起来，两人之间不觉亲近了几分。

刘病已笑着问："你想说什么？"

云歌本来只是没话找话，此时看到刘病已洗得干干净净的菜，又摆放得极其整齐，很方便取用，笑赞道："我三哥最讲究吃，却从不肯进厨房，二哥很乐意帮忙，也的确'帮忙'了，只不过帮的永远都是'倒忙'，没有想到你是帮'正忙'呢！"

"有人服侍的人自然不需要会做这些。"

刘病已淡淡一笑，起身把菜搁好，顺手把不要的菜叶收拾干净，动作利落。

云歌很想问问他家里究竟发生了什么变故，亲人怎么会全死了，还想知道他这些年是如何过的，却根本不知道该从何问起。

告诉他我是云歌吗？可他根本对"云歌"二字毫无所觉。

云歌想到那个谁都不许忘的约定，又伤感起来，低着头，一句话都说不出来。

刘病已在一旁默默站着，看着云歌的眼神中满是思索探究。

他敛去了一直挂在唇边的笑意，盯着云歌问："我不耐烦兜着圈子试探了，你究竟是什么人？为什么要刻意接近我？"

云歌愣了一会儿，才明白刘病已不知道为何，已经认出她就是那个偷玉佩的乞儿。

她不知道如何解释，只能讷讷地说："我不是坏人。我以为许姐姐欺负了何小七，想戏弄一下许姐姐，那只是碰巧而已。"

刘病已与她直直对视着，似乎想透过云歌的眼睛直接看到云歌的心。

他的眼睛，在漆黑深处隐隐有森寒的刀光剑影。

云歌有些惧怕，想要移开视线，却一动不能动。

他伸手轻触到云歌的脸颊，手指在云歌眉眼间拂过，唇边慢慢地浮出笑，"你的眼睛的确不像是坏人。"

他的指头透着凉意，所过之处，云歌的脸却变得滚烫。

云歌想躲，他反倒更进了一步，另一只手揽住了云歌的腰，两人的身子紧贴在了一起。

那么熟悉的眼睛就在她的眼前，云歌一时间心如鹿撞，身子不禁有些软。

可这双眼睛又是那么陌生，云歌看到的只有讥讽和寒冷。

还有瞳孔中两个意乱情动的自己。

她的身子打了个寒战，清醒了几分，用力去推刘病已。

刘病已不但未松力，反倒紧搂着挣扎的云歌，就势在云歌的眼睛上亲了下。

"我哪里值得他们用美人计？只要他们想，让我死不就是一句话吗？"

刘病已笑得很是无所谓，语声却透出了苍凉。

云歌又是羞又是恼，更多的是失望。可惊骇于他话里的意思，顾不上生气害羞，急急问："谁想你死？他们是谁？"

刘病已本以为云歌是别有意图而来，可云歌自始至终的反应和神态都不像作假，此时的关心更是直接从眼睛深处透出。

他对自己阅人的眼光一直很自信，心里已经信了几分云歌所说的"只是碰巧"，可又对云歌对他异乎寻常的关心不能明白，不禁思索地盯着云歌。

孟珏恰挑帘而进，看到的一幕就是两个紧贴在一起的人。

刘病已搂着云歌的腰，云歌的双手放在刘病已胸前。

一个正双目一瞬不瞬地盯着对方，一个是眼中有泪，面颊绯红。

孟珏眼中的寒光一闪而过，面上的笑容却是温润如春风，带着歉意说："我似乎进来的不是时候。"

云歌立即从刘病已怀中跳了出来，涨红着脸，急急分辩："不是的，不是的。"

刘病已双手交握于胸前，斜斜倚着橱柜，一派毫不在意的洒脱，"孟兄吗？已经听平君讲了一下午的你，果然是丰神如玉，气度华贵。难得的是孟兄肯屈尊与我们相交。"

孟珏拱手为礼，"直接叫我孟珏就好了，我不过是'士、农、工、商'四民中位于最底层的商贾，哪里来的屈尊一说？"

"商贾吕不韦以王孙为奇货，拿天下做生意，一统六合的秦始皇还要尊称他为仲父。"刘病已瞟了眼云歌，"雅厨短短时间内就能在长安城立足，绝非云歌一人之力，只怕幕后出力谋划的人正是孟兄，孟兄这个商贾谁敢低估？"

孟珏淡笑："病已兄更令人赞佩，人刚出死牢，却对长安城的风吹草动如此清楚。"

……

云歌看看温润如玉的孟珏、再看看倜傥随意的刘病已，无趣地叹了口气，低下头专心干活，任由他们两个在那里打着机锋。

这个已经炖得差不多，可以只焖着了。

丸子该下锅了。

盛葱的盘子放这里，盛姜的盘子放这里，盛油的盘子放这里。

这个放……

地方被刘病已的身子给挡住了。

那就……

刘病已无意识地接过盘子拿着。

嗯！就放这里了……

还有这个呢？孟珏的手还空着……

放这里了。

许平君进门后，眼睛立即瞪得老大。

云歌像只忙碌的小蜜蜂一样飞来飞去，时不时要穿绕过杵在厨房中间的两个男子。

两个男子正在聊天。

一个捧着一个碟子，一个端着一个碗。

病已倒罢了，毕竟不是没有见过他端碟子的样子。

可孟珏……这样一个人……手中该握的是美人手、夜光杯、狼毫笔……

反正没有一样会是一碗黑黢黢的麦酱。

不过，最让许平君瞪眼的却是云歌视美色若等闲、废物利用、见缝插针的本事。

许平君一手拿过碗，一手拿过碟子，"去去去，要说话到外面去，挡在这里干什么？没看人家都要忙死了，还要给你们两个让路。"

两个一来一往地打着机锋的人，已经从秦朝商贾聊到了官府禁止民间经营盐铁、现行的赋税……甚至大汉对匈奴四夷的政策。

因为两个人都在民间长大，目睹和感受了百姓的艰辛；都从小就颠沛流离、吃过不少苦；都一直留心朝政和朝中势力变化；又都是绝顶聪明的人，对很多事情的看法观点，惊人的一致。

在一来一往的试探和交锋中，居然不知不觉地生出了几分投契。

此时被许平君一岔，才回过神来，彼此愣了一下，蓦地都笑起来。

在对彼此的戒备中，还是滋生了几分对彼此的欣赏赞叹。

刘病已顺手抄了一壶酒，孟珏见状，经过碗橱时顺手拿了两个酒杯，两人会心一笑，并肩向外行去。

云歌看许平君切菜时，一个失手险些切到手，忙一把拿过了刀，"许姐姐，我来吧！你说去家里取酒，怎么去了这么久？"

许平君转到灶台后，帮云歌看火，"没什么，有些事情耽搁了。"

过了半晌，许平君实在是琢磨不透，现在又已经和云歌的感情很好，才把实情说出："我去了一趟当铺。前段日子因为要用钱，我把病已放在我这里的一块玉佩当了。虽然不是什么好东西，可那是病已的家人留下的唯一东西，是他的一点念想，所以明知道当的是死当，根本没有机会赎回来，可我总是不甘心，想去看看。可你猜猜发生了什么？我刚进店铺，店主看到我来，竟然迎了出来，还没有等我开口，就说什么我的玉佩根本卖不出去，和我说只要我把原先卖的价钱还给他，我就能把玉佩拿回来，我立即求店主帮我留着玉佩，我尽快筹钱给他，结果他居然把玉佩直接交给我了，说我在欠据上按个手印就好，钱筹到了给他送过去就行。云歌，你说这事奇怪不奇怪？"

云歌暗皱眉头，对那个当铺老板颇恼怒。

亏得他还是个生意人，怎么如此办事！

嘴里却只能轻快地说："想那么多干什么？玉佩能赎回来就行！反正你又不是白拿，也不欠他什么，况且东西本来就是你的。"

许平君笑着摇摇头，"说得也是，玉佩能拿回来就好，要不然我都不知道该怎么和病已说。云歌，你能不能先……"

云歌笑应道："好。"

许平君爽朗地笑起来，"谢谢你了，好妹子。虽然知道你不缺钱，不过我还是把丑话说在前面，我没有那么快还给你呀！只能慢慢还。"

不缺钱？

唉！还没有仔细和孟珏算过，那些钱也不知道何时还得清。

以后要和许姐姐学着点如何精打细算、节省过日。

云歌侧头朝许平君做了个鬼脸，"把你的酿酒方子给我，我就不要你还钱了。"

许平君笑哼了一声，"美得你！家传之秘，千金不卖！"

她走到厨房门口向外看了看，确定无人后又走回云歌身侧，"其实那都是我骗人的。我爹喝酒倒是很行，酿酒一点不会。我那酒就是普通的高粱酒，只不过封存时有些特殊，不是用陶罐密存，而是封于经年老竹的竹筒中，等开封后自然暗含竹子的清香。"

云歌笑叫起来："啊！原来如此！我也怀疑过是竹香，还试着将竹叶浸入酒中，酒虽然有了清香，可因叶片经脉淡薄，草木的苦涩味也很快入了酒。如果收集竹叶上的露水，味道比姐姐做得清淡，却也不错，只是做法实在太矜贵，自制自饮还好，拿来卖钱可不实际。没想到这么简单……许姐姐，你真聪明！"

"我倒是很想受你这句赞，可惜法子不是我想的，这是病已想出来的法子。病已虽然很少干农活和家里的这些活计，可只要他碰过的，总会有些古怪法子让事情变得简单容易。"

云歌呆了下，又立即笑着说："许姐姐，你既然把方子告诉我了，那钱就不要还了。"

"我几时说过要卖我的酒方了？借钱就是借钱，少给我啰唆，你不借，我去找孟公子借。"许平君一脸不快。

云歌忙赔着笑说："好姐姐，是我说错话了。借钱归借钱，酒方归酒方。"

许平君瞋了云歌一眼，笑起来。

云歌的菜已经陆续做好，只剩最后一道汤还没有好。

云歌让许平君先把菜端出去，"你们先吃吧！不用特意等我，我这边马上就好。"

许平君用食盒把菜肴装好，一个人先去了。

云歌把滚烫的陶罐放在竹篮里，拎着竹篮向花园行去。

暮色初降。

一弯如女子秀眉的月牙，刚爬上了柳梢头。

天气不热也不冷。

行走在花木间，闻着草木清香，分外舒服。

云歌不禁深深吸了吸鼻子，浓郁的芍药花香中夹着一股淡淡的檀木香，沁入心脾。

云歌停住了脚步，虽然住的时间不算长，可这个花园里的一草一木都早已经熟悉，绝对没有檀木。

隐隐听到衣袍的窸窣声。

"谁？谁躲在那里？"

"我好端端地躺在这里看月亮，何来'躲'这一字？"

低沉的男子声音，在浸染着白芍药的夜风中无端端地透出魅惑。

云歌心中惊讶，这个园子只有她和孟珏住，怎么会有陌生男子？

她分开花木，深走了几步。

柳树后是一个种满了芍药的花圃。

本该缀满花朵的枝头，此时却全变得光秃秃。

满花圃的芍药花都被采了下来，堆在青石上。

一片芬芳的月白花瓣中，一个身着暗紫团花镶金纹袍的男子正躺在其中。

五官俊美异常，眼睛似闭非闭，唇角微扬，似含情若无意。

黑发未束，衣带松懈，零星花瓣散落在他的黑发和紫袍间。

月夜下有一种不真实的美丽和妖异。

好一个辣手摧花！竟然片朵不留！

云歌半骇半笑地叹气，"你好歹给我留几个花骨朵，我本来还打算过几日收集了花瓣做糕点呢！"

男子微微睁开眼，却是依旧看着天空，"石板太凉。"

云歌看到他清亮的眼眸，才认出了这个男子，"你……你是那天买了隐席位置的客人，你怎么在这里？你是那块玉之王的朋友？他怎么没有请你和我们一块儿吃饭呢？他不想别人知道他和你认识？"

云歌短短几句话，全是问句，却是句句自问自答。

男子的视线终于落在了云歌脸上，"玉之王？这个名字倒是有意思！你叫什么名字？"

"云歌。"

"原来是……你。"男子声音太低，云歌只听到最后一个你字，"……你是个聪明姑娘！小珏倒不是怕别人知道我们认识，而是压根儿不想在长安城看见我。我是偷偷跑进来的。"

他说着唇边勾起了笑。

笑时，只唇角一边扬起，很是魅惑和挑逗。

眼睛中却透着顽童恶作剧般的得意。

云歌笑着转身要走，"那你继续和他躲着玩吧！我肚子饿了，要去吃饭了。"

"喂！我也饿了，我也要吃饭！"男子从白芍药花瓣中坐起，随着他的起身，原本松松套在身上的衣服半敞开，瘦却紧致的胸膛袒露在夜风中。

云歌视线所及，脑中掠过初见这人时的景象，立即闹了个大红脸。

男子没有丝毫不好意思，反倒一边唇角微挑，含着丝笑，颇有意趣地打量着云歌。

云歌见他没有整理衣衫的意思，忙扭转了身子。

"我们正好要吃饭了，你想一块儿去吗？顺便给那个玉之王个'惊喜'。"

男子懒洋洋地站了起来，正想整理衣袍，视线从柳树间一扫而过，手立即收了回来。

唇边抿着一丝笑，走到云歌身后，紧贴着云歌的身子，一手握着云歌的胳膊，一手扶着云歌的腰，俯下头，在云歌的耳朵边吹着气说："不如我带你去一个地方吃东西，管保让你满意。"

语气低沉喑哑，原本清凉的夜色只因为他的几句话，就带出了情欲的味道，透着说不出的诱惑。

云歌想挣脱他。

男子看着没有用劲，云歌被他握着的胳膊却一动不能动，身子怎么转都逃不出男子的怀抱。

云歌对他可没有羞，只有怒，不禁动了狠心。

正打算将手中的竹篮砸向男子，借着滚烫的汤将男子烫伤后好脱身。

前面的柳枝忽然无风自动，孟珏缓步而出，视线落在云歌身后，笑若朗月入怀，作揖行了一礼，"公子何时到的？"

男子看孟珏没有丝毫介意的神色，顿感无趣，一下放开了云歌。

云歌反手就要甩他一个巴掌，他挥手间化去了云歌的攻势，随手一握一推，云歌的身子栽向孟珏，孟珏忙伸手相扶，云歌正好跌在了孟珏怀中。

不同于身后男子身上混杂着脂粉香的檀木味，孟珏身上只一股极清爽的味道，如雨后青木。

云歌心跳加速，从脸到耳朵都是绯红。

男子似乎觉得十分有趣，拊掌大笑。

云歌几时受过这样的委屈？

又羞又怒，眼泪已经到了眼眶，又被她硬生生地逼了回去。

知道自己打不过这个男子，实不必再自取其辱。

她想挣脱孟珏的怀抱，孟珏犹豫了一瞬，放开了云歌，任由云歌跑着离开。

孟珏目送云歌身影消失，才又笑看向面前的男子，"公子还没有在长安玩够吗？"

男子笑睨着孟珏，"美人在怀，滋味如何？你如何谢我？"

孟珏笑得没有半丝烟火气息，"你若想用那丫头激怒我，就别再费功夫了。"

"既然是不会动怒的人，那就无关紧要了。既然无关紧要，那怎么为了她滞留长安？你若肯稍假辞色，想要什么样的女人没有？看她的样子，今天晚上你竟然是第一次抱她。孟狐狸，你所说和所行很是不符。你究竟打的什么算盘？"

孟珏微微笑着，没有解释。

男子勾了勾唇角，大笑起来，语声却仍是低沉，"既然如此，那么我对她做什么，你也不用多管了。"

孟珏不置可否地笑着，"云歌不是你挑逗过的闺阁千金，也不是你游戏过的风尘女子，吃了亏不要埋怨我没有劝诫过你。"

"想采花就手脚麻利些，否则……嗒！看到那个花圃了没有？晚一步，就会被人捷足先登。听闻她对一个叫什么刘病已的人很不一般……"

男子赶到孟珏身侧，欲伸手搭到孟珏肩上，孟珏身形看着没有动，可男子的手已落了空。

男子无趣地叹了口气，"和你说话真是费力气，我觉得我越少见你，越利于我身体的健康。"他双手捂着肚子，一脸痛苦，"哎呀！我要饿死了，听说你们今晚有不少好吃的，真是来得早不如来得巧。"

刘病已和许平君看到孟珏身侧的男子都站了起来，云歌却是毫不理会，低着头自顾吃菜。

孟珏笑道："我的朋友突然来访，望两位不要介意。他恰好也是姓刘，兄弟中行大，所以我们都称他大公子。"

大公子随意向刘病已和许平君拱了拱手，在与刘病已的视线一错而过时，神色一惊，待看清楚相貌，又神情懈怠下来，恢复如常。

刘病已、许平君正向大公子弯腰行礼，云歌根本懒得搭理大公子。

三人都未留意到大公子的神情变化。

看见的孟珏微扬了下眉，面上只微微而笑。

大公子未等刘病已和许平君行完礼，已经大大咧咧地占据了本该孟珏坐的主位，吸了吸鼻子，"嗯……好香！"

闻到香气是从一个盖子半开的瓦罐中传出，立即不客气地动手盛了一碗。

云歌板着脸从大公子手中夺回瓦罐，给自己盛了一碗，低头小抿了一口。

大公子看到云歌喝了汤，他忙一面吹着气，一面喝汤，不一会儿工夫，一碗汤已经喝完，满脸惊叹，"好鲜美的滋味，竟是平生未尝！入口只觉香而滑润，好汤！好汤！"

云歌笑吟吟地看着他，一面勺子轻拨着碗中的汤，一面细声慢语地说："用小火煨肉芽，使其尽化于汤中。肉芽本就细嫩润滑，熬出的汤也是香而润滑。"

大公子看到云歌的笑，再看到孟珏含笑的眼睛，只觉一股冷气从脚底腾起。

正在盛汤的手缩了回来，"什么是肉芽？我自小到大也吃过不少山珍海味，却从没听过肉芽这种东西。"

云歌徐徐地说："用上好猪腿肉放于阴地，不过几日，其上生出乳白色的肉蛆，其体软糯，其肉嫩滑，就是最好的乳猪肉也难抵万一，是肉中精华，所以称其为肉芽，将这些乳白色，一蠕一蠕的肉芽……"

大公子一个闪身，人已经跑到一边呕吐起来。

云歌抿着嘴直笑，许平君忍笑忍到现在，再难忍耐，一边揉着肚子，一边大笑起来，刘病已也是摇头直笑。

又是茶水漱口，又是净手，大公子扰攘了半日，才又回来。

隔了一段距离站着，远远地看着云歌和满桌菜肴，嘴角已再无先前的不羁魅惑，"倒是难为你能吃得下，我实在敬佩。孟珏，我也够敬佩你，这么个宝贝，你怎么想的？"

云歌施施然地给许平君盛了一碗汤，许平君朝大公子笑了一下，喝了一口。

大公子不能相信地瞪着许平君，居然在亲耳听到云歌刚说过的话后，还有人能喝下这个蛆做的汤？

难道他太久没来长安，长安城的人都已经变异？

原本风流的红尘浪荡子变成了一只呆头鹅。

云歌看着大公子一脸的呆相，不屑地撇撇嘴，"你今年多大了？可行了冠礼？"

大公子只觉莫名其妙，指着自己没好气地说："开玩笑！你没长眼睛吗？小珏要叫我大哥。"

"哦……"云歌拖着长音，笑眯眯地说，"倒不是我眼睛不好，只是有人听话听一半，而且别人说什么他就信什么，脑子如三岁小儿。"

大公子脸色难看地指着云歌，"你什么意思？"

云歌笑说："我刚才的话还没有说完，你就莫名其妙地跑了，难道不是听话听一半？我是想说，肉芽熬出来的汤固然是天下极味，却少有人敢喝，所以我的汤味道堪比肉芽，材料却都很普通，豆腐、蛋清、猪脑而已，只是做法有些特殊，你这么一个'做着大哥的大男人'，至于反应那么激烈吗？"

大公子怔在当地，一瞬后瞪向孟珏。

他这个整天在女人堆中打滚的人居然被一个黄毛丫头戏弄了？

什么风姿、什么气度，这下全没有了！

孟珏笑摊摊手，一副"你现在该知道招惹她的后果"的样子。

云歌不再理会大公子，自和平君低声笑语，一面饮酒，一面吃菜。

刘病已也和孟珏谈笑晏晏。

大公子看席上四人吃得都很是开心，大声笑着坐回席上，又恢复了先前的不羁，"今日我舍命陪姑娘，看看姑娘还能有什么花招，我就不信这一桌子菜你们都吃得，我吃不得。"

大公子话是说得豪气，可行动却很是谨慎，孟珏夹哪盘子菜，他夹哪盘子菜，一筷不错。

云歌笑给大家斟酒，大公子立即掩住了自己的酒杯，"不劳驾你了，我自己会倒。"

一壶酒还没有喝完，只看大公子脸涨得通红，跳起身，急促地问："小珏，茅……茅房在哪里？"

孟珏强忍着笑，指了指方向。

大公子皮笑肉不笑地对云歌说："好手段！"

话音刚落，人已去远。

许平君笑得被酒呛住，一面掩着嘴咳嗽，一面问："云歌，你在哪盘菜里下了药？怎么我们都没有事情？"

"我夹菜时，给每盘都下了。不过我倒的酒里又给了解药，他不肯喝，我有什么办法？"云歌眼睛忽闪忽闪，一副善良无害的样子。

许平君大笑："云歌，真是服了你了，他到底怎么得罪你了？"

云歌低下了头，瘪着嘴，"没什么。"

今天应该起一卦，究竟是什么日子？黑云压顶？还是桃花满天？

从小到大，除了父亲、哥哥、陵哥哥，再没有被人抱过，可今日一天，居然就被三个男人抱了。

许平君是喜欢凑热闹的人，忙说："云歌，你还有其他整大公子的法子吗？我和你一起玩……"

刘病已看大公子举止虽然散漫不羁，可举手投足间都透着贵气，不想云歌和他结怨，打断了许平君的话，"云歌，如果气已经消了，就算了。这次算是警诫，他要还敢再闹你，那你下次做什么都不为过。"

云歌抬起头，对刘病已一笑，"好，听大哥的。"

朦胧月色下，云歌的破颜一笑，盈盈间如春花绽放。

刘病已眼中有困惑，但转瞬间已尽去，惯常懒洋洋的微笑中倒是难得地透了一丝暖意。

孟珏笑回着许平君关于大公子的问题，谈笑如常。

手中握着的酒杯中的酒，原本平如镜面，此时却是涟漪阵阵。

"昔我往矣，杨柳依依。今我来思，雨雪霏霏。行道迟迟，载渴载饥。我心伤悲，莫知我哀……"

简单的曲调中隐着淡淡哀婉。

云歌本就睡不着，此时听到曲子，心有所感，推门而出，漫行在月光下。

"昔我往矣，杨柳依依。今我来思，雨雪霏霏……"

虽然是从小就听惯的曲调，但直到今日才真正懂得了几分曲中的意思。

今与昔，往与来，时光匆匆变换，记忆中还是杨柳依依，入眼处却已是雨雪霏霏。

时光催老了容颜，催裂了情义，催散了故人。

季节转换间，有了生离，有了死别。

一句"昔我往矣，杨柳依依。今我来思，雨雪霏霏"应该是人世间永恒的感慨。

物非人也非，大概就是如此了！

几千个日子过去，那个记忆中的陵哥哥已经彻底消失，现在只有刘大哥了。

云歌第一次好奇起二哥的心事，想知道永远平静温和的二哥究竟有什么样的心事，才会喜弹这首曲子？

二哥，如果你在家，也许我就不会离家出走了。

可如果我不出来，也许我永远都不会听懂这首曲子，我会只是一个需要他开解、呵护的小妹。

虽然从怒而离家到现在不过几月时间，可一路行来，人情冷暖，世事变换，云歌觉得这几个月是她生命中过得最跌宕的日子。

几个月时间，她比以前懂事了许多，长大了许多，也比以前多了很多心事，她不知道这是好是坏，可这也许就是成长的代价。

孟珏正坐于竹下抚琴。

一身黑袍越发衬得人丰神如玉。

这个气度卓越不凡、容颜若美玉的人，老天似乎十分厚待他。

给了他绝世的容颜，给了他非比寻常的富贵，他自己又博学多才，几乎是一个找不到缺憾的人。

但为什么偏爱这首曲子，又会是什么样的心事呢？

孟珏手中的琴曲突换，一曲《负荆请罪》。

云歌原本藏在林木间不想见他，听到他的曲子，倒是不好再躲着。

走到孟珏身侧，盘膝坐下，向孟珏一笑，一切尽在不言中。

待孟珏琴音终了，云歌随手取过琴，断断续续地弹起刚才的曲子。

"昔我往矣，杨柳依依。今我来思，雨雪霏霏。行道迟迟，载渴载饥。我心伤悲，莫知我哀……"

云歌的手势虽然优美，却时有错音，甚至难以继续，一看就是虽有高人教授，但从未上心练习的结果。

孟珏往云歌身边坐了些，手指轻拂过琴面，放缓节奏，带着云歌弹着曲子。

云歌的鼻端都是孟珏的气息，孟珏的手又若有若无间碰到云歌的手，甚至云歌有了错音时，他会直接握住云歌的手带她几个音。

云歌不禁脸有些烫，心有些慌。

孟珏却好似什么都没有察觉，神色坦然地教着云歌弹琴。

云歌的紧张羞涩渐渐褪去，身心沉入了琴曲中。

云歌跟着孟珏的指点，反复弹着，直到她把曲子全部记住，弹出了完整的一曲《采薇》。

星光下，并肩而坐的两人，一个貌自娟娟，一个气自谦谦。

云歌随手拨弄着琴，此琴虽不是名琴，音色却丝毫不差。

琴身素雅干净，无任何装饰，只琴角雕刻了两朵金银花，展现的是花随风舞的自在写意。

刻者是个懂画意的高手，寥寥几笔已是神韵全具。可简单的线条中透着沉重的哀伤，那花越是美，反倒看得人越是难过，再想到刚才的曲子，云歌不禁伸手轻抚过金银花。

"这琴是谁做的？谁教你的这首曲子？"

"我义父。"孟珏提到义父时，眸子中罕见地有了暖意，唇边的笑也和他往日的笑大不一样。

"你前几日说要离开长安，是要回家看父母吗？"

"我的亲人只有义父。我没有父亲，母亲……母亲在我很小时就去世了。"

云歌本来觉得问错了话，想道歉，可孟珏语气清淡，没有半丝伤感，反倒让云歌不知道该说什么。

沉默了会儿又问："你……你想你父母吗？"

疏远的人根本不会关心这个问题，稍微亲近的人却从不认为需要问他这种问题。

这是第一次有人问他这个问题，不及提防间，孟珏的眉头微微蹙了起来，黑玛瑙般的眼睛中有一瞬的迷惑，整个人都似乎隐入一层潮湿的雾气中。

孟珏坐得离云歌很近，可云歌却觉得刹那间他已去得很远，仿若隔着天堑。

好半晌后，孟珏才说："不知道。"

云歌低着头，手无意地滑过琴弦，是不愿想，还是不敢想？

看孟珏正望着天空零落的星子出神，云歌低声说："在西域月族传说中，天上的星子是亲人的灵魂化成，因为牵挂所以闪耀。"

孟珏侧头看向云歌，唇边泛着笑，声音却冷冽若寒玉，"那么高的天空，它们能知道什么？又能看清什么？"理了理衣袍，站起身，"夜已深，歇息吧！"不过几步，人已消失在花木间。

云歌想提醒他忘记拿琴了，看他已经去远，遂作罢。低着头若有所思地拨弄着琴。

"曲子是用来寻欢作乐的，你们倒好，一个两个都一副死了老子娘的样子。"大公子一手拿着一个大烙饼，一手一陶罐水，跷腿坐到藤萝间，一口白水一口烙饼地吃着，十分香甜的样子。

"你才死了老子娘！"云歌头未抬地哼着说。

"我老子娘是死了呀！要不死，我能这么畅快？"大公子不以为忤，反倒一脸笑意。

云歌哑然，这个人……似乎不是那么正常。

看着他现在的样子，想到他先前风流不羁、富贵的样子，不禁笑出声，"饼子好吃吗？"

"吃多了山珍海味，偶尔也要体会一下民间疾苦，我这是在体察寻常百姓的生活。"

"说得自己和微服私访的大官一样。"

"我本来就是大官中的大官，什么叫说得？这长安城里的官员见了我不跪的还不多。"大公子一脸得意地看着云歌。

"你是什么官？哦！对了，你姓刘，难道是个藩王？民女竟然敢捉弄藩王，实在该死。"云歌笑讽。

"说对了，我就是一个藩王。"大公子吃完最后一口饼子，颇心满意足地叹了口气，"你敢对我无礼，是该死。"

云歌知道他应该出身富贵，可藩王却是没有皇命，绝对不可以私自离开封地进入长安。这是为了防止藩王谋反，自周朝就传下的规矩，天下尽知。

即使真有藩王私自进了长安，也不可能这样毫不避讳地嚷嚷着自己是藩王。

所以虽然大公子说话时，眼神清亮，一副绝无虚言的样子，可云歌却听得只是乐，站起身子给大公子行礼，一副害怕恐惧的样子，拿腔拿调地说："王上，民女无知，还求王上饶了民女一命。"

大公子笑起来，随意摆了摆手，"你这丫头的脾气！我是藩王，你也不见得怕我，不见得就会不捉弄我，我不是藩王，你也不见得就不尊重。倒是难得的有意思的人，我舍不得杀你。唉！可惜……可惜……是老三要的人……"

他拿眼上下看着云歌，嘴里低声嘟囔着什么，嘴角暧昧不清的笑让云歌十分不自在。

云歌板着脸说："你……你别打坏主意，你若惹我，下次可不是这么简单就了事的。"

大公子从藤萝间站起，一步步向云歌行去，"本来倒是没有主意，可听你这么一说，我倒是想看看你还能有什么花招。"

云歌心中紧张，但知道此时可不能露了怯意，否则以后定然被这人欺负死。

面上笑吟吟地看着他，"极西极西之地，有一种花，当地人称食蝇花，花的汁液有恶臭，其臭闻者即吐，一旦沾身，年余不去。如果大公子不小心沾染了一两滴，那你的那些美人们只怕是要受苦了，而最终苦的只怕是大公子呢！"

大公子停住脚步，指着云歌笑起来，"你倒仔细说说我受的是什么苦？"

云歌脸颊滚烫，想张口说话，却实在说不出来。

"敢说却不敢解释。"大公子笑坐了回去，"不逗你了。云歌，不如过几日去我府里玩，那里有很多好玩的东西。"

云歌笑皱了皱鼻子，"你除了玩、玩、玩，可还有别的事情？"

大公子表情蓦然郑重起来，似乎很认真地思索了一会儿，嘴角慢慢勾了笑，笑得没心没肺的样子，低沉的语声在夜风中却荡出了苍凉，"没有别的事情了，也最好不要有别的事情，整天玩、玩、玩，不但对我好，对别人也好。"

云歌朝他做了个鬼脸，"赶明我离开长安时，你和我一块儿去玩。论吃喝玩乐，我可也算半个精通之人，我们可以出海去吃海味，躺在甲板上看海鸥，还可以去爬雪山。有一种雪雉，配着雪莲炖了，那个滋味管保让你吃了连姓名都忘记。天山去过吗？天池是赏月色的最好地点，晚上把小舟荡出去，一壶酒，几碟小菜，'人间仙境'四字绝不为过。世人只知道山顶上看日出，其实海上日出的壮美也是……"

云歌说得开心，大公子听得神往，最后打量着云歌赞叹："我还一直以为自己才是吃喝玩乐的高手，大半个大汉我都偷偷摸摸地逛完了，结果和你一比，倒变得像是笼子中的金丝雀和大雕吹嘘自己见多识广。黄金的笼子，翡翠的架子又如何？终究是关在笼子里。"

云歌笑吐了吐舌头，起身离去，"去睡觉了，不陪你玩了。记得把琴带给玉之王。"

云歌已走得远了，身后的琴音不成章法地响起，但一曲《负荆请罪》还听得大致分明。

云歌没有回头，只唇边抿起了笑。

为了给云歌回礼，也是替孟珏送行，许平君请孟珏和云歌吃晚饭。

大公子听闻，也不管许平君有没有叫他，一副理所当然要赴宴的样子。

长安城外的山坡。

太阳刚落，星辰还未升起。

七里香日常用来覆盖杂物的桐油布此时已经被洗刷得干干净净，许平君将它摊开铺在草地上。

从篮子里取出了一样样早已经准备好的食物。

都是粗褐陶碗，许平君笑得虽然坦然，可语气里还是带上了羞涩，"因为家里……家里实在没合适地方，所以我就听了云歌的意思，索性到外面吃。都是一些田间地头最常见的食物，我的手艺也不好，二位别嫌寒碜。"

孟珏坐到了桐油布上，笑着帮许平君摆置碗碟，"以天地为厅堂，取星辰做灯。杯盘间赏的是清风长空、草芳木华。何来寒碜一说？吃菜吃的是主人的心意，情谊才是菜肴最好的调味料。'千里送鹅毛，礼轻情义重'，许姑娘何必在这些微不足道的事情上介怀？"

大公子本来对足下黑黢黢、从未见过的桐油布有几分犹疑，可看到日常有些洁癖的孟珏的样子，心下暗道了声惭愧，立即坐下。

人都说他不羁，其实孟珏才是真正的不羁。

他的疏狂不羁流于表象，孟珏的温和儒雅下深藏的才是真正的疏狂不羁。

许平君看到孟珏的确是享受着简陋却细心的布置，绝非客气之语。心里的局促不安尽退，笑着把另外一个篮子的盖子打开，"我的菜虽然不好，可我的酒却保证让两位满意。"

大公子学着孟珏的样子，帮许平君摆放碗筷，笑着问："病已兄呢？还有云丫头呢？她不是比我们先出门吗？怎么还没有到？难不成迷路了？这可有些巧。"

一面说着话，一面眼睛直瞟孟珏。

许平君笑摇摇头，"不知道，我忙着做菜没有留意他们。只看到云丫头和病已嘀嘀咕咕了一会儿，两人就出门了。病已对长安城附近的地形比对自己家还熟悉，哪里长着什么树，那棵树上有什么鸟，他都知道，不会迷路的。"

"哦……"大公子笑嘻嘻地拖着长音，笑看着孟珏，"他们两个在一起，那肯定不会是迷路了。"

孟珏似乎没有听见他们的议论。

干完了手中的活，就静静坐着。

唇边含着笑意淡淡地看着天边渐渐升起的星子。

山坡下两个人有说有笑地并肩而来。

许平君笑向他们招了招手。

云歌跳着脚喊了声"许姐姐"，语声中满是快乐。

"对不起呀，我们来晚了。"云歌将手中的一个袋子小心翼翼地搁到一旁。凑到许平君身旁，一面用手直接去挑盘子中的菜，一面嚷着："好饿。"

许平君拿筷子敲了一下云歌的手，云歌忙缩了回去。

许平君把筷子塞到云歌手中，"你们两个去哪里了？看看你们的衣服和头，哪里沾的树叶、草屑？衣服也皱成这样？不过是从家里到这里，怎么弄得好像穿山越岭了一番？"

云歌低头看了看自己，没有回答许平君的问题，只笑着向许平君吐了下舌头。

刘病已半坐半躺到桐油布上，随手给自己斟了一杯酒，笑看着云歌没有说话。大公子却是眼珠一转，看看云歌的衣服，看看刘病已的衣服，笑得意味深长，暧昧无限。

云歌只是忙着吃菜，没有顾及回答许平君的话，忽瞟到大公子的笑，怔了一下，脸色立即飞红，幸亏夜色中倒是看不分明，狠瞪了大公子一眼，"你今天晚上还想不想安生吃饭？"

大公子刚想笑嘲，想起云歌的手段，摸了摸肚子，立即正襟危坐。

刘病已视线从大公子面上懒洋洋地扫过，和孟珏的视线撞在一起。

对视了一瞬，两人都是若无其事地微微笑着，移开了目光。

云歌夹了一筷子孟珏面前的菜，刚嚼了一下，立即苦起了脸，勉强咽下，赶着喝水，"好苦呀！"

许平君忙尝了一口，立即皱着眉头道歉，"我娘大概是太忙，忘记帮我把苦苦菜浸泡过水了。"

一面说着一面低着头把菜搁回篮子中，眉眼间露了几丝黯然。

苦苦菜是山间地头最常见的野菜，食用前需要先用水浸泡一整天，换过多次水，然后过滚水煮熟后凉拌，吃起来清爽中微微夹杂着一点点苦味，很是爽口。

因为是每个农家桌上的必备菜肴，贫家女儿四五岁大时已经在山头帮着父母挑苦苦菜，她娘怎么会忘记呢？只怕是因为知道做给刘病已和他的朋友吃的，所以刻意而为。

云歌看着篮子中还剩半碟的苦苦菜发了会儿呆，忽指着孟珏，一脸吃惊，"你……你……"

大公子赶着说："他吃饭的口味比较重，他……"

孟珏一笑，风轻云淡，"我自小吃饭味重。"

那你怎么没有觉得我日常做的菜味道淡？云歌心中困惑，还想问。

大公子摇了摇瓶中的酒，大声笑着说："明日一别，再见恐怕要一段时间了，今晚不妨纵情一醉！许姑娘，你的酒的确是好酒，不知道叫什么名字？"

"没什么名字，我的酒都是卖给七里香，外面的人随口叫'七里香的酒'。"

云歌含了口酒，静静品了一会儿，"许姐姐，不如叫'竹叶青'吧！此酒如果选料、酿造上讲究一些，贡酒也做得。"

大公子拍掌而笑，"好名字，酒香清醇雅淡，宛如温润君子，配上'竹叶青'的名字，好一个酒中君子，君子之酒。"

许平君笑说："我没读过书，你们都是识文断字的人，你们说好就好了。"

虽是粗茶淡饭，可五个人谈天说地中，用笑声下饭，也是吃得口齿噙香。

几人都微有了几分醉意，又本就不是受拘束的人，都姿态随意起来。

大公子仰躺在桐油布上，欣赏着满天星斗。

孟珏半靠在身后的大树上，手中握着一壶酒，笑看着云歌和许平君斗草拼酒。因为桐油布被大公子占去了大半，刘病已索性侧身躺在草地上，一手支着头，面前放着一大碗酒，想喝时直接凑到碗边饮上一大口，此时也是含笑注视着云歌和许平君。

云歌和许平君两人一边就着星光摸索着找草，一边斗草拼酒。

不是文人雅客中流行的文斗，用对仗诗赋形式互报花名、草名，多者为赢。

而是田间地头农人的武斗，两人把各自的草相勾，反方向相拽，断者则输，输了的自然要饮酒一杯。

云歌寻草的功夫比许平君差得何止十万八千里，十根草里面八根输，已经比许平君多喝了大半壶酒。

云歌越输越急，一个人弯着身子在草里乱摸。

嘴里面一会儿是"老天保佑"，一会儿是"花神娘娘保佑"，到后来连"财神保佑"都嘟囔了出来，硬是把各路大小神仙都嚷嚷了个遍。

许平君端坐于桐油布上笑声不断，"云歌儿，你喝次酒，连各路神仙都不得消停。难怪你老输，因为各路神仙都盼着你赶紧醉倒了，好让他们休息。"

刘病已在身边的草丛中摸索了一会儿，拔了一根草，"云歌，用这根试试。"

云歌欢叫了一声，跑着过来取草。

许平君立即大叫着跳起来，"不可以，这是作假。"

许平君想从刘病已手中夺过草，云歌急得大叫，"扔给我，扔给我。"

刘病已手上加了力气，将草弹出，草从许平君身侧飞过，云歌刚要伸手拿，半空中蓦地飞出一根树枝，将草弹向了另一边。

许平君笑对折枝相助的孟珏说："多谢了。"

孟珏笑着示意许平君赶紧去追草。

云歌仓促间只来得及瞪孟珏一眼，赶着飞身追草。

正躺得迷糊的大公子看到一根草从头顶飞过，迷迷糊糊地就顺手抓住。

云歌扑到他身侧，握着他的胳膊，"给我。"

许平君也已赶到了他另一侧，握着他另一只胳膊，"给我。"

漫天星斗下，两张玉颜近在眼前，带笑含嗔，风姿各异。

因为都是花一般的年纪，也都如花般在绽放。

大公子看看这个，看看那个，一时无限陶醉，低沉沉的声音，透出诱惑，"美人，你们要什么我都给。"

云歌和许平君各翻了个白眼，一起去夺他手中的草。

大公子迷糊中手上也加了力气，一根弱草裂成三截。

云歌和许平君看着各自手中拽着的一截断草，呆了一下，相对大笑起来。

云歌扭头看向孟珏时，气呼呼地鼓着腮帮子，"哼！帮许姐姐欺负我，亏得我还辛苦了半天去捉……哼！"

许平君笑揽住云歌的肩膀，"病已不是帮你了吗？不过多喝了几杯酒就输红了眼睛？羞不羞？"

云歌扭着身子，"谁输红眼睛了？人家才没有呢！最多……最多有一点点着急。"

几个人都笑起来，云歌偷眼看向孟珏，看到孟珏正笑瞅着她，想到明天他就要走，她忽觉得心上有些空落，鼓着的腮帮子立即瘪了下去。

收拾好杯盘，云歌请几个人围着圈子坐好。

拿过了摆放在一旁的袋子。

众人都凝视着云歌手中的袋子，不明白云歌搞什么鬼。

平君性急，赶着问："什么东西？"

云歌笑着缓缓打开袋子。

荧荧光芒从袋子口透出，如同一轮小小月亮收在袋子中。

不一会儿，有光芒从袋子中飞出。

一点点，一颗颗，如同散落在红尘的星子。

从袋子中飞出的星星越来越多，几个人的身子都被荧荧光芒笼罩着，仿佛置身于璀璨星河中。

天上的繁星，地上的繁星，美丽得好像一个梦中世界。

云歌伸手呵着一只萤火虫。

萤火虫的光芒一闪一闪间，她的笑颜也是一明一灭。

萤火虫打着小灯笼穿绕在她的乌发间，盘旋在她的裙裾间。

在漫天飞舞的小精灵中，她也清透如精灵。

她凑过唇去亲了一下手中的萤火虫，"萤火虫是天上星星的使者，你把你的心愿和思念告诉它，它们就会把这些带给星星上面住着的人，会帮你实现愿望的。"

许平君呆呆看了一会儿萤火虫，第一个闭上了眼睛，虔诚地许着心愿。

刘病已抬头望了眼天空，也闭上了眼睛。

大公子笑摇摇头，缓缓闭上了眼睛，"我不信有什么人能帮我实现我的愿望，不过……许许愿也不是什么坏事。"

云歌说话时，一直看着孟珏，双眸晶莹。

孟珏眼中也是眸光流转，却只是微笑地看着云歌，丝毫没有许愿的意思。

在漫天飞舞的光芒中，两人凝视着彼此。

云歌坚定地看着他，她眼中的光芒如同暗夜中的萤火虫，虽淡却温暖。

孟珏最终合上了双眼，云歌抿着笑意也闭上了眼睛。

不过一瞬，孟珏的眼睛却又睁开，淡漠地看着在他身周舞动的精灵。

刘病已睁开眼睛时，恰好看到孟珏手指轻弹，把飞落在他胳膊上的一只萤火虫弹开。

萤火虫的光芒刹那熄灭，失去了生命的小精灵无声无息地落入草丛中。

孟珏抬眼看向刘病已。

刘病已爽朗一笑，好似刚睁开眼睛，并没有看见起先一幕，"孟兄许的什么愿？"

孟珏淡淡一笑，没有回答。

大公子看看刘病已，再看看孟珏，无趣地耸了耸肩膀，嬉笑着看向许平君和云歌。

许平君睁开眼睛看向云歌，"你许了什么愿？"

"许姐姐许了什么愿？"

许平君脸颊晕红，"不是什么大愿望，你呢？"

云歌的脸也飞起了红霞，"也不是什么大愿望。"

大公子眼珠子一转，忽地说："不如把我们今日许的愿都记下后封起来。如果将来有缘，一起来看今日许的愿望，看看灵不灵。愿望没实现的人要请大家吃饭。"

云歌笑嘲："应该让愿望实现的人请大家吃饭！怎么你总是要和人反着来？"

大公子拍了拍自己的钱袋："来而不往非礼也！反正也该我请大家了。"

刘病已和孟珏微微笑着，都没有说话。

云歌和许平君想了一瞬，觉得十分有意思，都笑着点头。

许平君刚点完头，又几分羞涩地说："我不会写字。"

大公子说："这很简单，你挑一个人帮你写就行。"

许平君左右看了一圈，红着脸把云歌拽到了一旁。

许平君和云歌低语，面色含羞。

云歌虽是笑着，可笑容却透着苦涩。

一人一块绢布，各自写下了自己的心愿后叠好。

大公子将大家的绢帕收到一起，交给了许平君，很老实地说："剩下的活，我不会干。"

许平君拿了一片防水的桐油布，将绢帕密密地封好。

云歌跑到孟珏起先靠过的大树旁，在树干上小心地挖着洞。

折腾了半天，仍旧没有弄好。

孟珏随手递给她一把小巧的匕首，"用这个吧！"

不过几下，就挖好了一个又小又深的洞，云歌笑赞："好刀！"

孟珏凝视了一瞬刀，淡淡地说："你喜欢就送给你了，这么小巧的东西本就是给女子用的，我留着也没什么用。"

大公子闻言，神色微动，深看了一眼孟珏。

云歌把玩了会儿，的确很好用，打造精巧，方便携带，很适合用来割树皮划藤条，收集她看重的植物，遂笑着把刀收到了怀中，"多谢。"

许平君小心地把卷成了一根圆柱状的桐油布塞进树洞中，再用刚才割出的木条把洞口封好。

此时从外面看，也只是像树干上的一个小洞。等过一段时间，随着树的生长，会只留下一个树疤。不知情的人看不出任何异样。

云歌警告地瞅了眼大公子，用匕首在小洞上做了个记号。

如果有人想提前偷看，就肯定会破坏她的记号。

孟珏和刘病已唇角含笑地看向大公子。

大公子很是挫败地看着云歌。

他可不是无聊地为了看什么愿望实现不实现，他只是想知道让两个少女脸红的因由，这中间的牵扯大有意思。

许平君莫名其妙地看看孟珏、刘病已，再看大公子，不明白大公子怎么一瞬间就晴天变了阴天？

她疑惑地看向云歌，云歌笑着摇摇头，示意许平君不用理会那个活宝。

不管聚会时多么快乐，离别总是最后的主题。

夜已经很深，众人都明白到了告别的时刻。

许平君笑说："下一次一起来看心愿时，希望没有一个人要请吃饭，宁可大家都饿着。"

云歌有些苦涩地笑着点头。

孟珏和刘病已不置可否地笑着。

大公子笑眯眯地说："有我在，没有饿肚子的可能。"

许平君和云歌都是不解，不明白活得如此风流自在的人会有什么愿望实现不了。

大公子笑对许平君作揖，"我是个懒惰的人，不耐烦说假话哄人，要么不说，要说肯定是真话。今天晚上是我有生以来吃饭吃得最安心、最开心的一次，谢谢你。"

许平君不好意思地笑起来。

飞绕在他们四周的萤火虫已慢慢散去。

云歌半仰头望着越飞越高的萤火虫，目送着它们飞过她的头顶，飞过草丛，飞向远方，飞向她已经决定放弃的心愿……

虽然神明台是上林苑中最高的建筑物，可因为宫阙连绵，放眼望去，丝毫没有能看到尽头的迹象。

重重叠叠的宫墙暗影越发显得夜色幽深。

白日里的皇城因为色彩和装饰，看上去流光溢彩，庄严华美。

可暗夜里，失去了一切灿烂的表象，这个皇城只不过是一道又一道的宫墙，每一个墙角都似乎透着沉沉死气。

幸亏还有宫墙不能遮蔽的天空。

刘弗陵凭栏而立，默默凝视着西方的天空。

紧抿的唇角，孤直的身影，冷漠刚毅。

今夜又是繁星满天，一如那个夜晚。

几点不知道从何方飞来的流萤翩跹而来，绕着他轻盈起舞。

他的目光停留在萤火虫上，缓缓伸出了手。

一只萤火虫出乎意料地落在了他的掌上，一瞬后又翩翩飞走。

他目送着萤火虫慢慢远去，唇角微带起了一丝笑。

"连小虫子都知道陛下是圣明仁君，不捉自落。"刚轻轻摸上神明台的宦官于安恰看见这一幕，行着礼说。

刘弗陵没有吭声，于安立即跪了下来。

"奴才该死，又多嘴了。可陛下，就是该死，奴才还是要多嘴，夜色已深，寒气也已经上来，明日还要上朝，陛下该歇息了。"

"大赦天下的事情，宫里都怎么议论？"刘弗陵目光仍停留在萤火虫消失的方向，身形丝毫未动。

于安明知道身后无人，可还是侧耳听了一下周围的动静。

往前爬了几步，却仍然在三步之外，"奴才听说骠骑将军上官安有过抱怨，说没有年年都大赦天下的道理，自从始元四年陛下私自出了趟宫后，一到夏初就大赦天下，弄得政令难以推行。还说父亲上官桀当年不该一时心软就同意了陛下私自出宫，以至陛下回宫后老觉得刑罚过重，百姓太苦，还总是和霍光商议改革的事情。"

于安心内暗讥，一时心软同意陛下出宫？不过是当年他们几个人暗中相斗，陛下利用他们彼此的暗争，捡了个便宜而已。

上官桀当年事事都顺着陛下，纵容着陛下一切不合乎规矩的行为，一方面是想让陛下和他更亲近，把其他三位托孤大臣都比下去，另外一方面却是想把陛下放纵成一个随性无用、贪图享乐的人。上官桀对陛下的无限溺爱中，藏着他日后的每一步棋，可惜他料错了陛下。

"陛下，虽然有官员抱怨，可奴才听闻，朝中新近举荐的贤良却很称颂陛下的举动，说犯罪的人多良民，也多是迫于生计无奈，虽然刑罚已经在减轻，可还是偏重。"

刘弗陵的目光投向了西边的天空，沉默无语。

于安凝视着刘弗陵的背影，心内忐忑。

他越来越不知道陛下的所思所想。

陛下好像已经是一个没有喜怒的人，没有什么事情能让他笑，也没有什么事情能让他怒，永远都是平静到近乎淡漠的神情。

他十岁起就服侍刘弗陵，那时候陛下才四岁，陛下的母后钩弋夫人还活着，正得先帝宠爱。

那时候的陛下是一个虽然聪明到让满朝官员震惊，可也顽皮到让所有人头疼的孩子。

从什么时候起，那个孩子变成了现在的样子？沉默、冷漠，甚至不允许任何人靠近他，就连那个上官家的小不点皇后也要隔着距离回陛下的话。

因为先皇为了陛下而赐死钩弋夫人？

因为燕王、广陵王对皇位的虎视眈眈？

因为三大权臣把持朝政，皇权旁落，陛下必须要冷静应对，步步谨慎？

因为百姓困苦，因为四夷不定……

于安打住了脑中的胡思乱想。不管他能不能揣摩透陛下的心思，他唯一需要做的就是忠心。而现在唯一要做的事情，是要劝陛下休息，"陛下……"

刘弗陵收回了目光，转身离开。

于安立即打住话头，静静跟在刘弗陵身后。

夜色宁静，只有衣袍的窸窣声。

快到未央宫时，刘弗陵忽然淡淡问："查问过了吗？"

于安顿了一下，才小心翼翼地回道："奴才不敢忘，每隔几日都会派手下去打探，没有持发绳的人寻找姓赵或姓刘的公子。"

和以前一样，陛下再没有任何声音，只有沉默。

于安猜测，陛下等待的人应该就是陛下曾寻找过的人。

几年前，赵破奴将军告老还乡时，陛下亲自送他出城，可谓皇恩浩荡，赵破奴感激涕零，但对陛下的问题，赵破奴将军给的答复自始至终都是"臣不知道"。

虽然于安根本看不出来陛下对这个答案是喜悦或是失望，可他心中隐约明白此人对陛下的重要，所以每次回复时都捏着一把冷汗。

几个值夜的宫女，闲极无聊，正拿着轻罗小扇戏扑流萤。

不敢出声喧哗，却又抑不住年轻的心，只能一声不出地戏追着流萤。

夜色若水，萤火轻舞，彩袖翩飞。

悄无声息的幽暗中流溢着少女明媚的动，画一般的美丽。

从殿外进来的刘弗陵，视若无睹地继续行路。

正在戏玩的宫女未料到陛下竟然还未歇息，并且深夜从偏殿进来，骇得立即跪在地上不停磕头。

刘弗陵神情没有丝毫变化，脚步一点未顿地走过。

隔着翩跹飞舞的荧光看去，背影模糊不清，不一会儿就完全隐入了暗影重重的宫殿中。

只殿前飞舞的荧光，闪闪烁烁，明明灭灭，映着一天清凉。

云歌、刘病已、许平君三人起了个大早送孟珏和大公子二人离去。

孟珏牵着马，和云歌三人并肩而行。

大公子半躺半坐于马车内，一个红衣女子正剥了水果喂他。

虽是别离，可因为年轻，前面还有大把重逢机会，所以伤感很淡。

晨曦的光芒中，时有大笑声传出。

急促的马蹄声在身后响起，众人都避向了路旁，给疾驰而来的马车让路。

未料到马车在他们面前突然停住，一个秀气的小厮从马车上跳下，视线从他们几人面上扫过，落在孟珏脸上。

本是苛刻挑剔的目光，待看清楚孟珏，眼中露了几分赞叹，"请问是孟珏公子吗？"

孟珏微欠身，"正是在下。"

小厮上前递给孟珏一包东西，"这是我家小……公子的送行礼。我家公子说这些点心是给孟公子路上吃着玩的，粗陋处还望孟公子包涵。"

孟珏扫了眼包裹，看到包裹一角处的刺绣，眼中的光芒一闪而过，笑向小厮说："多谢你家公子费心。"

"孟公子，一路顺风。"小厮又上下打量了一番孟珏，转身跳上马车，马车疾驰着返回长安。

孟珏随手将包裹递给大公子。

大公子拆开包裹看了眼，咂巴着嘴笑起来，刚想说话，瞟到云歌又立即吞下了已到嘴边的话。

送君千里，终有一别。

大公子朝车外随意挥了挥手，探着脑袋说："就送到这里吧！多谢三位给我送行，也多谢三位的款待，希望日后我能有机会光明正大地在长安城招待三位。"

云歌和许平君齐齐撇嘴，"谁是送你？谁想招待你？是你自己脸皮厚！"

大公子自小到大都是女人群中的贵客，第一次碰到不但不买他账，还频频给他脸色的女子，而且不碰则已，一碰就是两个。

叹着气，一副很受打击的样子，缩回了马车，"你们都是被孟珏的皮囊骗了，这小子坏起来，我是拍马也追不上。"

许平君又是不屑地"哧"一声嘲笑。

孟珏笑向刘病已和许平君作揖行礼，"多谢二位盛情。长安一行，能结识二位，孟珏所获颇丰。就此别过，各自保重，下次我来长安时再聚。"

云歌指着自己的鼻子，不满地问："我呢？你怎么光和他们道别？"

孟珏笑看了她一眼，慢悠悠地说："我们之间的账要慢慢算。"

云歌忙瞟了眼刘病已和许平君，拽着孟珏的衣袖，把孟珏拖到一旁，低声说："我究竟欠了你多少钱，我早就糊涂了，你先替我记着，我一定会勤快一些，再想些办法赚钱的，这两日我正琢磨着和许姐姐合酿酒，她的酿酒方子结合我的酿酒方子，我们的酒应该很受欢迎，常叔说他负责卖酒，我们负责酿酒，收入我们四六分，正好我和许姐姐都缺钱，然后我……"

"云歌。"孟珏打断了云歌的唠唠叨叨。

"嗯？"云歌抬头看向孟珏，孟珏却一言未说，只是默默地凝视着她。

云歌只觉他的目光像张网，无边无际地罩下来，越收越紧，人在其间，怎么都逃不开。

忽觉得脸热心跳，一下就松开了孟珏的袖子，想要后退，孟珏却握住了她的肩膀，在云歌反应过来前，已经在云歌额头上印了一吻，"你可会想我？"

云歌觉得自己还没有明白孟珏说什么，他已经上了马，朝刘病已和许平君遥拱了拱手，打马而去。

云歌整个人变成了石塑，呆呆立在路口。

孟珏已经消失在视野中很久，她方呆呆地伸手去轻轻碰了下孟珏吻过的地方，却又立即像被烫了一般地缩回了手。

许平君被孟珏的大胆行事所震，发了半晌呆，方喃喃说："我还一直纳闷孟大哥如此儒雅斯文，怎么会和大公子这么放荡随性的人是好友，现在完全明白了。"

刘病已唇边一直挂着无所谓的笑，漆黑的眼睛中似乎什么都有，又似乎什么都没有。

云歌和他视线相遇时，忽然不敢看他，立即低下头，快快走着。

许平君笑起来，朝刘病已说："云歌不好意思了。"

刘病已凝视着云歌的背影，一声未吭。

许平君侧头盯向刘病已，再看看云歌，没有任何缘由就觉心中不安。

刘病已扭头向许平君一笑，"怎么了？"

许平君立即释然，"没什么。对了，云歌和我说想要把我的酒改进一下，然后用'竹叶青'的名字在长安城卖……"

马车跑出了老远，大公子指着孟珏终于畅快地大笑起来，"老三，你……你……实在……太拙劣了！花了几个月工夫，到了今日才耍着霸王硬亲了下，还要当着刘病已的面。你何必那么在意刘病已？他身边还有一个许平君呢！"

红衣女子在大公子掌心写字，大公子看着孟珏呵呵笑起来，"许平君已经和别人定了亲的？原来不是刘病已的人？唉！可怜！可怜！"

嘴里说着可怜，脸上却一点可怜的意思也没有。也不知道他可怜的是谁，许平君？孟珏？

孟珏淡扫了大公子一眼，大公子勉强收了笑意。

沉默了不一会儿，又笑着说："孟狐狸，你到底在想什么？这个包裹是怎么回事？你想勾搭的人没有勾搭上，怎么反把霍光的女儿给招惹上了？"

大公子在包裹内随意翻拣着点心吃，顺手扔了一块给孟珏，"霍府的厨子手艺不错，小珏，尝一下人家姑娘的一片心意。"

孟珏策马而行，根本没有去接，任由点心落在了地上，被马蹄践踏而过，踩了个粉碎。

大公子把包裹扔到了马车角落里，笑问："那个刘病已究竟是怎么一回事情？我三四年没有见皇帝了，那天晚上猛然间看到他，怎么觉得他和皇帝长得有些像？"大公子忽拍了下膝盖，"说错了！应该说刘病已和皇帝都长得像刘彻那死老头子。难道是我们刘家哪个混账东西在民间一夜风流的沧海遗珠？"

孟珏淡淡说："是一条漏网的鱼。"

大公子凝神想了会儿，面色凝重了几分，"卫皇孙？老三，你确定吗？当年想杀他的人遍及朝野。"

孟珏微笑："我怕有误，许平君把玉佩当进当铺后，我亲自查验过。"

大公子轻吁了口气，"那不会错了，秦始皇一统六国后，命巧匠把天下至宝和氏璧做成了国玺，多余的一点做了玉佩，只皇帝和太子能有，想相似都相似不了。"

大公子怔怔出了会儿神，自言自语地说："他那双眼睛长得和死老头子真是一模一样，皇帝也不过只有七八分像。老头子那么多子裔中，竟只皇帝和刘病已长得像他，他们二人日后若能撞见，再牵扯上旧账，岂不有趣？那个皇位似乎本该是刘病已的。"

孟珏浅笑未语。

大公子凝视着孟珏，思量着说："小珏，你如今在长安能掌控的产业到底有多少？看样子，远超出我估计。现在大汉国库空虚，你算得上是富可敌国了！只是你那几个叔叔能舍得把产业都交给你去兴风作浪吗？你义父似乎并不放心你，他连西域的产业都不肯……"

孟珏猛然侧头，盯向大公子。

大公子立即闭嘴。

孟珏盯了瞬大公子，扭回了头，淡淡说："以后不要谈论我义父。"

大公子面色忽显疲惫，大叫了一声："走稳点，我要睡觉了。"

说完立即躺倒，红衣女子忙寻了一条毯子出来，替他盖好。

新酿的酒，色泽清透，金黄中微带青碧。

香味甘馨清雅，口味清冽绵长。

常叔刚看到酒色，已经激动得直搓手，待尝了一口酒，半晌都说不出话来。

云歌和平君急得直问："究竟怎么样？常叔，不管好不好，你倒是给句话呀！"

常叔半晌后，方直着眼睛，悠悠说了句，"我要涨价，两倍，不，三倍，不，五倍！五倍！"

云歌和平君握着彼此的手，喜悦地大叫起来。

两个人殚精竭虑，一个负责配料，一个负责酿造，辛苦多日，终于得到肯定，都欣喜无限。

常叔本想立即推出竹叶青，刘病已却建议云歌和平君不要操之过急。

先只在云歌每日做的菜肴中配一小杯，免费赠送，一个月后再正式推出，价钱却是常叔决定的价钱再翻倍。

常叔碍于两个财神女——云歌和平君，不好训斥刘病已"你个游手好闲的家伙懂什么"。

只能一遍遍对云歌和平君说："我们卖的是酒，不是金子，我定的价钱已经是长安城内罕见的高，再高就和私流出来的贡酒一个价钱了，谁肯用天价喝我们这民间酿造的酒，而不去买贡酒？"

可云歌和许平君都一心只听刘病已的话。

常叔唠叨时，云歌只是笑听着。面容带笑，人却毫不为常叔所动。

平君听急了却是大嚷起来，"常叔，你若不愿意卖，我和云歌出去自己卖。"

一句话吓得常叔立即噤声。

一个月，那盛在小小白玉盅中的酒已经在长安城的富豪贵胄中秘密地流传开，却是有钱都没有地方买。

人心都是不耐好，越是没有办法买，反倒好奇的人越是多。

有好酒者为了先尝为快，甚至不惜重金向预定了云歌菜肴的人购买一小杯的赠酒。一旦尝过，都是满口赞叹。

在众人的赞叹声中，竹叶青还未开始卖，就已经名动长安。

一块青竹牌匾，其上刻着"竹叶青，酒中君子，君子之酒"。

字迹飘逸流畅，如行云、如流水，隐清丽于雄浑中，藏秀美于宏壮间，见灵动于笔墨内。

"好字！好字！"云歌连声赞叹，"谁写的？我前几日还和许姐姐说，要能找位才子给写几个字，明日竹叶青推出时，挂在堂内就好了，可惜孟珏不在，我们又和那些自珍羽毛的文人不熟悉。"

刘病已没有回答，只微笑着说："你觉得能用就好。"

正在内堂忙的平君，探了个脑袋出来，笑着说："我知道！是病已写的，我前日恰看到他在屋子里磨墨写字。别的字不认识，可那个方框框中间画一个竖杠的字，我可是记住了，我刚数过了，也正好是十一个字。"

云歌哈哈大笑，"大哥以为可以瞒过许姐姐，却不料许姐姐自有自己的办法。"

刘病已笑睨着许平君，"平君，你以后千万莫要在我面前说自己笨，你再'笨'一些，我这个'聪明人'就没有活路了。"

许平君笑做了个鬼脸，又缩回了内堂。

刘病已建议既然云歌在外的称号是"雅厨"，而竹叶青也算风雅之酒，不妨就雅人雅酒行雅事。

店堂内设置笔墨屏风，供文人留字留诗赋，如有出众的，或者贤良名声在外的人肯留字留诗赋，当日酒饭钱全免。

云歌还未说话，刚进来的常叔立即说："刘大公子，你知不知道这长安城内汇聚了多少文人墨客？整个大汉乃至全天下才华出众的人都在这里，一个个免费，生意还做不做？"

刘病已懒洋洋地笑着，对常叔语气中的嘲讽好似完全没有听懂，也没有再开口的意思。

云歌对刘病已抱歉地一笑，又向柳眉倒竖的许平君摆了下手，示意她先不要发脾气。

云歌对常叔说："常叔，你大概人在外面，没有听完全大哥的话。大哥是说文才笔墨出众，或者贤良名声在外的人免费。文才笔墨出众的人，有人已是声名在外，在朝中为官，有人还默默无名。前者也许根本不屑用这样的方法来喝酒吃菜，前者的笔墨我们求都求不到的。而后者，如果我们今日可以留下他们的笔墨，日后他们一旦如当年的司马相如一般从落魄到富贵，到千金求一赋时，我们店堂内的笔墨字迹，可就非同一般了。贤良名声在外的人，也是这个道理，我听孟珏说大汉的大部分官员都是来自各州府举荐的贤良，我们能请这些贤良吃一顿饭，只怕也是七里香的面子。何况常叔不是一直想和一品居一争长短吗？一品居在长安城已是百年声名，他们的菜又的确做得好，百年间以'贵'字闻名大汉，乃至域外。我们在这方面很难争过他们，所以我们不妨在'雅'字上多下功夫。"

常叔本就是一个精明的生意人，云歌的话说到一半时，其实他已经转过来，只是面子上一时难落，幸亏云歌已经给了梯子，他正好顺着梯子下台阶，对刘病已拱了拱手，"我刚才在外面只听了一半的话，就下结论，的确心急了，听云歌这么一解释，我就明白了，那我赶紧去准备一下，明日就来个雅厨雅酒的风雅会。"说完，就匆匆离去。

云歌看了看正低着头默默喝茶的刘病已，转身看向竹匾。

这样的字，这样的心思，这样的人，却是整日混迹于市井贩夫走卒间，以斗鸡走狗为乐，他到底经历什么，才要游戏红尘？

哀莫大于心死，难道他这辈子就没有想做的事情了吗？

许平君试探地说："病已，我一直就觉得你很聪明，现在看来你好像也懂一点生意，连常叔都服了你的主意。不如你认真考虑考虑，也许能做个生意，或者……或者你可以自己开个饭庄，我们的酒应该能卖得很好，云歌和我就是现成的厨子，不管能不能成功，总是比你如今这样日日闲着好。"

云歌心中暗叹了一声糟糕。

刘病已已是搁下了茶盅，起身向外行去，"你忙吧！我这个闲人就不打扰你了。"

许平君眼中一下噙了泪水，追了几步，"病已，你就没有为日后考虑过吗？男人总是要成家立业的，难道斗鸡走狗的日子能过一辈子？你和那些游侠客能混一辈子吗？我知道我笨，不会说话，可是我心里……"

刘病已顿住了脚步，回身看着许平君，流露了几点温暖的眼睛中，是深不见底的漆黑，"平君，我就是这样一个人，这辈子也就这样了，你不用再为我操心。"

话一说完，刘病已再未看一眼许平君，脚步丝毫未顿地出了酒楼。

刘病已的身影汇入街上的人流中，但隔着老远依旧能一眼就认出他。他像是被拔去双翼的鹰，被迫落于地上，即使不能飞翔，但仍旧是鹰。

云歌临窗看了会儿那个身影，默默坐下来，装作没有听见许平君的低泣声，只提高声音问："许姐姐，要不要陪我喝杯酒？"

许平君坐到云歌身侧，一声不吭地灌着酒。

云歌支着下巴，静静看着她。

不一会儿，许平君的脸已经酡红，"我娘又逼我成亲了，欧侯家也来人催了，这次连我爹都发话了，怕是拖不下去了。"

云歌"啊"了一声，立即坐正了身子，"你什么时候定亲了？我怎么不知道？"

"你又没有问我，难道我还天天见个人就告诉她我早已经定亲了？"

"可是……可是……你不是……大哥……"

许平君指着自己的鼻尖，笑嘻嘻地说："傻丫头，连话都说不清，你是想说'你不是喜欢大哥吗'？"

云歌点点头。

许平君打着自己的脑袋，"你真蠢，你真蠢，你以为你都是为了他好，实际上他一点都不喜欢；你真蠢，什么父母之命，媒妁之言，都是狗屁，可你明知道是狗屁，却还要按着狗屁的话去做；你真蠢，你以为你拼命赚钱，就可以让父母留着你……"

云歌忙拽住了许平君的手，许平君挣了几下，没有挣脱，嚷起来："云歌，连你也欺负我……"

嚷着嚷着，已经是泪流满面。

"许姐姐，如果你不愿意，我们一起想办法。不要哭了，不要哭了……"

许平君俯在云歌肩头放声痛哭，平日里的坚强泼辣伶俐都荡然无存。

云歌索性放弃了劝她，任由她先哭个够。

许平君哭了半晌，方慢慢止住了泪，强撑着笑了下，"云歌，我有些醉了。你不要笑姐姐……"

"许姐姐，你上次问我为什么来长安，我和你说是出来玩的，其实我是逃婚逃出来的，我刚从家里出来时不知道偷偷哭了多少次。"

"那个人你不喜欢？"

"我根本没有见过他。以前也有人试探着说过婚事，爹娘都是直接推掉，可这次却没有推掉，我……我心里难受，就跑了出来。”

许平君叹了口气，“你不过是提亲，父母都还未答应。我却和你的状况不一样，我和欧侯家是自小定亲，两家的生辰八字和文定礼都换过了。逃婚？如果病已肯陪着我逃，我一定乐意和他私奔，可他会吗？”

云歌想着刘病已的那句“你不用再为我操心”，只能用沉默回答许平君。

许平君一边喝酒，一边说：“自出生，我就是母亲眼中的赔钱货。父亲在我出生后不久就犯了事，判了宫刑。母亲守了活寡后，更是恨我霉气，好不容易和欧侯家结亲，我又整天闹着不乐意，所以母亲对我越发没有好脸色，幸亏我还能赚点钱贴补家用，否则母亲早就……”许平君的语声哽在喉咙里。

许平君一贯好强，不管家里发生什么，在人前从来都是笑脸，云歌第一次见她如此，听得十分心酸，握住了许平君的手。

许平君揉了揉云歌的头，“不用担心我。从小到大，我想要什么都要自己拼命去争取，就是想要一截头绳，都要先盼着家里的母鸡天天下蛋，估摸着换过了油盐还有得剩，再去讨了父亲和哥哥的欢心，然后趁着母亲心情好时央求哥哥在一旁说情，好让母亲买给我。云歌，我和你不一样，我是一株野草。野草总是要靠自己的，石头再重，它也总能寻条缝隙长出来……”

许平君步履蹒跚地走入了后堂。

云歌端起了酒杯，开始自斟自饮，心里默默想着许姐姐什么都没有，她唯一的心愿就是能和大哥在一起。

酒应该比给孟珏送行那次好喝才对，可云歌却觉得酒味十分苦涩。

云歌的诗赋文章都是半桶水。

不过虽没吃过猪肉，也听过猪叫唤，从小到大，被母亲和二哥半哄半迫地学了不少，加之二哥搜罗了不少名人字画，日日熏陶下，云歌的鉴赏眼力虽不能和二哥比，点评字画却已经足够。

因为云歌点评得当，被挑中免去酒费的诗赋笔墨都各有特色，常常是写得固然出色，评得却更加有趣，两者相得益彰。渐渐地，读书人都以能在竹叶青的竹屏上留下笔墨为荣。

云歌一直谨记孟珏的叮嘱，越少人知道雅厨的身份越好。为了不引人注意，点评之事也是隐于幕后，可她越是如此，竹叶青的名号越是传得响亮。

"竹叶青，酒中君子，君子之酒"成为长安城中的新近最流行的一句话。喝竹叶青，不仅仅是身份地位的象征，更成为才华的一种体现。

因为云歌和许平君居于少陵原，所以两个人每日都要赶进长安城，去七里香上工。

今日去上工时，发现城门封锁，不能进城。

许平君找人打听后，才知道说什么因为卫太子还魂向皇帝索冤，弄得全城戒严，所以没有特许，任何人不得进出长安城。

生意没有办法做，两人只能给自己放假，索性跑去游山玩水。

许平君还有些气闷，云歌却是快乐如小鸟，一路只是叽叽喳喳，不停地求许平君给她讲长安的传说和故事。

云歌是个极好的听故事的人，表情十分投入，频频大呼小叫，让许平君觉得自己比说书先生讲得更好，不禁越讲越有心情，再加上湖光山色，鸟语花香，她也开始觉得能休息一天，钱即使少赚了，也不是坏事。

许平君不知道怎么说到了当年美名动天下的李夫人，李夫人倾国倾城的故事让两个女孩子都是连声感叹。

云歌不停地问："李夫人真的美到能倾倒城池吗？"

许平君说："当然，老皇帝有那么多妃子，一个比一个美，可死了后却只让很早前就去世了的李夫人和他合葬，皇帝为此还特意追封了她为皇后，可见老皇帝一直不能忘记她。"

两人频频感叹着怎么红颜薄命，怎么那么早就去世了呢？又咕咕笑着说不知道如今这位皇帝是否是长情的人。

　　平君打量着云歌笑说："云歌，你可以去做妃子呢！去做一个小妖妃，把皇帝迷得晕乎乎，将来也留下一段传说，任由后来的女子追思。"

　　云歌点着头连连说："那姐姐去做皇后，肯定是一代贤后，名留青史。"

　　两个人疯言疯语地说闹，都哈哈大笑起来。

　　云歌笑指着山涧间的鸳鸯，"只羡鸳鸯不羡仙！"

　　平君沉默了一瞬，轻轻说了句酒楼里听来的唱词："只愿一人共白头。"

　　两人看着彼此，异口同声地说："你肯定会如愿！"

　　说完后，愣了一瞬，两人都是脸颊慢慢飞红，却又相对大笑起来。

　　两人手挽着手爬上一座山坡，看到对面山上全是官兵，路又被封死。

　　"怎么这里也戒严了？"云歌跺足。

　　许平君重叹了口气，"还不是卫太子的冤魂闹的？对面葬着卫太子和他的三个儿子一个女儿。"

　　云歌抻着脖子看了半晌，没有看到想象中的坟墓，只能作罢。

　　看到官兵张望过来，许平君立即拉着云歌下山，"别看了，卫太子虽然死了十多年了，可一直是长安城的禁忌，不要惹祸上身。"

　　"那个冤魂肯定是假的，他要想索冤直接去皇宫找皇帝好了，何必在城门口闹呢？闹得死人都不能清静。再说皇帝不也才十八九岁吗？当年卫太子全家被杀时，皇帝才是几岁小儿，即使是神童，比常人早慧，也不可能害得了太子呀！"

　　"谁知道呢？我们做我们的平头百姓，皇家的事情弄不懂，也不需要懂。我以前还琢磨过即使再讨厌子女，父母怎么能下得了杀手呢？可你看老皇帝，儿子孙子孙女连着他们的妻妾一个都不放过，满门尽灭。难怪都说卫太子冤魂难安，怎么安得了？"

两人在山野间玩了一整日，又在外面吃过饭，天色黑透时才回家。

平君到家时，她的母亲罕见地笑脸迎了出来，平君却是板着脸进了门。

云歌轻声叹了口气，给许平君的母亲行个礼后，回了自己屋子。

自孟珏走后，刘病已和许平君帮她在他们住的附近租了屋子。

如今三人毗邻而居，也算彼此有个照应。

经过刘病已的屋子时，看他一人坐在黑暗中发呆，云歌犹豫了下，进去坐到他身旁。

刘病已冲她点头笑了一下，虽然是和往常一模一样的笑，云歌却觉得那个笑透着悲凉。

"大哥，许姐姐就要出嫁了。"

"对方家境不错，人也不错，平君嫁给他，两个人彼此帮衬着，日子肯定过得比现在好。"

"大哥，你就没有……从没有……"

"我一直把她当妹妹。"

云歌重重叹了口气，当初还以为他们是郎有情女有意，可原来如此。那她现在可以告诉他，他们之间的终身约定吗？至少可以问问他还记得那只绣鞋吗？可是许姐姐……

云歌还在犹豫踌躇，刘病已凝视着暗夜深处，淡淡说："我没资格，更没有心情想这些男女之事。"

云歌呆了一瞬，低下了头。

他已经全部忘记了，即使说了又有什么意思？只不过是给他增添烦恼，何况还有许姐姐。

云歌低着头发呆，刘病已沉默地看着云歌。

云歌抬头时，两人目光一撞，微怔一下，都迅速移开了视线。

"云歌，你觉不觉得我是个很没志气的人？"夜色中，刘病已侧脸对她，表情看不分明。

云歌轻声道："大哥，你想做的事情只怕是做不了，所以索性寄情闲逸了。游侠客们虽不是世俗中的正经人，可都有几分真性情，比起世人的嫌贫爱富，踩贱捧高，他们更值得交往。"

刘病已好半晌都是沉默，云歌感觉出刘病已今夜的心情十分低落，他不说，她也不问，只静静坐着相陪。

刘病已忽地问："云歌，你想出去走走吗？"

云歌点了下头。

刘病已带着云歌越走越偏僻。月光从林木间筛落，微风吹叶，叶动，影动，越显斑驳。两人的脚步声偶会惊起枝头的宿鸟，"呜呀"一声，更添寂静。

穿过树林，眼前蓦然开阔，月光毫无阻隔地直落下来，洒在蔓生的荒草间，洒在一座座墓碑间。

这样的萧索让云歌觉得身上有些凉，不自禁地抱着胳膊往刘病已身边凑了凑。

刘病已轻声笑道："有兄弟喜欢骗了女孩子到荒坟地，通常都能抱得美人满怀，她们怕死人，其实哪里知道活人比死人更可怕。"

刘病已一句"出去走走"，居然走到了坟地间，云歌倒是一片泰然，随着刘病已穿行在坟墓间。

刘病已站定在一个坟墓前。云歌凝目看去，却是一座无字墓碑，坟墓上的荒草已经长得几乎淹没住整个坟墓，墓碑也是残破不堪。

刘病已默站了良久，神情肃穆，和往日的他十分不同，"今日白天的事情听闻了吗？"

"什么事情？"

"北城门的闹剧。"

"哦！听闻了。整个长安城都被闹得封锁了城门，所以我今日也没有进城做菜。"

据说清晨时分，一个男子乘黄犊车到北城门，自称卫太子，传昭公、卿、将军来见。来人说起卫太子的往事，对答如流，斥责本不该位居天子之位的刘弗陵失德、他的冤魂难安。

卫太子冤魂引得长安城中数万人围观，很多官员都惊慌失措。隽不疑挺身而出，高声斥责对方装神弄鬼，方稳住了慌乱的官员。最后经霍光同意，隽不疑带兵驱散了众人，抓住了自称卫太子的男子，经隽不疑审判，男子招认自己是钱迷了心窍的方士，受了卫太子旧日舍人的钱财，所以妖言惑众。男子立即被斩杀于闹市，以示惩戒。

刘病已凝视着墓碑，缓缓说："你面前的坟墓里就是当年母仪天下的卫皇后，死后却是一卷草席一裹就扔进了荒坟场中。极尽荣耀时，卫氏一门三女，还有大司马大将军卫青。幸亏卫少儿和卫青死得早，幸运地没有看到卫氏没落。太子之乱时，不过几日，卫皇后自尽，卫太子的妻妾，三子一女都被杀，合族尽灭。"

云歌蹲了下来，手轻轻摸过墓碑。也许是小时候听了太多卫青的故事，也听二哥提过这个出身低贱却成为皇后的女子，云歌心里蓦然难过起来，"舍人有钱财买通人去闹事，却没有钱财替卫皇后稍稍修葺一下坟墓？他既然对卫太子那么忠心，怎么从未体会过卫太子的孝心？"

刘病已放声大笑起来，"如此简单的道理，一些人却看不分明。一个死了这么多年的人，还日日不能让他们安生。"

笑声在荒坟间荡开，越显凄凉。

云歌轻声说："我以前听常叔和几个文人私下偷偷提了几句卫太子，都很是感慨。听闻卫太子推行仁政、注重民生、提倡节俭，和武帝的强兵政策、奢靡作风完全不同，大概因为民间一直怀念着卫太子，所以高位者越是心中不能安吧！人可以被杀死，可百姓的心却不能被杀死。卫太子泉下有知，也应宽慰。"

刘病已收住了笑声，静静站着。

云歌鼓了半晌的勇气，方敢问："大哥，你上次说有人想杀你，你是卫家的亲戚吗？"

"算有些关系吧！卫太子之乱，牵扯甚广，死了上万人，当时整个长安都血流成河，我家也未能免祸。"刘病已似乎很不愿意再回想，笑对云歌说："我们回去吧！"

两个人并肩走在荒草间，刘病已神态依旧，云歌却感觉到他比来时心情好了许多。

"云歌，害怕吗？"

"压根儿就不怕。"

"真的？"

"当然是真的！"

"那我给你讲个故事，听闻有一个女子被负心汉抛弃，自尽后化为了厉鬼，因为嫉恨于美貌女子，她专喜欢找容貌美丽的女子，静静跟在女子的身后，轻轻地呵气，你会觉得你脖子上凉气阵阵……"

"啊！"云歌尖叫起来，满脸惊怕，"我的脚，她抓住我的脚了。大哥，救我……"

刘病已见她隐在荒草中的裙子已泛出血色，惊出了一身冷汗，"云歌，别怕。我是信口胡编的故事，没有女鬼。"

他以为是野兽咬住了云歌，分开乱草后，却发现云歌的脚好端端地立在地上，正惊疑不定间，忽醒悟过来，他只闻到了清雅的花草香气，没有血腥味。

没有血腥味？他摸了把云歌的裙裾，气叫："云歌！"

云歌朝他做了个鬼脸，迅速跑开。

一边笑着，一边叫道："大哥下次想要吓唬女孩子，记得带点道具！否则效果实在不行。洒在衣袍上的胭脂一沾露水，暗中看着就像血，糖莲藕像人的胳膊，咬一口满嘴血，染过色后的长粽叶，含在嘴里是吊死鬼的最佳扮相……"

刘病已笑向云歌追去，"云歌，你跑慢点。鬼也许是没有，不过荒草丛里蛇鼠什么的野兽还是不少的。"

云歌一脸得意，笑叫："我——才——不——怕！"

刘病已笑问："你哪里来的那么多鬼门道？倒是比我那帮兄弟更会整人，以后他们想带女孩子来这里，就让他们来和你请教了。"

云歌撇撇嘴："才不帮他们祸害女子呢！不过大哥若看中了哪家姑娘，想抱美人在怀，我一定倾囊相授。"话刚说完，忽想起刘病已刚才讲故事吓她，心突突几跳，脸颊飞红，只扭过了头，如风一般跑着。

两个人在荒坟间，一个跑，一个追，笑闹声驱散了原本的凄凉荒芜。

夜色、荒坟，忽然也变得很温柔。

明亮的灯火下，云歌仔细记着账。

唉！命苦，以前从来没有弄过这些，现在为了还债必须要一笔笔算明白，看看自己还有多久能还清孟珏的钱。

云歌想起孟珏的目光，脸又烧起来，不自禁地摸了下自己的额头。

会想他吗？

哼！欠着一个人的钱，怎么可能不想？

每赚一枚钱要想，每花一枚钱要想。临睡前算账也要想他，搞得连做梦都有他。

他走前根本不应该问，会想我吗？而是该问，你一天会想我多少次！

他为什么会亲我？还问我那样的话？他……是不是……

还在胡思乱想，患得患失，窗户上几下轻响，"还没有睡？"刘病已的声音。

云歌忙推开窗户，"没呢！你吃过饭了吗？我这里有饼。"

"吃过了，不过又有些饿了。"

"有些凉了，给你热一下。"

"不讲究那个。"刘病已接过饼，靠在窗棂上吃起来，"你喝酒了吗？怎么脸这么红？"

"啊？没有……我是……有点热。"云歌的脸越发红起来。

刘病已笑笑地说："已经立秋了，太阳也已经落山很久了。"

云歌"哼"了一声，索性耍起了无赖，"秋天就不能热？太阳落山就不能热？人家冬天还有流汗的呢！"

"云歌，孟珏回长安了。"

"什么？"刘病已说话前后根本不着边际，云歌反应了一会儿，才明白刘病已话中的意思，"他回来了怎么不来找我们？"

"大概有事情忙吧！我听兄弟说的，前几日看到他和丁外人进了公主府。"

前几日？云歌噘了噘嘴，"他似乎认识很多权贵呢！不知道做的生意究竟有多大。"

刘病已犹豫着想说什么，但终只是笑着说："我回去睡了，你也早些歇息。"

云歌的好心情莫名地就低落起来。

看看桌上的账，已经一点心情都无，草草收拾好东西，就闷闷上了床。

躺在床上却是翻来覆去，一直到半夜都睡不着。

正烦闷间，忽听到外面几声短促的曲调。

《采薇》？她立即坐了起来，几步跳到门口，拉开了门。

月夜下，孟珏一袭青衣，长身玉立。正微笑地看着云歌，笑意澹静温暖，如清晨第一线的阳光。云歌心中的烦躁一下就消散了许多。

两人隔门而望，好久都是一句话不说。

云歌挤了个笑出来，"我已经存了些钱了，可以先还你一部分。"

"你不高兴见到我？"

"没有呀！"

"云歌，知不知道你假笑时有多难看？看得我身上直冒凉意。"

云歌低下了头。

孟珏叫了好几声"云歌"，云歌都没有理会他。

几团毛茸茸的小白球在云歌的鼻子端晃了晃，云歌不小心，已经吸进了几缕小茸毛，"阿嚏、阿嚏"地打着喷嚏，一时间鼻涕直流，很是狼狈。

她忙尽量低着头，一边狂打喷嚏，一边找绢帕，在身上摸了半天，却都没有摸到。

孟珏低声笑起来。

云歌气恼地想：这个人是故意捉弄我的。一把拽过他的衣袖，捂着鼻子狠狠擤了把鼻涕，把自己收拾干净了，方扬扬得意地抬起头。

孟珏几分郁闷地看了看自己的衣袖，"不生气了？"

云歌板着脸问："你摘那么多蒲公英干吗？"

孟珏笑说："送你的。你送我地上星，我送你掌中雪。"

"送给我，好捉弄我打喷嚏！"云歌指着自己的鼻尖，一脸跋扈，心中却已经荡起了暖意。

孟珏笑握住云歌胳膊，就着墙边的青石块，两人翻坐到了屋顶上。

孟珏递给云歌一个蒲公英，"玩过蒲公英吗？"

云歌捏着蒲公英，盯着看了好一会儿，"摘这么多蒲公英，要跑不少路吧？"

孟珏只是微笑地看着云歌。

云歌声音轻轻地问："你已经回了长安好几日，为什么深更半夜地来找我？白天干吗去了？前几日干吗去了？"

孟珏眉头几不可见地微蹙了下，"是刘病已和你说我已经到了长安？我在办一些事情，不想让人知道我认识你，就是今天晚上来见你，我都不能肯定做得是对，还是不对。"

"会有危险？"

"你怕吗？"

云歌只笑着深吸了口气，将蒲公英凑到唇边，"呼"地一下，无数个洁白如雪的小飞絮摇摇晃晃地飘进了风中。

有的越飞越高，有的随着气流打着旋儿，有的姿态翩然地向大地坠去。

孟珏又递了一个给云歌，云歌再呼地一下，又是一簇簇雪般的飞絮荡入风中。

随着云歌越吹越多，两人坐在屋顶，居高临下地看下去，整个院子，好像飘起了白雪。

云歌下巴抵在膝盖上，静静看着满院雪花。

孟珏唇边轻抿了笑意，静静看着满院雪花。

刘病已推开窗户，望向半空，静静看着漫天飞絮。

许平君披了衣服起来，靠在门口，静静看着漫天飞絮。

皎洁的月光下，朦胧的静谧中，飘飘荡荡的洁白飞絮。

一切都似乎沉入了一个很轻、很软、很干净、很幸福的梦中。

孟珏和云歌辞别后，沿巷子走到路口，只见一个单薄的身影立在黑暗中。

"许姑娘，这么晚了，你怎么还在外面？"

"我是特意在这里等孟大哥的。云歌睡下了？"

孟珏微微一笑，"本想安静来去，不想还是扰了你们的清梦。"

许平君说："那么美的景致，幸亏没有错过。再说也和孟大哥没有关系，是我自己这几日都睡不好。前几日深夜还看到云歌和病已也是很晚才从外面有说有笑地回来，两人竟然在荒郊野外玩到半夜，也不知道那些荒草有什么好看的。"

孟珏笑意不变，好像根本没有听懂许平君的话外之意，"平君，我和病已一样称呼你了。你找我所为何事？"

许平君沉默地站着，清冷的秋风中，消瘦的身子几分瑟瑟。

孟珏也不催她，反倒移了几步，站在了上风口，替她挡住了秋风。

"孟大哥，我知道你是个很有办法的人。我想求你帮帮我，我不想嫁欧侯家，我不想嫁……"许平君说到后面，声音慢慢哽咽，怕自己哭出来，只能紧紧咬住唇。

"平君，如果你想要的是相夫教子，平稳安定的一生，嫁给欧侯家是最好的选择。"

"我只想嫁……我肯吃苦，也不怕辛苦。"

跟了刘病已可不是吃苦那么简单，孟珏沉默了一瞬，"如果你确定这是你想要的，我可以帮你。"

许平君此行原是想拿云歌做赌注，可看孟珏毫不介意，本来已满心灰暗，不料又见希望，大喜下不禁拽住了孟珏的胳膊，"孟大哥，你真的肯帮我？"

孟珏温和地笑着，"你若相信我，就回家好好睡觉，也不要和你母亲争执了，做个乖女儿，我肯定不会让你嫁给欧侯家。"

许平君用力点了点头，刚想行礼道谢，一个暗沉的声音笑道："夜下会美人，贤弟好意趣。"

来人裹着大斗篷，许平君看不清面貌，不过看到好几个护卫同行，知道来人非富即贵，刚想开口解释，孟珏对她说："平君，你先回去。"

许平君忙快步离去。

孟珏转身笑向来人行礼，"王上是寻在下而来吗？"

来人笑走到孟珏身边，"经过北城门卫太子一事，满城文武都人心慌乱，民间也议论纷纷。小皇帝的位置只怕坐得很不舒服，上官桀和霍光恐怕也睡不安稳。不费吹灰之力，却有此结果，贤弟真是好计策！本王现在对贤弟是满心佩服，所以星夜特意来寻贤弟共聚相谈。却不料撞到了你的雅事，竟然有人敢和贤弟抢女人？欧侯家的事情就包在本王身上，也算聊表本王心意。"

孟珏笑着作揖，"多谢王上厚爱，孟珏就恭敬不如从命了。"

来人哈哈笑着拍了拍孟珏的肩膀，"今日晚了，本王先回去了，记得明日来本王处喝杯酒。"

孟珏目送一行人隐入黑暗中，唇边的笑意慢慢淡去。却不是因为来人，而是自己。为什么会紧张？为什么不让许平君解释？为什么要将错就错？

天有不测风云，人有旦夕祸福。

眼看着许平君的大喜日子近在眼前，未婚夫婿却突然暴病身亡。

云歌从未见过那个欧侯公子，对他的死亡更多的是惊讶。

许平君却是一下憔悴起来，切菜会切到手，烧火能烧着裙子，酿酒能把清水当酒封存到竹筒里。

许平君的母亲，整日骂天咒地，天天骂着许平君命硬，克败了自己家，又开始克夫家，原本开朗的许平君变得整天一句话不说。

云歌和刘病已两人想着法子逗许平君开心，许平君却是笑颜难展，只是常常看着刘病已发呆，盯得刘病已都坐不住时，她还是一无所觉。

云歌听闻长安城里张仙人算命精准，心生一计，既然许母日日都念叨着命，那就让命来说话。

不料张仙人是个软硬不吃的人，无论云歌如何说，都不肯替云歌算命，更不用操作假了。说他每天只算三卦，日期早就排到了明年，只能预约，只算有缘人，什么公主都要等。

刘病已听云歌抱怨完，笑说他陪云歌向张仙人说个情。张仙人一见刘病已，态度大转弯，把云歌奉为上宾，云歌说什么他都满口答应，再无先前高高在上的仙人风范。

云歌满心纳闷又好奇，追问刘病已。

刘病已笑着告诉她："张仙人给人算命靠的是什么？不过是先算准来算命人的过去和现在的私隐事情，来人自然满心信服，未来事情给的批语则模棱两可，好的能解，坏的也能解，任由来人琢磨。来算命的人都是提前预约，又都是长安城内非富即贵的人，所谓的'有缘人'……"

刘病已话未说完，云歌已大笑起来，"所谓的'有缘人'就是大哥能查到他们私事的人，原来这位仙人的仙气是大哥给的。长安城内外地面上的乞丐、小偷、地痞混混、行走江湖的人都是大哥的人，没有想到外人看着一团散沙烂泥的下面还别有深潭，长安城若有风吹草动，想完全瞒过大哥，恐怕不太容易。"

刘病已听到云歌的话，面色微变。

他原本只打算话说三分，但没有想到云歌自小接触的人三教九流都有，见多识广，人又心思机敏，话虽是无心，可意却惊人。

"云歌，这件事情，你要替我保密，不能告诉任何人。"

云歌笑着点点头，"知道了。"

张仙人又是看手相，又是观五官，又是起卦，最后郑重地和许平君说："姑娘的命格贵不可言，因为贵极，反倒显了克相。你的亲事不能成，只因对方难承姑娘的贵命，所以相冲而死。"

因为张仙人给许平君算过去、现在，都十分精准，许平君心内已是惊疑不定，此时听到张仙人的话，虽心中难信，可又盼着一切真的是命，"他真的不是我害死的？"

张仙人捋着白须，微闭着双目，徐徐道："说是姑娘害死的也不错，因为确是姑娘的命格克死了对方。但也不是姑娘害死的，因为这都是命，是老天早定好了的，和姑娘并无关系，是对方不该强求姑娘这样的贵人。"

许平君的母亲喜笑颜开，赶着问："张仙人，我家平君的命究竟有多贵？是会嫁大官吗？多大的官？"

张仙人瞅了一会儿许母的面相，"夫人日后是享女儿福的人。"淡淡一句话说完，站起身，缓缓出了大堂，声音在渺渺青烟中传来，"天地造化，饮啄间自有前缘。姑娘自有姑娘的缘分，时候到了，一切自然知晓。"

云歌紧咬着嘴唇，方能不笑出来。虽是十分好笑，可也佩服这白胡子老头。

装神弄鬼的功夫就不说了，肚子里还的确有些东西。那些似是而非、察言观色的话也不是随便一个人就能说出来。

许平君走出张仙人宅邸时，神态轻松了许多。许母也是满面红光，看许平君的目光堪称"踌躇满志"。对女儿说话，语气是前所未见的和软。

云歌满心快乐下，觉得这个命算得真是值。化解心结，缓和家庭矛盾，增进母女感情。堪称"家庭和睦、心情愉快的良药"。以后应该多多鼓励大家来算这样的命。

云歌瞥眼间，看到一个斗笠遮面的男子身形像孟珏，想着自那夜别后，孟珏一去无消息，也不知道他在忙些什么。

犹豫了下，找了个借口，匆匆别过许平君和许母，去追孟珏。

孟珏七拐八绕，身法迅捷，似乎刻意藏匿着行踪。

幸亏云歌对他的身形极熟，又有几分狼跟踪猎物的技能，否则还真是很难追。

云歌满心欢愉，本想着怎么吓他一跳，可看着他进了一家娼妓坊后，她一下噘起了嘴。

本想立即转身离去，可心里又有几分不甘。琢磨了会儿，还是偷偷溜进了娼妓坊。

孟珏却已经不见了，她只能左躲右藏地四处寻找。

幸亏园子内来往姑娘多，云歌又尽力隐藏自己身形，倒是没有人留意到她。

找来找去，越找越偏，不知不觉中，天色已黑。

正想放弃时，忽看到一个僻静院落内，屋中坐着的人像孟珏。

云歌猫着身子，悄悄溜到假山后躲好。隔窗看去，只见一个四十多岁的华服男子坐于上位，孟珏坐于侧下方。

云歌听不清楚他们说什么，只能隐约看到动作。

不知道说到什么事情，华服男子大笑起来，孟珏却只微抿了抿唇，欠了欠身子。很是简单的动作，偏偏他做来就风姿翩翩，让人如沐春风。

大概他们已经说完了事情，陆续有姑娘端着酒菜进了屋子。

云歌正琢磨着怎么避开屋子前的守卫再走近些，忽然被人揪着头发拽起。

一个浓妆艳抹的女人低声骂道："难怪点来点去少了人，竟然跑到这里来偷懒。别以为妈妈今日病了，你们这些贱货就欺负我这个新来的人，老娘当年也红极一时，你们这些欺软怕硬的花招，我比谁都明白。"

云歌一面呼呼喊着痛，一面已经被女人拽到了一旁的厅房。

心中庆幸的就是对方认错了人，并非是逮住了她，她只需等个合适机会溜走就行。

女人打量了一眼云歌，随手拿过妆盒在她脸上涂抹了几下，又看了看她的衣服，扯着衣襟想把她的衣领拽开些，云歌紧紧拽着衣服不肯松手，女子狠瞪了她一眼，"你愿意装清秀，那就去装吧！把人给我伺候周到就行。到娼妓坊的男人想干什么，我们和他们都一清二楚，可这帮臭男人偏偏爱你们这拿腔作势的调调。"

女人一边嘀咕，一边拖着云歌沿着长廊快走，待云歌发现情势不对，想挣脱她的手时已经晚了。

守在屋子门口的护卫在她身上打量了一圈，打开了门。

女人用力把云歌推进了屋子，自己却不敢进屋子，只在门口赔着笑脸说："刘爷，上妆有些慢了，您多多包涵，不过人是最好的人。"

云歌站在门口，只能朝孟珏满脸歉意的傻笑。

当看到孟珏身旁正跪坐了一个女子伺候，她连傻笑都吝啬给孟珏了，只是大睁着眼睛，瞪着他。

孟珏微微一怔，又立即恢复如常。

刘爷瞟了眼云歌，冷冷地说："难怪你敢摆架子晚来，倒的确有晚来的资本。"招了招手让云歌坐到他身旁。

云歌此时已经恨得想把自己的头摘下来骂自己是猪头，一步一拖地向刘爷行去，心里快速合计着出路。

孟珏忽然出声笑说："这位姑娘的确是今夜几位姑娘中姿容最出众的。"

刘爷笑起来，"难得孟贤弟看得上眼，还不去给孟贤弟斟杯酒？"

云歌如蒙大赦，立即跪坐到孟珏身侧，倒了杯酒，双手捧给孟珏。刘爷冷笑着问："你是第一天服侍人吗？斟酒是你这么斟的吗？"

云歌侧头看依在刘爷怀里的姑娘喝了一口酒，然后攀在刘爷肩头，以嘴相渡，将酒喂进了刘爷口中，完了，丁香小舌还在刘爷唇边轻轻滑过。

云歌几曾亲眼见过这等场面？

如果是陌生人还好，偏偏身侧坐着的人是孟珏，云歌只觉得自己连身子都烧起来，端着酒杯的手也在发抖。

暗暗打量了一圈屋内四角站着的护卫，都是精光暗敛，站姿一点不像一般富豪的侍卫，反倒更像军人，隐有杀气。

云歌一面衡量着如果出事究竟会闯多大的祸，一面缓缓饮了一口酒。

不就是嘴巴碰一下嘴巴吗？每天吃饭嘴巴要碰碗，喝水嘴巴要碰杯子，不怕！不怕！把他想成杯子就行，云歌给自己做着各种心理建设，可还是迟迟没有动作……

孟珏暗叹了一声，抬起云歌的下巴，凝视着云歌，黑玛瑙石般的眼睛中，涌动着他自己都不能明白的暗潮。

孟珏一手揽住了云歌的腰，一手缓缓合上了云歌大睁的眼睛。

云歌看见孟珏离自己越来越近，看见两个小小的自己被卷进了暗潮中，看见他的唇轻轻地覆上了她的唇，看见他的手抚过她的眼。

她的世界，刹那黑暗。

黑暗隔绝了一切，只剩下唇上柔软的暖。那暖好似五月的阳光，

第七章
风乍起，吹皱一池春水

133

让人从骨头里透出酥软，又像酽极的醇酒，让人从热中透出晕沉。

不知道那口酒究竟是她喝了，还是孟珏喝了，不知道是羞，还是其他，只觉身子没有一丝力气，全靠孟珏的胳膊才能坐稳。

孟珏的胳膊温柔却有力地抱住她，把她和他圈在了一个只属于他们二人的世界中。

云歌的脸俯在孟珏肩头，脑子里一片空白，耳朵嗡嗡鸣着，一颗心扑通扑通地跳着，好似就要跳出胸膛。

好一会儿后，云歌的急速心跳才平复下来。

耳朵也渐渐能听到他们的说笑声，听到孟珏和刘爷说的都是风花雪月的事情，云歌心中渐渐安定下来，慢慢坐直了身子。

孟珏好似专心和刘爷谈话，根本没有留意她，原本搂着她的胳膊却随着她的心意松开了。

一个侍卫进门后在刘爷耳边低低说了句什么，刘爷的脸色蓦寒，轻挥了下手，丝竹管弦声全停了下来，满屋的女孩子都低着头快速地退出了屋子。

云歌尾随在她们身后，刚要随她们一块儿出去，只见剑光闪烁，刺向她的胸膛。

她忙尽力跃开，却怎么躲，都躲不开剑锋所指，眼见着小命危险，一只手用力将她拽进了怀中，用身护住了她，剑锋堪堪顿在孟珏的咽喉前。

"各种女人，本王见得已多。这个女子刚进来时，本王就动了疑心，属下的回报确认了本王的疑心，她不是娼妓坊的人。"

私进长安的藩王都是谋反大罪，云歌听到此人自称本王，毫不隐藏身份，看来杀心已定。扫眼间，屋宇内各处都有侍卫守护，难寻生路。

孟珏对燕王刘旦肃容说："未料到误会这么大，在下不敢再有丝毫隐瞒，她叫云歌，王上前几日还说到过想尝尝雅厨做的菜，她就是长安城内被叫作"竹公子"的雅厨。她和在下早是熟识，今日之事绝不是因为王上，纯粹是因在下而起，在下应该在她刚出现时，就和王上解释，只是当时一时糊涂，这些儿女情事也不好正儿八经地拿出来说，还求王上原谅在下一次。若王上不能相信，只能听凭王上处置，不敢有丝毫怨言。"

刘旦盯向云歌，孟珏揽着云歌的胳膊紧了紧，云歌立即说："确如孟珏所言，我无意中看到他进了娼妓坊，想知道他在娼妓坊都干些什么，所以就跟了进来。可是王上屋前都有守卫，我根本不敢接近，没有听到任何事情，正想离开时，被一个稀里糊涂的女人当作了坊内的姑娘给送了进来，然后就一直糊涂到现在了。"

"王上，孟珏早已经决定一心跟随王上，她既是我的女人，我自能用性命向王上保证，绝对不会出任何乱子。"

"本王来长安城的事情绝对不许外露，孟贤弟若喜她容貌，事成后，本王定在全天下寻觅了与她容貌相近的女子给你。"

堂堂藩王想杀一个人，还要如此给孟珏解释，已是给足了孟珏面子。

孟珏却是一句话不说，搂着云歌的胳膊丝毫未松。

刘旦眉头微蹙，盯着孟珏，眼内寒光毕露。

孟珏面容虽谦逊，眼神却没有退让。

屋子内的寂静全变成了压迫。

不能束手就死！云歌的手在腰间缓缓摸索。

孟珏却好似早知她心意，胳膊微一用力，把她压在怀间，让她的手不能再乱动。

刘旦负于背后的手握了起来。想到正是用人之时，孟珏的生意遍布大汉，手中的财富对他成事很是关键，他的手又展开。

刘旦强压下心内的不快，命侍卫退下，手点了点孟珏，颔首笑起来，转瞬间，神情就如慈祥的长辈，"孟贤弟，刚看到你的风姿时，就知道你是个让女人心碎的人，果如本王所料呀！光本王就碰上了两个，你还有多少件风流债？"

云歌惊疑地看向孟珏，孟珏苦笑。

云歌醒觉自己还在孟珏怀里，立即挣脱了孟珏的怀抱，站得远远的。落在外人眼里，倒很有几分情海风波的样子。

孟珏苦笑着朝刘旦行礼谢恩，"王上这是怪在下方才的欺瞒，特意将在下一军吗？"

刘旦笑道："孟贤弟还满意本王属下办事的效率吗……"

孟珏打断了刘旦的话，"在下谨记王上之情。今日已晚，在下就告退了。王上过两日离开长安时，在下再来送行。"

刘旦笑看看云歌，再看看孟珏，"本王就不做那不知趣的人了，你们去吧！"

云歌和孟珏一前一后出了妓坊，彼此一句话都没有说。

在一径的沉默中，两个人的距离渐行渐远。

走在后面的孟珏，凝视着云歌的背影，眼中情绪复杂。

走在前面的云歌，脑中纷纷扰扰，根本没有留意四周。

为什么藩王会隐身在京城妓坊？为什么孟珏会和藩王称兄道弟？为什么孟珏竟然能从藩王剑下救了她？他说自己只是生意人，他是有意相瞒，还是因为不方便直说？他用生命作保来救她，为什么？

太多为什么，云歌脑内一团混乱。

一辆马车飞驰而过，云歌却什么都没有听见似的，仍然直直向前走着。

等她隐隐听到孟珏的叫声时，仓促中抬头，只看见马蹄直压自己而来。

云歌惊恐下想躲避，却已是晚了。

最后她能做的唯一的躲避方法就是紧紧闭上了眼睛。

马儿长嘶，鞭声响亮。

云歌觉得身子好像被拽了起来，跌跌撞撞中，似乎翻了无数个滚。

原来死亡的感觉也不是那么痛。

"云歌！云歌？你还没有死，老天还舍不得让你这个小坏蛋死。"

云歌睁开眼睛，看到的就是刘病已几分慵懒、几分温暖的笑容。夜色中，他的神情竟和父亲有几分隐约地相像。

短短时间内，生死间的两番斗转，心情也是一会天上，一会儿地下，莫名其妙地做了娼妓，还亲了嘴。

云歌只觉满心委屈，如见亲人，一下抱着刘病已大哭起来，"大哥，有人欺负我！"

云歌平日里看着一举一动都很有大家闺秀的风范，可此时哭起来，却是毫无形象可言，一副受了委屈的孩子模样，号啕大哭，一把鼻涕，一把泪。

孟珏看到刘病已扑出抱住云歌的刹那，本来飞身欲救云歌的身形猛然顿住。隐身于街道对面的阴影中，静静地看着抱着刘病已放声大哭的云歌。

刘病已为了救云歌，不得已杀了驾车的马。

马车内的女子在马车失速骤停间，被撞得晕晕沉沉，又痛失爱马，正满心怒气，却看到闯祸的人哭得一副她是天下最冤屈的样子，而另一个杀马凶手，不来求饶认罪，反倒只是顾着怀中哭泣的臭丫头。

女子怒火冲头，连一贯的形象都懒得再顾及，一把从马夫手中抢过马鞭，劈头盖脸地向刘病已和云歌打去，"无礼冲撞马车在前，大胆杀马在后，却毫不知错，贱……"

刘病已拽住了女子的鞭子，眼锋扫向女子。

女子被他的眼神一盯，心无端端地一寒，将要出口的骂语一下消失在嘴边。

马车内的侍女跌跌撞撞地爬下马车，大嚷道："我家小姐的马你们都敢杀，赶紧回家准备后事吧！公主见了我家小姐都是客客气气……"看到刘病已正拽着小姐的马鞭，侍女不能相信地指着刘病已，"呀！你还敢拽小姐的马鞭？"

刘病已毫不在乎地笑看向侍女，侍女被刘病已的狂妄大胆震惊得手直打哆嗦，"你……你……你完了！你完了！夫人会杀了你，会……会灭了你九族。阿顺，你回府去叫人，这里我保护小姐，看谁吃了熊心豹子胆敢……"

那个小姐拽了几下马鞭，冷声斥责："放手！"

刘病已笑放开了马鞭，"此事我家小妹的确有错，可小姐在街上纵马飞驰也说不过去。情急下杀了小姐的马，是我的错，我会赔马给小姐，还望小姐原谅。"

女子冷哼："赔？你赔得起吗？这两匹马是陛下赏赐的汗血宝马，杀了你们全家也赔不起。"

侍女一瘸一拐地走过来，也大叫着说："汗血宝马呀！当年先皇用同样大小、黄金打造的马都换不来一匹，最后发兵二十万才得了汗血宝马，你以为是什么东西？你恐怕连汗血宝马的名字都没有听过，可不是你家后院随随便便的一匹马……"

刘病已言语间处处谦让，女子却咄咄逼人，云歌心情本就不好，此时也满肚子火，"不就是两匹汗血宝马吗？还不是最好的。最好的汗血宝马是大宛的五色母马和贰师城山上的野马杂交后的第一代。听闻大宛当年给大汉进贡了千匹汗血宝马，这两匹应该是它们的后代，血脉早已不纯，有什么稀罕？有什么赔不起的？"

女子气结，一挥鞭子打向云歌，"好大的口气！长安城里何时竟有了个这么猖狂的人？"

刘病已想拽云歌躲开，云歌却是不退反进，劈手握住了马鞭，"有理者何需畏缩？事情本就各有一半的错，小姐却动辄就要出手伤人，即使这理说到你们大汉皇帝跟前，我也这么猖狂。"

女子自小到大，从来都是他人对她曲意奉承，第一次遭受如此羞辱，气怒下，一边狠拽着马鞭，一边想挥手打云歌，"我今日就是要打你，又怎样？即使到了皇帝面前，我也照打不误，看谁敢拦我？"

云歌虽是三脚猫的功夫，可应付这个大家小姐却绰绰有余，只一只手，已经将女子戏弄得团团转。

侍女看形势不对，对车夫打了眼色，跑得飞快地回府去搬救兵。

车夫是个老实人，又有些结巴，期期艾艾地叫："姑……姑娘，这……这可是霍……霍……"越急越说不出话。

刘病已闻言，想到女子先前所说的话，猜到女子身份，面色微变，忙对云歌说："云歌，快放手！"

云歌闻言，嘴角抿了丝狡慧的笑，猛然松脱了手。

女子正拼足了力气想抽出马鞭，云歌突然松劲，她一下后仰，踉跄退了几步，砰然摔坐在地上，马鞭梢回旋，反把她的胳膊狠狠打了一下。

云歌大笑，看刘病已皱眉，她吐了吐舌头，对刘病已说："你让我放手的。"

刘病已想扶女子起来。

女子又羞又气又怒，甩开了刘病已的手，眼泪直在眼眶里面打转，却被她硬生生地逼了回去，只一声不吭地恨盯着云歌。

刘病已叹气，这个梁子结大了，可不好解决。

正在思量对策，孟珏突然出现，从暗影中慢慢走到光亮处，如踩着月光而来，一袭青衣翩然出尘。

他走到女子身侧，蹲了下来，"成君，你怎么在这里？我送你回去。"

霍成君忍着的泪，一下就掉了出来，半依着孟珏，垂泪道："那个野丫头……杀了我的马，还……"

孟珏扶着霍成君站起，"她的确是个野丫头，回头我会好好说她，你想骂想打都随便，今日我先送你回去。只是你们也算旧识，怎么对面都不认识呢？"

云歌和霍成君闻言都看向对方。

云歌仔细瞧了会儿，才认出这个女子就是购买了隐席的另外一个评判。

云歌先前在娼妓坊上的妆都是便宜货，因为眼泪，妆容化开，脸上红红黑黑，如同花猫，很难看清楚真面貌。而霍成君上次是女扮男装，现在女子打扮，云歌自然也没有认出她。

自从相识，孟珏对霍成君一直不冷不热，似近似远。这是第一次软语温存，霍成君虽满腔怒气，可在孟珏的半劝半哄下，终是怒气稍平，任由孟珏送她回了霍府。

刘病已见他们离去，方暗暗舒了口气。

云歌却脸色阴沉了下来，埋着头大步而走，一句话不说。

刘病已陪着她走了会儿，看她仍然板着脸，犹豫了下，说："刚才那个女子叫霍成君，是霍光和霍夫人最疼的女儿。霍夫人的行事，你应该也听闻过一点，一品大员车丞相的女婿少府徐仁，因为开罪了霍夫人的弟弟，惨死在狱中。刚才霍府的丫头说连公主见了她家小姐也要客客气气，绝非吹嘘，霍成君在长安，比真正的公主更像公主。若非孟珏化解，这件事情只怕难以善了。"

云歌的气慢慢平息了几分，什么公主不公主，其实她根本不怕，大不了拍拍屁股逃出大汉，可是有两个字叫"株连"，大哥、许姐姐、七里香……

云歌低声说："是我鲁莽了。他即使和霍成君有交情，也不该说什么'回头你想骂想打都随便'。"

刘病已笑："原来是为了这个生气。孟珏的话表面全向着霍成君，可你仔细想想，这话说得谁疏谁远？孩子和人打了架，父母当着人面骂的肯定都是自己孩子。"

云歌想了瞬，又开心起来，笑对刘病已说："大哥，对不起，差点闯了大祸。"

刘病已看着云歌，想要忍却实在忍不住，哈哈大笑起来，"你别生气，我已经忍了很久了，你脸上的颜色可以开染料铺子了。"

云歌抹了把脸，一看手上，又是红又是黑，果然精彩，"都是那个老妖精，她给我脸上乱抹一阵。"

刘病已想起云歌先前的哭语，问道："你说有人欺负你，谁欺负你了？"

云歌沉默。一个鬼祟的藩王！还有……还有……孟珏！？想到在娼妓坊内发生的一切，她的脸又烧起来。

"云歌，你想什么呢？怎么不说话？"

"我，我没想什么。其实不是大事，我就是，就是想哭了。"

刘病已笑了笑，未再继续追问，"云歌，大哥虽然只是长安城内的一个小混混，很多事情都帮不了你，可听听委屈的耳朵还是有的。"

云歌用力点头，"我知道，大哥。不过大哥可不是小混混，而是……大混混！也不是只有一双耳朵，还有能救我的手，能让我哭的……"云歌看到刘病已衣襟的颜色，不好意思地笑起来。

唯有平常心相待，既不轻视，也不同情，才会用"混混"来和他开玩笑，甚至语气中隐有骄傲。其实不相干的人的轻视，他根本不会介意，他更怕看到的是关心他的人的同情怜惜。

暗夜中，一张大花脸的笑容实在说不上可爱，刘病已却觉得心中有暖意流过。

不禁伸手在云歌头上乱揉了几下，把云歌的头发揉得毛茸茸，蓬松松。

这下，云歌可真成了大花猫。

云歌几分郁闷、几分亲切地摸着自己的头。

亲切的是刘病已和三哥一样，都喜欢把她弄成个丑八怪。郁闷的是她发觉自己居然会很享受被他欺负，还会觉得很温暖。

"谁是竹公子？"

"草民是。"

鄂邑盖公主轻颔了下首，"丁外人和我说过你是女子，为什么明明是女子却穿男装，还对外称呼'竹公子'？"

云歌还未开口，一旁的丁外人笑道："那也是没有办法的事情，做官人的脾气总是对女子瞧低几分，雅厨恐怕是不得已才对外隐瞒了性别，省得有人说闲话。"

丁外人的话显是恰搔到公主痒处，公主面色不悦，看云歌的眼光却流露了欣赏理解，"你们都起来吧！男子、女子都是娘生爹养，却偏偏事事都是男子说了算，各种规矩也是他们定，男子可以三妻四妾，娶了又娶，女子却……唉！难为你小小年纪，就能在长安城闯出名头，本宫吃过一次你做的菜，就是比宫中的男御厨也毫不逊色，而且更有情趣。今日的菜务必用心做，做得好本宫会有重赏。"

云歌和许平君行礼后退出。

许平君看给她们领路的侍女没有留意她们，附在云歌耳边笑道："原来公主也和我们一样呢！"

云歌笑起来，"难道你以为她会比我们多长一个鼻子，还是一只眼睛？"

"谁是那个意思？我是说公主说的话很……很好，好像说出了我平常想过，却还没有想明白的事情，原来就是因为定规矩的是男人，所以女人才处处受束缚。"

云歌敛了笑意，"别琢磨公主的话了，还是好好琢磨如何做菜。今日有些奇怪，公主和丁外人并非第一次吃我做的菜，可公主却是第一次为了菜肴召见我，还特意叮嘱我们要好好做菜。"

许平君想了会儿，神色也凝重起来，"公主的那句话，'做得好本宫会有重赏'，只怕反面的意思就是做不好会重罚，今日真的一点差错都不能出呢！"

云歌轻叹口气，"如果要我再给这些皇亲贵胄做几次菜，我就要不喜欢做菜了，我不喜欢这种感觉。做菜应该是快乐轻松的事情，吃菜也应该是快乐轻松的事情，不管是朋友，还是家人，辛劳一天后，坐在饭桌前，一起享受饭菜，应该是一天中最幸福的时刻，不是现在这样的。"

许平君笑搂住云歌的肩膀，"晚上你给我和病已做菜，你高高兴兴做，我们高高兴兴吃，把不开心的感觉全部忘记。"

云歌笑着点头，"嗯。"

"现在你就不要把吃菜的人想成什么公主藩王了，你就想成是做给你的朋友，做给一个你关心想念，却不能见面的人。想成他吃了你做的菜，会开心一笑，会感受到你对他的关心，会有很温暖的感觉。"

"许姐姐，你刚才还夸公主，我觉得你比公主还会说话。"

"云丫头，你也很会哄人。好了，不要废话了，快想想做什么菜，快点，快点……"

皇帝刘弗陵的性格冷漠难近，可鄂邑盖公主和皇帝自小亲近，在琢磨皇帝喜好这点上，自非他人能及。

刘弗陵小时候喜读传奇地志，游侠列传，喜欢与各国来的使者交谈。虽然这些癖好早已经成为尘封的记忆，可在鄂邑盖公主府，其他一切事情都可以暂时忘记。刘弗陵可以只静静享受一些他在宫里不能触碰到的事情。

一个胡女正在弹奏曲子，鄂邑盖公主介绍道："皇弟，这是长安歌舞坊间正流行的曲子，弹奏的乐器叫作琵琶，是西域的歌女带来的，听说龟兹的王妃最爱此器，从民间广征歌曲，以至龟兹人人以会弹琵琶为荣。"

看到刘弗陵端起桌上的酒杯，鄂邑盖公主又笑着说："此酒名叫竹叶青，是长安人现在最爱的酒，因为一日只卖一坛，名头又响，价钱比暗流出去的贡酒还贵呢！饮此酒的人最爱说'竹叶青，君子……'"

公主想了一瞬，想不起来，看向了孟珏，坐在最下首的孟珏续道："竹叶青，酒中君子，君子之酒。"

刘弗陵淡淡扫了眼孟珏，视线又落回了弹奏琵琶的女子身上。

往常喜说话、善交谈的丁外人只是恭敬地坐在公主身后，反常地一句话都不说，显然对刘弗陵很是畏惧，竟连讨好逢迎的话都不敢随便说。

刘弗陵又是一个不爱说话的人，屋子内只有公主一个人的声音在琵琶声中偶尔响起。

孟珏微微眯起了眼睛，有意思！刘弗陵是真的在倾听、欣赏着乐曲。这是长安城内，他第一次碰见在宴席上真正欣赏曲子的人，而非只是把一切视作背景。

"公主，菜肴已经准备妥当，要上菜吗？"侍女跪在帘外问。

公主征询地看向刘弗陵，刘弗陵轻颔了下首，公主立即吩咐侍女上菜。

菜肴一碟碟从外端进来，转交给宦官于安，由于安一碟碟检查后，再逐一放在刘弗陵面前。

等布好菜，侍女拿出云歌交给她的绢帕，按照云歌的指示，照本宣科。

"行行重行行，与君生别离。请选用第一道菜。"

刘弗陵怔了一下，朝公主道："阿姊，吃饭还需要猜谜吗？"

"今日不是府中的厨子，是特意传召长安城内号'竹公子'的雅厨，听闻吃她的饭菜常有意料不到的新鲜花样。因为怕她紧张，所以未告诉她是给皇弟做菜。我也没料到吃她的菜还要讲究顺序，皇弟若不喜欢，我命她撤了。"

立在刘弗陵身侧的于安俯身回道："陛下，确如公主所言。传闻这个雅厨最善于化用画意、诗意、歌意、曲意，菜名和菜式相得益彰。还传闻他有竹叶屏，只要能在上面留下诗词的人都可以免费用菜，陛下曾召见过的贤良魏相就曾在其上留字，侍郎林子风也匿名在上留过诗。"

丁外人看孟珏盯着他，忙暗中比了个手势，示意召云歌来不是他的主意，是公主的意思，他也没有办法。

刘弗陵说："菜肴的酸甜苦辣，先吃哪个，后吃哪个，最后滋味会截然不同。比如先苦后甜，甜者越甜，先甜后苦却是苦上加苦。这个厨子很下功夫，不好辜负他的一片心意，朕就接了他的题目，猜猜他的谜。"

"行行重行行，与君生别离？"

刘弗陵一面思索，一面审视过桌上的菜肴。一盘菜的碟子形如柳叶，其内盛着一颗颗珍珠大小的透明小丸子，如同离人的泪。

他夹了一筷子。

珍珠丸子入口爽滑，未及咀嚼已滑入肚子，清甜过后，口中慢慢浸出苦。刘弗陵吟道："惜剪剪碧玉叶，恨年年赠离别。"

竹公子这道菜的碟子化用了折柳赠别的风俗，菜则蕴意离人千行泪，都是暗含赠别意思。

侍女看了一下云歌给的答案，忙笑着说："恭喜陛下，竹公子的第一道菜正是此菜，名为'赠别'。"其实不管对不对，侍女都早就决定会说对，但现在皇帝能猜对，自然更好。

"相去万余里，各在天一涯。请用第二道菜。"

漂浮在汤面上的星星好像是南瓜雕刻而成，入口却完全不是南瓜味，透着涩，和先前的苦交织在一起，变成苦涩。

刘弗陵在满嘴的苦味中，吟出了相合的诗："人生如参商，西东不得见。"因心中有感，这两句他吟诵得分外慢。

参商二星虽在同一片天空下，却是参星在西、商星在东，此出彼没，永不相见，不正是相隔天涯不能相见的人？

"恭喜陛下，此菜的菜名正是'参商'。"

……

"相去日已远，衣带日已缓，请用第五道菜。"

刘弗陵神思有些恍惚，未看桌上的菜，就吟道："何以长相思？忆取绿罗裙。"

刘弗陵吟完诗后，却没有选菜，只怔怔出神，半晌都没有说话，众人也不敢吭声，最后是于安大着胆子轻叫了声"陛下"。

刘弗陵眼中几分黯然，垂目扫了眼桌上的菜，夹了一筷用莲子和莲藕所做的菜。莲心之苦有如离人心上的苦，藕离丝不断正如人虽分离，却相思不能绝，"此菜该叫'相思'。"

看菜名的侍女忙说："正是。"

……

"浮云蔽白日，游子不顾返。请用第六道菜。"

……

"思君令人老，岁月忽已晚。请用第七道菜。"

……

上一道菜的味道，是下一道菜的味引，从苦转涩，由涩转辛，由辛转清，由清转甘，由甘转甜，最后只是普通的油盐味，可在经历过前面的各种浓烈味道，吃到日常的油盐味，竟觉出了平淡的温暖。

"弃捐勿复道，努力加餐饭。请用最后一道菜。"

刘弗陵端起最后一道菜肴：一碗粟米粥。静静吃着，一句话不说。

公主忐忑不安，陛下怎么不吟出菜名？莫非生气了？也对，这个雅厨怎么拿了碗百姓家的粟米粥来充数？正想设法补救，却看到侍女面带喜色。

侍女静静向皇帝行了一礼，把布菜的菜单双手奉给公主后，退了下去。

公主府上其他未能进来服侍的侍女，看到布菜的侍女阿清出来，都立即围了上去，"清姐姐，见到陛下了吗？长什么样子？陛下可留意看姐姐了？"

阿清笑说："你们是先皇的香艳故事听多了吧？如今的皇帝是什么心性，你们又不是没听闻过？赶紧别做那些梦了，不出差错就好。"

拉着她手的女子笑道："清姐姐吓得不轻呢！一手的汗！"

阿清苦着脸说："吃菜要先猜谜，猜就猜吧！那你也说些吉利话呀！偏偏句句伤感。我们都是公主府家养的奴婢，皇室宴席见得不少，几时见过粟米粥做菜肴？而这道菜的名字更古怪，叫'无言'，难道是差得无话可说吗？真是搞不懂！"

越到后面，阿清越是害怕陛下会猜错。雅厨心思古怪，陛下也心思古怪，万一陛下猜错，她根本没有信心能圆谎，幸亏陛下果如传闻，才思敏捷，全部猜对了。

公主打开布帛，看了一眼，原来谜题就是"无言"，难怪陛下不出一语，公主忐忑尽去，带笑看向皇帝。

慢慢地，刘弗陵唇角逸出了笑。

若是知己，何须言语？菜肴品到此处，懂得的人自然一句话不用说，不懂得的说得再多也是枉然。

千言万语，对牵挂的人不过是希望他吃饱穿暖这样的最简单企盼，希望他能照顾好自己。

菜肴的千滋百味，固然浓烈刺激，可最温暖、最好吃的其实只是普通的油盐味，正如生命中的酸甜苦涩辛辣，再诸彩纷呈、跌宕起伏，最终希望的也不过是牵着手看细水长流的平淡幸福。

于安瞪大了眼睛，陛下竟然笑了。

刘弗陵含笑对公主道谢："厨师很好，菜肴很好吃，多谢阿姊。"

孟珏心中莫名地不安起来。

公主看着皇帝，忽觉酸楚，心中微动，未经深思就问道："皇弟喜欢就好，可想召见雅厨竹公子？其实竹公子……"

孟珏不小心将酒碰倒，"咣当"一声，酒壶落地的大响阻止了公主就要出口的话。

孟珏忙离席跪下请罪。

刘弗陵让他起身，孟珏再三谢恩后才退回座位，丁外人已在桌下拽了好几下公主的衣袖。

公主立即反应过来，如今皇帝还未和上官皇后圆房，若给皇帝举荐女子，万一获宠，定会得罪上官桀和霍光。霍光撇开不说，她和上官桀却是一向交好，目前的局面，犯不着搬起石头砸自己的脚。

公主忙笑着命歌女再奏一首曲子，又传了舞女来献舞，尽力避开先前的话题。

刘弗陵吃了一碗粥后，对公主说："重赏雅厨。"公主忙应是。

于安细声说："陛下若喜欢雅厨做的菜，不如把他召入宫中做御厨，日日给陛下做菜。"

刘弗陵沉吟不语。

孟珏、公主、丁外人的心都立即悬了起来，丁外人更是恨得想杀了于安这个要坏了他富贵的人。

半晌后，刘弗陵低垂着眼睛说："这个人要的东西，朕给不了他。让他自由自在地做自己想做的菜方是真心欣赏他。"

孟珏心中震动，一时说不出是什么感觉，这个皇帝给了他太多意外。

刘弗陵少年登基，一无实权，汉武帝留给他的又是一个烂摊子。面对着权欲重、城府深的霍光，贪婪狠辣的上官桀，好功重权的桑弘羊，和对皇位虎视眈眈的燕王，他却能维持着巧妙的均衡，艰难小心地推行着改革。

孟珏早料到刘弗陵不一般，可真见到真人，他还是意外了。普天之下，莫非王土；率土之滨，莫非王臣。有几个天子不是把拥有视作理所当然？

云歌受了重赏，心中很是吃惊，难道有人品懂了她的菜？转念一想，心中的惊讶又全部没了。

这些长安城的皇亲贵胄们，山珍海味早就吃腻味了，专喜欢新鲜，也许是猜谜吃菜的样式让他们觉得新奇了。她早料到，侍女虽拿了她的谜面，但肯定不管吃的人说对说错，侍女都会说对，让对方欢喜。

她今日做这些菜，只是被许平君的话语触动，只是腻味了做违心之菜，一时任性为自己而做，做过了，心情释放出来，也就行了。既然不能给当年的那个人吃，那么谁吃就都无所谓了。

如果知音能那么容易遇见，也不会世间千年，只一曲《高山流水》，伯牙也不会为了子期离世，悲而裂琴，从此终身再不弹琴。

云歌和许平君向公主府的总管告辞，沿着小路出来，远远地就看见公主府的正门口，黑压压跪了一地的人。

许平君忙探着脑袋仔细瞅，想看看究竟什么人这么大排场。

华盖马车的帘子正缓缓落下，云歌只看见一截黑色金织袍袖。

看马车已经去远，许平君叹了口气，"能让公主恭送到府门口？不知道是什么人？可惜没有看到。"

云歌抿了抿嘴说："应该是皇帝。我好像记得二哥和我说过大汉以黑色和金色为贵，黑底金绣应该是龙袍的颜色。"

许平君叫了声"我的老娘呀"，立即跪下来磕头。

云歌嘻嘻笑起来，"果然是天子脚下长大的人。可惜人已经走了，你这个忠心耿耿的大汉子民就省了这个头吧！"强拽起许平君，两人又是笑又是闹地从角门出了公主府。

看到静站在路旁的孟珏，云歌的笑声一下卡在了喉咙里。

冬日阳光下，孟珏一身长袍，随意而立，气宇超脱，意态风流。

许平君瞟了眼云歌，又瞟了眼孟珏，低声说："我有事情先走一步。"

云歌跟在许平君身后也想走，孟珏叫住了她，"云歌，我有话和你说。"

云歌只能停下，"你说。"

"如果公主再传你做菜，想办法推掉，我已经和丁外人说过，他会替你周旋。"

眼前的人真真切切地站在她眼前，可她却总觉得像隔着大雾，似近实远。

云歌轻点了下头，"多谢。你今日也在公主府吗？你吃了我做的菜吗？好吃吗？"

正是冬日午后，淡金的阳光恰恰照着云歌。云歌的脸微仰，专注地凝视着孟珏，漆黑的眼睛中有燃烧的希冀，她的人也如一个小小的太阳。

孟珏心中一荡，定了定神，方微笑着说："吃了，很好吃。"

"怎么个好法？"

"化诗入菜，菜色美丽，滋味可口。"

"可口？怎么个可口法？"

"云歌，你做的菜很好吃，再说就是拾人牙慧了。"

"可是我想听你说。"

"浓淡得宜，口味独特，可谓增之一分则厚，减之一分则轻。"

孟珏看云歌眼睛一眨不眨地盯着他看，表情似有几分落寞伤心，他却觉得自己的话说得并无不妥之处，不禁问道："云歌，你怎么了？"

云歌先是失望，可又觉不对，慢慢琢磨过来后，失望散去，只觉震惊。深吸了口气，掩去一切情绪，笑着摇摇头，"没什么。孟珏，你有事吗？若没事送我回家好吗？你回长安这么久，却还没有和我们聚过呢！我们晚上一起吃饭，好不好？那个……"云歌扫了眼四周，"那个烂藩王也该离开长安了吧？"

孟珏还未答应，云歌已经自作主张地拽着他的胳膊向前走。

孟珏想抽脱胳膊，身体却违背了他的意志，任由云歌拽着。

一路上，云歌都叽叽喳喳地说个不停，任何事情到她眼睛中，再经由她描绘出来，都成了生命中的笑声。

"孟公子。"

宝马香车，云鬓花颜，红酥手将东珠帘轻挑，霍成君从车上盈盈而下。

孟珏站在了路边，笑和她说话。

云歌看霍成君的视线压根儿不扫她，显然自己根本未入人家眼。而孟珏似乎也忘记了她的存在。

云歌索性悄悄往后退了几步，一副路人的样子，心里开始慢慢数数，一、二、三……

孟珏和霍成君，一个温润君子，一个窈窕淑女，谈笑间自成风景。

……九十八、九十九、一百。

嗯，时间到！三哥虽然是个不讲理的人，可有些话却很有道理，不在意的，才会忘记。

云歌往后退了一步，又退了一步，再退了一步，然后一个转身，小步跑着离开。

两个正谈笑的人，两个好似从没有留意过路人的人，却是一个笑意微不可见地浓了，一个说话间语声微微一顿。

云歌主厨，许平君打下手，刘病已负责灶火，三个人边干活，边笑闹。

小小的厨房挤了三个人，已经很显拥挤，可在冬日的夜晚，只觉温暖。

许平君笑说着白日在公主府的见闻，说到自己错过了见皇帝一面，遗憾得直跺脚，"都怪云歌，走路慢吞吞，像只乌龟。一会儿偷摘公主府里的几片叶子，一会儿偷摘一朵花，要是走快点，肯定能见到。"

云歌促狭地说："姐姐是贵极的命，按张仙人的意思那肯定是姐姐嫁的人贵极，天下至贵，莫过皇帝，难道姐姐想做皇妃？"

许平君瞟了眼刘病已，一下急起来，过来就要掐云歌的嘴，"坏丫头，看你以后还敢乱说？"

云歌连连求饶，一面四处躲避，一面央求刘病已给她说情。

刘病已坐在灶膛后笑着说："我怕引火烧身，还是观火安全。"

眼看许平君的油手就要抹到云歌脸上，正急急而跑的云歌撞到一个推门而进的人，立脚不稳，被来人抱了个满怀。

孟珏身子微侧，挡住了许平君，毫不避讳地护住云歌，笑着说："好热闹！还以为一来就能吃饭，没想到两个大厨正忙着打架。"

许平君看到孟珏，脸色一白，立即收回了手，安静地后退了一大步。

云歌涨红着脸，从孟珏怀里跳出，低着头说："都是家常菜，不特意讲究刀功菜样，很快就能好。"

云歌匆匆转身切菜，一副一本正经的样子，自己却不知道自己的嘴角不自禁地上扬，羞意未退的脸上晕出了笑意。

刘病已的视线从云歌脸上一扫而过后看向孟珏，没想到孟珏正含笑注视着他，明明很温润的笑意，刘病已却觉得漾着嘲讽。

两人视线相撞，又都各自移开，谈笑如常。

用过饭后，刘病已自告奋勇地承担了洗碗的任务，云歌在一旁帮着"倒忙"，说是烧水换水，却是嘻嘻哈哈地玩着水。

许平君想走近，却又迟疑，半倚在厅房的门扉上，沉默地看着正一会儿皱眉、一会儿大笑的刘病已。

孟珏刚走到她身侧，许平君立即站直了身子。

孟珏并不介意，微微一笑，转身就要离开，许平君犹豫了下，叫住了孟珏，"孟大哥，我……"却又说不下去。

模糊的烛火下，孟珏的笑意几分飘忽，"有了欧侯家的事情，你害怕我也很正常。"

许平君不能否认自己心内的感受，更不敢去面对这件事情的真相，所以一切肯定都如张仙人所说，是命！

许平君强笑了笑，将已经埋藏的东西埋得更深了一些，看着刘病已和云歌，"我和病已小时就认识，可有时候，却觉得自己像个外人，走不进病已的世界中。你对云歌呢？"

孟珏微笑着不答反问："你的心意还没有变？"

许平君用力点头，如果这世上还有她可以肯定的东西，那这是唯一。

"我第一次见他时，因为在家里受了委屈，正躲在柴火堆后偷偷哭。他蹲在我身前问我'小妹，为什么哭？'他的笑容很温暖，好像真的是我哥哥，所以我就莫名其妙地对着一个第一次见的人，一面哭一面说。很多年了，他一直在我身边，父亲醉倒在外面，他会帮我把父亲背回家。我娘骂了我，他会宽慰我，带我出去偷地瓜烤来吃。过年时，知道我娘不会给我买东西，他会特意省了钱给我买绢花戴。家里活儿实在干不过来时，他会早早帮我把柴砍好，把水缸添满。每次想到他，就觉得不管再苦，我都能撑过去，再大的委屈也不怕。你说我会变吗？"

孟珏笑，"似乎不容易。"

许平君长叹了口气，"母亲现在虽不逼我嫁了，可我总不能在家里待一辈子。"

屋内忽然一阵笑声传出，许平君和孟珏都把视线投向了屋内。

不知道云歌和刘病已在说什么，两人都笑得直不起腰来。

一盆子的碗筷，洗了大半晌，才洗了两三个。刘病已好似嫌云歌不帮忙，尽添乱，想轰云歌出来，云歌却耍赖不肯走，叽叽喳喳连比带笑。刘病已又是气又是笑，顺手从灶台下摸了把灶灰，抹到了云歌脸上。

许平君偷眼看向孟珏，却见孟珏依旧淡淡而笑，表情未有任何不悦。

她心中暗伤，正想进屋，忽听到孟珏说："你认识掖庭令张贺吗？"

"见过几次。张大人曾是父亲的上司。病已也和张大人认识，我记得小时候张大人对病已很好，但病已很少去见他，关系慢慢就生疏了。"

"如果说病已心中还有亲人长辈，那非张贺莫属。"

许平君不能相信，可对孟珏的话又不得不信，心中惊疑不定，琢磨着孟珏为何和她说这些。

一切收拾妥当后也到了睡觉时间，孟珏说："我该回去了，顺路送云歌回屋。"

云歌笑嚷，"几步路，还要送吗？"

许平君低着头没有说话，

刘病已起身道："几步路也是路，你们可是女孩子，孟珏送云歌，我就送平君回去。"

四个人出了门，两个人向左，两个人向右。

有别于四人一起时的有说有笑，此时都沉默了下来。

走到门口，孟珏却没有离去的意思，他不说走，云歌也不催他，两人默默相对而站。

云歌不知道为什么，她对着刘病已可以有说有笑，可和孟珏在一起，她就觉得不知道说什么好。

站了一会儿，孟珏递给云歌一样东西。

云歌就着月光看了下，原来是根簪子。

很是朴素，只用了金和银，但打造上极费心力。两朵小花，一金，一银，并蒂而舞，栩栩如生，此时月华在上流动，更透出一股缠绵。

云歌看着浅浅而笑的孟珏，心扑通扑通地跳，"有牡丹簪，芙蓉簪，却少有金银花簪，不过很别致，也很好看，送我的？"

孟珏微笑着看了看四周："难道这里还有别人？"

云歌握着簪子立了一会儿，把簪子递回给孟珏，低着头说："我不能要。"

孟珏的眼睛内慢慢透出了冷芒，脸上的笑意却没有变化，声音也依旧温和如春风，"为什么？"

"我……我……反正我不能要。"

"朝廷判案都有个理由，我不想做一个糊里糊涂的受刑人，你总该告诉我，为何判了我罪。"

云歌的心尖仿佛有一根细细的绳子系着，孟珏每说一个字，就一牵一牵的疼，云歌却没有办法回答他，只能沉默。

"为了刘病已？"

云歌猛然抬头看向孟珏，"你……"撞到孟珏的眼睛，她又低下了头，"如何知道？"

孟珏笑，几丝淡淡的嘲讽，"你暗地里为他做了多少事情？我又不是没长眼睛。可我弄不懂，你究竟在想什么？说你有心，你却处处让着许平君，说你无心，你又这副样子。"

云歌咬着唇，不说话。

孟珏凝视了会儿云歌，既没有接云歌手中的簪子，也不说离去，反倒理了理长袍，坐到了门槛上，拍了拍身侧余下的地方，"坐下来慢慢想，到天亮还有好几个时辰。"

云歌站了会儿，坐到了他旁边，"想听个故事吗？"

孟珏没有看她，只凝视着夜空说："夜还很长，而我很有耐心。"

云歌也抬头看向天空，今夜又是繁星满天。

"我很喜欢星星，我认识每一颗星星，他们就像我的朋友，知道我的一切心事。我以前和你说过我和刘病已很小的时候就认识，是小时候的朋友，其实……其实我和他只见过一面，我送过他一只珍珠绣鞋，我们有盟约，可是也许当年太小，又只是一面之缘，他已经都忘记了。"

当孟珏听到珍珠绣鞋定鸳盟时，眸子的颜色骤然变深，好似黑暗的夜碎裂在他的眼睛中。

"我不知道我为什么一直不肯亲口问他，也许是因为女孩家的矜持和失望，他都已经忘记我了，我却还……也许是因为许姐姐，也许是他已经不是……病已大哥很好，可他不是我心中的样子。"

"那在你心中，他应该是什么样子？"

"应该……他……会知道我……就像……"云歌语塞，想了半晌，喃喃说："只是一种感觉，我说不清楚。"

云歌把簪子再次递到孟珏眼前："我是有婚约的人，不能收你的东西。"

孟珏一句话未说，爽快地接过了簪子。

云歌手中骤空，心中有一刹那的失落，没料到孟珏打量了她一瞬，把簪子插到了她的发髻上。

云歌怔怔地瞪着孟珏，孟珏起身离去，"我又不是向你求亲，你何必急着逃？你不想知道我究竟是什么人吗？明天带你去见一位长辈。不要紧张，只是喝杯茶，聊会儿天。我做错了些事情，有些害怕去见长辈，所以带个朋友去，叔叔见朋友在场，估计就不好说重话了，这根簪子算作明日的谢礼，记得明日带上。"话还没有说完，人就已经走远。

云歌望着他消失的方向出神，很久后，无力地靠在了门扉上。

头顶的苍穹深邃悠远，一颗颗星子一如过去的千百个日子。

她分不清自己的心绪，究竟是伤多还是喜多。

孟珏带着云歌在长安城最繁华的街区七绕八拐，好久后才来到一座藏在深深巷子中的府邸前。

不过几步之遥，一墙之隔，可因为布局巧妙，一边是万丈繁华，一边却是林木幽幽，恍如两个世界。

云歌轻声说："小隐隐于山，大隐隐于市，你的叔叔不好应付呢！"

孟珏宽慰云歌："不用担心，风叔叔没有子女，却十分喜欢女儿，一定会很喜欢你，只怕到时，对你比对我更好。"

屋内不冷也不热，除了桌椅外，就一个大檀木架子，视野很是开阔。

檀木架上面高低错落地摆着许多水仙花，盈盈一室清香。

"云歌，你在这里等着，我去见叔叔。不管发生什么听到什么，你只需要微笑就好了。"孟珏叮嘱了云歌一句，转身而去。

云歌走到架旁，细细欣赏着不同品种的水仙花。

遥遥传来说话声，但隔得太远，云歌又不好意思多听，所以并未听真切，只觉得说话的声音极为严厉，似乎在训斥孟珏。

"做生意免不了和官面上的人来往，可无论如何，不许介入大汉现在的党派争执中。你在长安结交的都是些什么人？动辄千金、甚至万金的花销都干什么了？为什么会暗中贩运铁矿石到燕国？别和我说做生意的鬼话！我可没见到你一个子儿的进账！还有那些古玩玉器去了哪里？不要以为我病着就什么都不知道。小珏，你如此行事，我身体再不好，也不能放心把生意交给你，钱财的确可以筑就权势之路，可也……"

来人看到屋内有人，声音忽然顿住，"小珏，你带了朋友来？怎未事先告诉我？"

本来几分不悦，可看到那个女子虽只是一个侧影，却如空潭花，山涧云，轻盈灵动，与花中洁者水仙并立，不但未逊色，反更显瑶台空灵。脸色仍然严厉，心中的不悦却已褪去几分。

云歌听到脚步声到了门口，盈盈笑着回身行礼，"云歌见过叔叔。"

孟珏介绍道："风叔叔，这是云歌。"

云歌又笑着，恭敬地行了一礼。

不知道风叔有什么病，脸色看上去蜡黄，不过精神还好。

风叔叔盯着云歌发髻边的簪子看了好几眼，细细打量了会儿云歌，让云歌坐，开口就问："云歌，你是哪里人？"

"我不知道。我从小跟着父母东跑西跑的，这个地方住一会儿，那个地方住一会儿，爹爹和娘亲都是喜欢冒险和新鲜事情的人，所以我们去过很多国家，也住过很多国家，不知道该算哪里人。我在西域很多国家有家，在塞北也有家。"

风叔难得地露了笑，"你汉语说得这么好，家里的父母应该都说汉语吧？"

云歌愣了一下，点点头。

是啊！她怎么从没有想过这个问题？父母虽会说很多国家的语言，可家里都用汉语交谈，现在想来，家中的习俗也全是汉人的风俗，可父母却从没有来过大汉？

一直板着脸的风叔神情变得柔和，"你有兄长吗？"

"我有两个哥哥。"

风叔问："你大哥叫什么？"

云歌犹豫了下，方说："我没有见过大哥，他在我出生前就去世了。我说的两个哥哥是我的二哥和三哥。"

风叔眼中有疑惑，"那你二哥叫什么？"

"单名'逸'。"

风叔恍然大悟地笑了，神情越发温和，"他现在可好？"

"二哥年长我很多，我出生时，他已成年，常常出门在外，我已有两三年没有见二哥了，不过我二哥很能干的，所以肯定很好。"

"你娘她身子可好？"

"很好。"

云歌虽然自小就被叮嘱过，不可轻易告诉别人家人的消息，可风叔问的问题都不打紧，况且他是孟珏的长辈，换成她带孟珏回家，只怕母亲也免不了问东问西，人同此心，云歌也就一一回答了。

风叔再没有说话，只是凝视着云歌，神情似喜似伤。

虽然屋子内的沉默有些古怪，风叔盯着她审视的视线也让云歌有些不舒服，可云歌谨记孟珏的叮嘱，一直微笑地坐着。

很久后，风叔轻叹了口气，极温和地问："你发髻上的簪子是小珏给你的？"

云歌虽不拘小节，脸也不禁红起来，只轻轻点了点头。

孟珏走到云歌身侧，牵着云歌的手站起，云歌抽了几下，没有抽出来，孟珏反倒握得越发紧。

孟珏向风叔行礼，"叔叔，我和云歌还有事要办，如果叔叔没有别的事情嘱咐，我们就先告退了。"

风叔凝视着手牵着手、肩并着肩而站的孟珏和云歌，一时没有说话，似乎想起了什么，神情几分恍惚悲伤，眼睛内却透出了欣喜，和颜悦色地说，"你们去吧！"又特意对云歌说："把这里就当成自己家，有时间多来玩，若小珏欺负了你，记得来和叔叔说。"

风叔言语间透着以孟珏长辈的身份，认可了云歌是孟珏什么人的感觉，云歌几分尴尬，几分羞赧，只能微笑着点头。

这几日长安城内，或者整个大汉最引人注目的事情恐怕就是皇帝下旨召开的"盐铁会议"。

先皇刘彻在位时，因为用兵频繁，军费开支巨大，所以将盐铁等关乎国运民生的重要事务规定为官府特许经营，不许民间私人买卖。

官府的特权经营导致了盐铁价格一涨再涨。文帝、景帝时，盐的价格和茶、油等价，到武帝末年，盐铁已是高出茶油几倍，铁器的价格也高出原先很多倍。

民间不堪重负下，开始贩运私盐，官府为了打击私盐贩卖，刑罚一重再重，一旦抓到就是砍头重罪。

刘弗陵当政以来，政令宽和，有识之士们也敢直言上奏，奏请皇帝准许盐铁私营，却遭到桑弘羊和上官桀两大权臣的激烈反对，霍光则表面上保持了沉默。

刘弗陵下诏从各个郡召集了六十多名贤良到长安议政，广纳听闻，博采意见。

这些贤良都来自民间，对民间疾苦比较了解，观点很反应百姓的真实想法。对皇帝此举，民间百姓欢呼雀跃的多，而以世族、豪族、世姓、郡姓、大家、名门为主的豪门贵胄却是反对者多。

"盐铁会议"一连开了一个多月，成为酒楼茶肆日日议论的话题。机灵的人甚至四处搜寻了"盐铁会议"的内容，将它们编成段子，在酒楼讲，赚了不少钱。

以桑弘羊和丞相田千秋为首的官员士大夫主张盐铁官营，认为盐铁官营利国利民，既可以富国库，又可以防止地方上，有像吴王刘濞那样利用盐铁经营坐大势力，最后乱了朝纲的事情发生。

贤良们则主张将经营权归还民间，认为现在的政策是与民争利，主张取消平准、均输、罢盐铁官营，主张让民富，认为民富则国强。

双方的争执渐渐从盐铁扩及当今朝政的各个方面，在各个方面双方都针锋相对。

在对待匈奴上，贤良认为对外用兵带来了繁重的兵役、徭役，造成了"长子不还，父母愁忧，妻子咏叹。愤懑之恨发动于心，慕思之痛积于骨髓"，建议现在最应该做的其实是"偃兵休士，厚币结和，亲修文德而已"，他们提倡文景时的和亲政策。

大夫派的看法则相反，仍然积极主战。他们认为汉兴以来，对匈奴执行和亲政策，但匈奴的侵扰活动却日甚一日。正因为如此，先皇武帝才"广将帅，招奋击，以诛厥罪"，大夫认为"兵革者国之用，城垒者国之固"，如果不重兵，匈奴就会"轻举潜进，以袭空虚"，其结果是祸国殃民。

从盐铁经济到匈奴政策，从官吏任用到律法德刑，一场"盐铁会议"有意无意间早已经超出了盐铁。

孟珏和刘病已两人常常坐在大厅僻静一角，静静听人们评说士大夫和贤良的口舌大战，听偶来酒楼的贤良们当众宣讲自己的观点。

云歌有一次看见了霍光隐在众人间品茶静听，还第一次看见了穿着平民装束的上官桀，甚至她怀疑自己又看见了燕王刘旦，可对方屏风遮席，护卫守护，她也不敢深究。

在热闹的争吵声中，云歌有一种风暴在酝酿的感觉。

云歌端菜出来时，听到孟珏问刘病已："病已，你说皇帝这么做的用意究竟是什么？"

刘病已漫不经心地笑着："谁知道呢？也许是关心民间疾苦，想听听来自民间的声音；也许是执政改革的阻力太大，想借助民间势力，扶持新贵；也许是被卫太子闹的，与其让民间整天议论他的皇位是如何从卫太子手里夺来，不如自己制造话题给民间议论，让民间看到他也体察民心。这次盐铁会议，各个党派的斗争都浮出了水面，也是各人的好机会，如果皇帝看朝廷中哪个官员不顺眼，正好寻了名正言顺的机会，利用一方扳倒另一方；更可能，他只是想坐山观虎斗，让各个权臣们先斗个你死我活，等着收渔翁之利。"

孟珏击箸而赞："该和你大饮一杯。"

刘病已笑饮了一杯，"你支持哪方？"

孟珏说："站在商人立场，我自然支持贤良们的政策了，于我有利，至于于他人是否有利，就顾及不了了。人在不同位置，有不同的利益选择，一个国家也是如此，其实双方的政策各有利弊，只是在不同的时期要有不同的选择。"

刘病已轻拍了拍掌，"可惜我无权无势，否则一定举荐你入朝为官。贤良失之迂腐保守，大夫失之贪功激进，朝廷现如今缺的就是你这种会见风使舵的商人。"

孟珏笑问："你这算夸算贬？照我看，你的那么多'也许'，后面的也许大概真就也许了。"

刘病已点了点头："一只小狐狸，虽然聪明，可毕竟力量太薄弱，面对的却是捕猎经验丰富的一头狼，一头虎，只怕他此举不但没有落下好处，还会激怒了狼和虎。可怜那只老狮子了，本来可以安养天年，可年纪老大，却还对权势看不开，估计老虎早就看他不顺眼，这下终于有机会下手了。"

拿了碗筷出来的许平君笑问："谁要打猎吗？豺狼虎豹都齐全了，够凶险的。"

刘病已和孟珏都笑起来，一个笑得散漫，一个笑得温和，"是有些凶险。"

云歌支着下巴，看看这个，再看看那个，一字一顿地说：

"小——心——点。"

孟珏和刘病已都是一怔，平君笑着说："别光忙着说话，先吃饭吧！"

快要吵翻天的"盐铁会议"终于宣告结束。

虽然相关的政策现在还没有一个真正执行，可六十多位贤良却都各有了去处，有人被留在京城任职，有人被派往地方。

大司马大将军霍光在大司马府设宴给各位贤良庆贺兼钱行，作陪的有朝廷官员，有民间饱学之士，有才名远播的歌女，有豪门公子，还有天之骄女，可以说长安城内的名士佳人齐聚于霍府。

霍光虽来七里香吃过两三次云歌做的菜，却因知道云歌不喜见人的规矩，所以从没有命她去霍府做过菜。况且如此大的宴席，根本不适合让云歌做，而是应该由经验丰富的大宴师傅设计菜式，组织几组大中小厨分工协作。但霍府的家丁却给云歌送来帖子，命云歌过府做菜。

云歌表明自己能力不够，很难承担如此大的宴席，想推掉请帖。

家丁口气强硬："大司马府的厨子即使和宫里的御厨比，也不会差多少。根本用不上你，叫你去，不过是给我家夫人和女眷们尝个新鲜。我家夫人最不喜别人扫她的兴，你想好了再给我答案。"

云歌看常叔一脸哀求的神色，暗叹了口气，淡淡说："在下去就是了。"

"谅你也不敢说不。"家丁冷哼了一声，趾高气扬地离去。

云歌带了七里香的两个厨子同行，许平君性喜热闹，难得有机会可以进大司马府长长见识，又可以看免费歌舞，自然陪云歌一块儿去。

要做的菜都是霍夫人已经点好的，云歌也懒得花心思，遂按照以往自己做过的法子照样子做出来，有些菜更是索性交给了两个厨子去做，三个人忙了一个多时辰就已经一切完成。

　　上菜的活儿由府内侍女负责，不需云歌再操心。

　　"不知道霍夫人想什么，这些菜，她府邸里的厨子做得肯定不比我差，她何必请我来？"云歌细声抱怨。

　　许平君撇撇嘴说："显摆呀！长安城内都知道雅厨难请，就是去七里香吃饭都要提前预约，霍夫人却是一声令下，你就要来做菜。那些官员的夫人们等会儿肯定是一边吃菜，一边拼命恭维霍夫人了。"

　　"霍大人城府深沉，冷静稳重，喜怒近乎不显，可怎么夫人却……却如此飞扬跋扈？弄得霍府也是一府横着走的螃蟹。"

　　许平君哈哈笑起来，"云歌，你怎么说什么都能和吃扯上关系？现在的霍夫人不是霍大人的原配，是原来霍夫人的陪嫁丫头，原本只是霍大人的姜，霍夫人死后，霍大人就把她扶了正室，很泼辣厉害的一个人。不过……"许平君凑到云歌耳边，"听说长得不错，对付男人很有一套，否则以霍大人当时的身份，也不可能把她扶了正室。"

　　云歌笑拧了许平君一把，"我见过霍府小姐霍成君，很妖媚标致的一个人。如果她长得像母亲，那霍夫人的确是美人。"

　　许平君笑说："别烦了，反正菜已经做完，现在一时又走不了，我们溜出去看热闹。想一想，长安城的名人可是今晚上都会聚在此了，听闻落玉坊的头牌楚蓉，天香坊的头牌苏依依今天晚上会同台献艺，长安城内第一次，有钱都没有地方看。当然……我以前也没有看过她们的歌舞。"

　　"许姐姐，你的钱都到哪里去了？我看你连新衣服都舍不得做一件。"

　　虽然卖酒赚的钱，常叔六，她们四，可比起一般人家，许平君赚得已不算少。

　　"要交一部分给我娘，剩下的我都存起来了，以后买房子买田打造家具，开销大着呢！你也知道病已爱交朋友，为人又豪爽，那帮走江湖的都喜欢找他救急，钱财是左手进，右手出。我这边不存着点，万一有个什么事情要用钱，哭都没地方哭。"

不知道从什么时候起，许平君在她面前一点也不掩饰自己对刘病已的感情，而且言语间，似乎一切都会成为定局和理所当然。

云歌很难分辨自己的感觉，一件自从她懂事起，就被她认为理所当然的事情，却变成了另外一个人的理所当然。

也许从一开始，从她的出现，就是一个多余，她所能做的只能是祝福。

看到许平君的笑脸，感受着许平君紧握着她的手，云歌也笑握住了许平君的手，"许姐姐，姐姐。"

"做什么？"

"没什么，我就是想叫你一声。"

许平君笑拧了拧云歌的脸颊，"傻丫头。"

"许姐姐，我从小跟着父母跑来跑去，虽然去过了很多地方，见到了很多有意思的事情，可因为居无定所，我从来没有过朋友，只有两个哥哥，还有陵……"云歌顿了下，"二哥对我很好，可他大我太多，我见他的机会也不多，三哥老是和我吵架，当然我知道三哥也很保护我的，虽然三哥的保护是只许他欺负我，不许别人欺负我。我一直想着如果我有一个年龄差不多大的姐姐就好了，我们可以一起玩，一起说心事，我小时候也就不会那么孤单了。"

许平君沉默了一会儿，侧头对云歌说："云歌，我家的事情你也知道，我的哥哥……不说也罢！我也一直很想要个姐妹，我会永远做你的姐姐。"

云歌笑着用力点了点头，"我们永远做姐妹。"

云歌心中是真正的欢喜。

有所失、有所得，她失去了心中的一个梦，却得了一个很好的姐姐，老天也算公平。

暗夜中，因为有了一种叫作"友情"的花正在徐徐开放，云歌觉得连空气都有了芬芳的味道。

许平君是第一次见识到豪门盛宴，以前听人讲故事时，也幻想过无数次，可真正见到了，才知道豪门的生活，绝不是她这个升斗小民所能想象的。

先不说吃的，喝的，用的，就单这照明的火烛就已经是千万户普通人家一辈子都点不了的。

想着自己家中，过年也用不起火烛，为了省油，晚上连纺线都是就着月光，母亲未老，眼睛已经不好。再看到宴席上，遍身绫罗绸缎、皓腕如雪、十指纤纤的小姐夫人们，许平君看了看自己的手，忽觉心酸。

云歌正混在奴婢群中东瞅西看，发觉爱说话的许平君一直在沉默，拽了拽许平君的衣袖，“姐姐，在想什么呢？”

“没什么，就是感叹人和人的命怎么就那么不同呢！看到什么好玩的事情了吗？”

“没……有。”云歌的一个“没”字刚说完，就看到了孟珏，而邻桌坐的就是霍成君，那个“有”字变得几若无闻。

“那不是孟大哥吗？旁边和他说话的女子是谁？”

“这个府邸的小姐，现任霍夫人的心头宝。”

许平君扇了扇鼻子，“我怎么闻到一股酸溜溜的味道？”

云歌瞪了许平君一眼，噘嘴看着孟珏。脑子中突然冒出一句话，旧爱不能留，新欢不可追，她究竟得罪了哪路神仙？

纯粹自嘲打趣的话，旧爱到底算不算旧爱，还值得商榷，至于新……云歌惊得掩住了嘴，新欢？他是她的新欢吗？她何时竟有了这样的想法？

许平君牵着云歌，左溜右窜，见缝插针，终于挤到一个离孟珏和霍成君比较近的地方，但仍然隔着一段距离，不能靠近。

许平君还想接近，外面侍奉的丫头骂了起来："你们是哪个屋的丫头？怎么一点规矩不懂？凑热闹不是不可以，但有你们站的地方，这里是你们能来的吗？还不快走，难道要吃板子？"许平君朝云歌无奈一笑，只能牵着云歌退了回来。

霍成君要权势有权势，要容貌有容貌，长安城内年龄相当，还未婚配的男子哪个不曾想过她？

很多门第高贵的公子早就打着霍成君的主意，坐于宴席四周的新贵贤良们也留意着霍成君，不少人心里幻想着小姐能慧眼识英才、结良缘，从此后一手佳人，一手前程。

奈何佳人的笑颜只对着一个人，偏偏此人风姿仪态、言谈举止没有任何缺点，让见者只能自惭形秽，孟珏很快成了今夜最被痛恨的人。

云歌幸灾乐祸地笑着，"许姐姐，孟石头现在吃菜肯定味同嚼蜡。"刚说完就觉得自己又说了句废话，他当然味同嚼蜡了。

"从玉之王变成石头了？"

"再好的玉也不过是块石头。"

许平君决定保持沉默，省得一不小心捅了马蜂窝。

云歌的脾气是平时很温和，极爱笑，可是一旦生气，就从淑女变妖女，做出什么事情都不奇怪。

许平君只是心中纳闷，觉得云歌这气来得古怪，看她那个表情，与其说在生孟珏的气，不如说在生她自己的气，难不成生她自己竟然会在乎孟珏的气？

这边有霍光的女儿霍成君，那边有上官桀的女儿上官兰，亲霍府者自然声声顺着霍成君，亲上官府者也是以上官兰之意为尊。

而霍成君和上官兰两人，姐姐妹妹叫得是声声亲切，看着是春风满座，却是机锋内蓄。

射覆藏钩、拆白道字、手势画谜、诗钟酒令。游戏间互相比试着才华，有锦绣之语出口者，自博得满堂喝彩，一时难以应对，敷衍而过者，坐下时免不了面色懊恼。

会吟诗作赋的以诗赋显示一把，会弹琴的以琴曲显风头，武将们虽没有箭术比试，但投瓶之戏也让他们风采独占。

有意无意间，孟珏成了很多人挤对的对象，总是希望他能出丑。

孟珏则兵来将挡，水来土掩，见招化招。

云歌的左肩膀被人轻拍了下，云歌向左回头，却没有看到任何人。

"你们怎么在这里？"人语声蓦然从右边响起，吓了云歌一跳，忙向右回头。

大公子正笑看着她们，身侧站着上次送别时见过的红衣女子，依旧是一身红衣。

"你怎么在这里？"云歌和许平君一脸惊讶，不答反问。

"长安城现在这么好玩，怎么能少了我？"大公子一副理所当然的样子，一面说着，一面眼光在宴席上的女子间转悠，色心完全外露。

许平君和云歌向红衣女子道："姐姐怎么受得了他的？"

红衣女子笑看了眼大公子，向许平君和云歌笑着点头。

女子的笑颜干净纯粹，一直点头的样子很是娇憨，云歌和许平君不禁都有了好感，"姐姐叫什么名字？"

女子笑着指向自己的衣服。

云歌愣了一下，心中难受起来，"你说你叫红衣？"

女子开心地点头而笑，朝云歌做了个手势，似夸赞她聪明。

许平君也察觉出不对，拍了大公子一下，小声问："她不会说话吗？"

大公子根本没有回头，眼睛依旧盯着前面，"嗯，本来会说的，后来被我娘给毒哑了。你们看不懂她的手势，就把手递给她，她会写字。"

如此轻描淡写的语气？和说今天天气不错一样。

云歌一瞬间怒火冲头，只想把大公子暴打一顿，想问问他娘究竟是什么人，竟然不把人当人，忽又想起大公子上次说他爹娘早就死了。

红衣察觉出云歌的怒气，握住了她的手，笑着向她摇头，在她手掌上写："你笑起来很美。"指指自己，我很开心，再指指云歌，你也要开心。

红衣的笑颜没有任何勉强，而是真的从心里在笑。

世间有些花经霜犹艳，遇雪更清，这样的女子根本不需要他人的怜悯。

云歌心中对红衣的怜惜淡去，反生了几分敬佩，对红衣露了笑颜。

宴席上忽然声浪高起来，云歌和许平君忙看发生了什么，原来众人正在起哄，要孟珏应下上官兰的试题。

霍成君帮着推了两次，没有推掉，反倒引来上官兰的嘲笑。

那么多人的眼睛都看着霍成君，她若再推反是让自己难堪，只能求救地看向父亲。霍光还没有开口，霍夫人倒抢先表示了赞同，霍光就不好再发表意见。

霍成君知道母亲嫌孟珏只是一介布衣，只怕也是想借此羞辱孟珏，让孟珏知难而退，不要不自量力。

此时已经再难推脱，她只能恼怒地盯着上官兰。

霍府的公主别人需谦让几分，上官兰却丝毫不买霍成君的帐，只笑意盈盈地看着孟珏，一副你不敢也无所谓的样子。

"上官小姐既然有此雅兴，在下岂敢不遵？"孟珏笑着走到宴席中央，长身玉立，神态轻松，似乎应下的只是一段风月案，而非刁难计。

大公子笑起来，"幸亏来了，竟然有这么好玩的事情。走走走，我们找个好的位置看。"

许平君撇撇嘴，一副"你和我都是混过来凑热闹的，看你能有什么办法"的样子。

却见大公子一手银子，一手金子，见了大婶叫姐姐，见了姐姐叫妹妹，桃花眼乱飞，满嘴假话，自己是谁谁的远方侄儿，谁谁的表孙女的未婚夫婿的庶出哥哥，听得许平君和云歌目瞪口呆。

偏偏他似乎对朝堂内的势力十分了解，假话说得比真话更像真的，硬是让他买婶关迷粉将，在一个视线很好，却又是末席的地方找到了位置。

红衣等她们坐定后，第一动作就是吹熄了身周所有的灯，这下更是只有他们看别人，没有别人看他们的份。

许平君啧啧称叹，大公子笑说："这算什么？府邸大了，奴才欺主都是常事。旧茶代新茶，主人喝的是旧茶，奴才喝的倒是新茶。府中菜肴，他尝的才是最新鲜的，主人吃的都是他挑过的。几个座位算什么？有人喜财，有人喜色，有人喜权，只要价钱出得对，出得起，给皇帝下毒都有人敢做。"

大公子的放纵张狂让许平君再不敢接口，只能当作没有听见。

云歌瞟了眼大公子，淡淡地说："不是天下间所有人都有一个价钱。"

大公子讥笑着冷哼一声，没有说话。

沉默中，几人都把目光投向了宴席中央，看孟珏如何应对上官兰的刁难。

有人递给上官兰一方绢帕，上官兰看了眼，未语先笑："今日霍伯伯宴请的在座贤良，都是饱学之士。小女子斗胆了，孟公子包涵。'有水便是溪，无水也是奚。去掉溪边水，加鸟便是鸡。得志猫儿胜过虎，落坡凤凰不如鸡。'"

大公子吭哧吭哧笑起来，"小珏也有今天，被人当众辱骂。"

许平君问："这个题好答吗？"

"说难也难，说简单也简单。关键是对方文字游戏中藏了奚落之意，文字是其次，如何回敬对方才是关键。"大公子想了瞬，说："有木便是棋，无木也是其。去掉棋边木，加欠便是欺。龙游浅水遭虾戏，虎落平阳被犬欺。"

云歌几分意外，赞赏地看了眼大公子。心中暗想此人好似锦绣内蓄，并非他表面上的一副草包样子，而且这个对子颇有些志气未舒，睥睨天下的味道。

大公子未理会云歌的赞赏，反倒红衣朝云歌明媚一笑，以示谢谢。

大公子自觉自己的应对在仓促间也算十分工整，唇边含了丝笑，心中暗存了一分比较，静等着孟珏的应对。

孟珏好似没有听懂上官兰的奚落，笑着向上官兰作揖，一派翩翩风姿，"在下不才，只能就景应对，不敬之处，还望小姐海涵。'有木便是桥，无木也是乔。去掉桥边木，加女便是娇。满座尽是相如才，千金难赋玉颜娇。'"

上官兰脸上带着嘲讽的笑意僵住，似恼似喜，霍成君也是一副似喜似恼的表情，原本等着挑错的各个少年才俊表情尴尬。

霍光、上官桀等本来自顾谈话，状似根本没有留意小儿女们胡闹。听到孟珏的应对，却都看向了孟珏。

许平君看不出众人的此等反应究竟算好，还是算不好，着急地问："如何？如何？孟大哥对得如何？"

大公子眼光复杂地盯着孟珏，沉默了一瞬，唇边又浮上了不羁，拍膝就想大笑，红衣一把捂住了他的嘴。

许平君是性急的人，等不及大公子回答，又忙去摇云歌的胳膊，要云歌解释给她。

云歌冷哼一声："活脱脱一个好色登徒子，就会甜言蜜语。"

大公子笑着拽开红衣的手，先就势握着红衣的手亲了下，才对许平君说："小珏以德报怨，夸赞满座的贤良公子们都有司马相如的才华，可即使有人学当年的阿娇皇后肯花费千金求赋，却也难做一赋来描绘上官兰的娇颜。他这一招可比我的骂回去要高明得多，一举数得。夸赞了刁难他的众人，化解了部分敌意，尤其是化解了上官兰的敌意，又表现了自己的风度，越发显得我们小珏一副谦谦君子的大度样子，还有这虽然是游戏，可也绝不是游戏，桑弘羊、上官桀、霍光这三大权臣可都看着呢！"

"难怪上官兰是又恼又喜，霍成君却是又喜又恼。"许平君看着二女的表情，不禁低声笑起来，"好个孟大哥！"

大公子睨着云歌说："小珏虽然背对霍成君，可霍成君会是什么表情，他肯定能想到。"

云歌装作没有听到大公子的话。

席上尴尬地沉默着。虽然孟珏对上了对子，可他却盛赞了上官兰，拥霍府的人不知道这掌是该鼓还是不该鼓，这鼓了算是恭贺孟珏赢了，还是恭贺上官兰真的是国色天骄？上官兰的闺阁姐妹们虽觉得颜面有光，心中暗喜，可毕竟是自己一方输了，实在算不上好事，自然也是不能出声。最后是霍光率先拍手赞好，众人方纷纷跟着鼓掌。

这一场算是上官兰一方输。

上官兰举杯向孟珏遥遥一礼，仰头一口饮尽，颇有将门之女的风范，和她一起的闺阁好友纷纷陪饮了一杯。

上官兰和好友们嘀咕了一会儿，笑对孟珏说："孟公子好才思。我和姐妹们的第二道题目是……"

一个仆人端着一个方桌放到离孟珏十步远的地方，桌上摆着一个食盒，又放了一根长竹竿，一节绳子在孟珏身侧。

"……我们的题目就是你站在原地不能动，却要想办法吃到桌上的菜。只能动手，双脚移动一分也算输。"

宴席间的人都凝神想起来，自问自己，如果是孟珏该如何做，纷纷低声议论。

会些武功的人说："拿绳子把食盒套过来。"

性急的人说："用竹竿挑。"

立即被人驳斥："竹竿一头粗，一头细，细的地方根本不能着力，又那么长，怎么挑？"

不会武功的人本想说"先把绳子结成网，挂于竹竿上，再把食盒兜过来"，可看到竹竿的细、长、软，又开始摇头，觉得绳子都挂不

第九章
只愿君心似我心
173

住，怎么能再取食盒？

大公子暗暗思量了瞬，觉得以自己的功夫不管绳子，还是竹竿，他都能轻松漂亮的隔空取物，但是却绝对不能如此做，想来这也是孟珏的唯一选择，这道题是绝对不能赢的题目，只能守拙示弱。

大公子笑道："这道题目对文人是十分的难，可对会点功夫的人倒不算难，只是很难赢得漂亮。那个食盒看着光滑无比，不管绳子、竹竿都不好着力，又要隔这么远去套食盒，只怕免不了姿态难看，所以这道题其实是查探个人武功的题目，功夫越高的人，越会赢得漂亮。看来上官兰心情很好，不怎么在乎输赢，只想让小珏出个丑，就打算作罢。"

众人都凝神看着孟珏，等着看他如何笨拙地赢得这场试题。

云歌却是看看霍成君，再瞧瞧上官兰。大公子随着云歌，视线也落在了上官兰身上。

恰是二八年华，正是豆蔻枝头开得最艳的花，鬓边的发饰显示着身份的不凡，她娇笑间，珠玉轻颤，灼灼宝光越发映得人明艳不可方物。

大公子唇边的笑意未变，看向上官兰的目光中却含了几分怜悯，暗自感叹："花虽美，可惜流水狠心，风雨无情。"

大公子侧头对云歌笑说："小珏看上谁都有可能，只这位上官姑娘是绝对不可能，你放一百个心。"

云歌脸颊飞红，恼瞪了大公子一眼，匆匆收回了视线，和众人一样，将目光投向孟珏，看他如何"回答"这道题目。

孟珏笑问："上官小姐的规矩都说完了吗？在下可以开始了吗？"

上官兰笑说："都说完了，孟公子可以开始了。"

只见孟珏的眼睛根本扫都没有扫地上的竹竿和绳子，视线只是落在上官兰身上。

上官兰在众人的眼光环绕中长大，她早已经习惯了各色眼光：畏惧、巴结、逢迎、赞赏、思慕、渴望、甚至嫉妒和厌恶。可她看不懂孟珏，只觉得一径的幽暗漆黑中，似有许多不能流露的言语，隔着重山，笼着大雾，却直刺人心。

上官兰的心跳蓦然间就乱了，正惶恐自己是否闹过头了，却见孟珏已侧过了头，微微笑着向霍成君说："霍小姐，麻烦你把食盒递给在下，好吗？"

霍成君愣了一下，姗姗走到桌前取了食盒，打开食盒，端到孟珏面前。

孟珏笑拿起筷子夹了一口菜，对上官兰说："多谢小姐的佳肴。"

全场先轰然惊讶，这样也可以？！再哑然沉默，这样似乎是可以？！

霍成君立在孟珏身侧，一脸笑意地看着上官兰。

上官兰面色怔怔，却一句话也说不出来，因为自始至终，孟珏的脚半分都没有动过。

许平君搂着云歌，趴在云歌肩头笑得直不起身子，云歌终于忍不住捂着嘴笑起来。不一会儿，全场的人都似乎压着声音在笑，连上官桀都笑望着孟珏只是摇头。

大公子早已经笑倒在红衣的怀里，直让红衣给他揉肚子，一副没心没肺的样子，心中却是几分凛然。小珏的进退分寸都把握太好，好得就像所有人都是他的棋子，都听他的号令，每个人的反应都在他的掌控中。小珏哪里在乎的是输赢，他要的只是上官兰接下来的举动，在座的"才俊"们以为小珏为了佳人而应战，实际小珏的目标只是三个糟老头子：上官桀、霍光、桑弘羊。引起他们的注意，自然地接近他们。

孟珏笑问上官兰："不知道第二题，在下可算过关？小姐还要出第三题吗？"

上官兰看着并肩而立的孟珏和霍成君，只觉得霍成君面上的笑意格外刺眼，心中莫名地恼恨，猛然端起酒杯，一仰脖子，一口饮尽，笑意盈盈地说："我们出题，重视的本就不是输赢，而是饮酒时增添意趣的一个游戏。孟公子虽然已经赢了两道，不过第三题我还是要出的，如果我输了，我愿意吹笛一曲，如果孟公子输了，惩罚不大，只烦孟公子给我们在座各位都斟杯酒。"

惩罚不大，却极尽羞辱，视孟珏为仆役。

霍成君盯着上官兰的眼神已经不是简单的怒气。就是原本想看孟珏笑话的霍夫人也面色不快起来，孟珏出身再平常，毕竟是她女儿请来的客人。所谓打狗都要看主人，何况是霍府的客人，还是她女儿的座上宾？

霍光神情未动，依旧和上官桀把酒言欢，似乎丝毫没有觉察晚辈之间的暗流涌动。上官桀也是笑意不变，好像一点没觉得女儿的举动有什么不妥。

孟珏笑意不变，洒脱地做了个"请"的姿势，示意一切听上官兰的意思。

上官兰面上仍在笑，可说话的语速却明显慢了下来，"刚才行酒令时，听到孟公子论曲，说'天地万物皆有音'。小女子无才不能解，不过孟公子高才，说过的话自然不可能虚假。不可用琴笛箫等乐器，只请孟公子用身周十步之内，所能看得见的物品，向小女子展示一下何为'万物皆有音'。"

上官兰扫了眼歌伎苏依依，苏依依袅袅站起，行到宴席间，对众人行礼，"为添酒兴，妾身献唱一曲先帝所做的《秋风辞》，和孟公子的曲子。"

有人立即轰然叫好，众人也忙赶着附和这风流雅事，只一些机敏的人察觉出事情有些不对，低下了头专心饮酒吃菜。

桑弘羊捋着胡子，一脸慈祥地笑看着上官兰和霍成君，对上官桀赞道："真是虎父无犬女！"

上官桀深看了眼桑弘羊，心内对这老头的厌恶愈重，哈哈笑着说："我们这样的人家，儿女都难免刁蛮些，不过只要懂大体，刁蛮胡闹一些倒也没什么，总有我们这些老头子替她们兜着。"

霍光淡淡笑道："上官兄所言极是。"

正在举行酒宴，孟珏身周除了木桌就是碗碟酒壶筷子，因为地上铺了地毯，连片草叶都欠奉，勉强还有……盘子里做熟的菜和肉，应该也算物品。

大公子啧啧笑叹，"这就是女人！能把一句好好的话给你曲解得不成样子，圣人都能被气得七窍生烟。小珏倒是好风度，现在还能笑得出来。可怜的小珏呀！你可要好好想法子了，《秋风辞》是死老头子做的曲子，在这种场合，你若奏错了，可不是做奴才给众人斟酒那么简单了，索性认输算了，不过……要小珏服侍他们喝酒……"大公子视线扫过宴席上的人，笑着摇头。

红衣满面着急地对大公子连比带画，大公子笑摊摊手，"我没有办法想。如果出事了，大不了我们假扮山贼把小珏劫走，直接逃回昌邑。"

大公子完全一副天要砸死孟珏，他也要先看了热闹再说的样子。

许平君不平地问："太不公平了，明明孟大哥已经赢了，这个上官小姐还要搞出这么多事情！真没有办法了吗？"

云歌蹙着眉头叹了口气，对大公子说："把你的金子银子都拿出来，找个有价钱的奴才去办事。还有……红衣，孟石头可看得懂你的手语？"

霍成君出身豪门，自小耳濡目染权势斗争，虽日常行事有些刁蛮，可真有事情时，进退取舍颇有乃父之风，察觉事情有异，前后思量后，遥遥和父亲交换了个眼色，已经决定代孟珏认输。

她刚要说话，却见孟珏正有意无意地看向挤在奴婢群中的一个红衣丫头。霍成君几分奇怪，正要细看，不过眨眼间，红衣丫头已消失在人群中。

孟珏笑看向上官兰："碗碟筷子酒水都算我可以用的物品吗？"

上官兰怕再被孟珏利用了言语的漏洞，仔细地想了一瞬，才带笑点头，"不错，还有桌子和菜你都可以用。"

孟珏笑说："那我需要一张桌子、一摞空碗、一壶水、一双银筷。"

上官兰面带困惑，又谨慎地思索了会儿，觉得孟珏所要都是他身周的物品，的确没有任何超出，只能点头应好。

霍成君向孟珏摇头，孟珏微微而笑，示意她不必多虑。

不一会儿，有小厮端着桌子、碗、和一双雕花银筷上来。上官兰还特意上前看了一番，都是普通所用，没有任何异常。

孟珏其实心中也是困惑不定，但依然按照红衣所说将碗一字排开。

只见一个面容黝黑的小厮拎着水壶，深低着头，上前往碗里倒水，从深到浅，依次减少，神情专注，显然对分量把握很谨慎。

孟珏看到小厮，神情微微一震。小厮瞪了他一眼，低着头迅速退下。

红衣和许平君都困惑地看着云歌，不知道她究竟想做什么，大公子笑嘻嘻地问："云大姑娘，怎么帮人只帮一半？为什么不索性让红衣给孟珏解释清楚？"

云歌冷哼一声，没有说话。

孟珏想了瞬，忽有所悟，拿起银筷，依次从碗上敲过，宫、商、角、徵、羽，音色齐全。他心中暗暗将《秋风辞》的曲调过了一遍，笑对苏依依说："烦劳姑娘了。"

细碎的乐声响起，一列长奏后，曲调开始分明。叮咚、叮咚宛如山泉，清脆悦耳。虽然雄厚难及琴，清丽难比笛，悠扬不及箫，可简单处也别有一番意趣。

苏依依愣愣不能张口，霍成君笑着领头朝苏依依喝起了倒彩，她才醒悟过来，忙匆匆张口而唱：

秋风起兮白云飞，

草木黄落兮雁南归。

兰有秀兮菊有芳，

怀佳人兮不能忘。

泛楼船兮济汾河，

横中流兮扬素波。

箫鼓鸣兮发棹歌，

欢乐极兮哀情多。

少壮几时兮奈老何！

传闻此曲是刘彻思念早逝的李夫人所作，是刘彻仅有的情诗，酒楼茶坊间传唱很广。

许平君听着曲子，遥想李夫人的传奇故事，有些唏嘘感叹，李夫人应该是幸福的吧！从歌伎到皇妃，生前极尽帝王宠爱，死后还让他念念不忘，女人做到这般，应该了无遗憾了。

红衣听着曲子，时不时看一眼大公子，似有些探究他的反应。大公子依旧笑嘻嘻，没有任何异样。

一曲完毕，亲霍府的人都跟着霍成君极力叫好。

大公子也是鼓掌叫好："云歌，你怎么想出来的？"

云歌笑说："小时候和哥哥闹着玩的时候想出来的呗！敲破了一堆碗，试过了无数种陶土才掌准了音。正儿八经的琴不愿意弹，反倒总喜欢玩些不正经的花样，三哥可没有少嘲笑我。"

许平君也笑："谁让上官小姐不知道我们这边坐着一位雅厨呢！厨房里的事情想难倒云歌可不容易。不过孟大哥也真聪明，换成我，即使把碗摆在我面前，我一时也反应不过来。"

以碗水渡曲，上官兰闻所未闻，见所未见，怎么都没有想到，此时面色一时青，一时红。

霍成君笑问："兰姐姐，不知道想为我们奏一首什么曲子？正好苏姑娘在，二位恰好可以合奏。"

孟珏却是欠身向上官兰行了一礼，未说一语，就退回了自己位置，君子之风尽显无疑。

桑弘羊望着孟珏点了点头，问霍光："成君好眼光。这年轻人叫什么名字？什么来历？"上官桀也忙凝神倾听。

趁着众人注意力都在霍成君和上官兰身上，孟珏寻了借口退席而出。

大公子一看孟珏离席，立即牵起红衣就逃，"小珏肯定怒了，我还是先避避风头。"

四个人左躲右闪，专拣僻静的地方钻，云歌说："找个机会索性溜出府吧！"

大公子和红衣都连连点头，许平君却不同意，"你可是霍夫人请来做菜的厨子，还没有允许你告退呢！"

云歌今晚的心情实在算不上好，冷着脸说："管她呢！"

大公子笑："就是，她算个什么东西？管她呢！跟我来，我们从后面花园的角门溜出去。"

大公子倒是对大司马府的布局很熟悉，领着三个女子，穿花拂树，绕假山过拱桥，好像逛自家园子。

越走越僻静，景色越来越美，显然已是到了霍府的内宅，这可不同于外面宴请宾客的地方，被人抓住，私闯大司马府的罪名不轻，许平君很是紧张害怕，可身旁的三人都一副轻松自在的样子，她也只能默默跟随，暗暗祈求早点出府。

正行走在一座拱桥上，远处急匆匆的脚步声响起，红衣和大公子的武功最高，最先听到，忙想找地方回避，却因为正在桥上，四周空旷，又是高处，竟然躲无可躲。

耳听得脚步声越来越近，连许平君都已听到，紧张地拽着红衣袖子，无声地问："怎么办？怎么办？"

云歌和大公子对视一眼，两人都是一般的心思，会心点了下头，一人拽着许平君，一人拽着红衣，迅速攀着桥栏，轻轻落入湖中，藏到了拱桥下。

刚藏好，就听到两个人从桥上经过。只听霍光的声音极带怒气，"混账东西！念着你做人机灵，平时你们做的事情，我都睁一只眼闭一只眼了，你今日却一点眼色不长！"

"老爷，奴才该死。奴才真是做梦也没想到呀……"

"你派人去四处都安排好了，私下和夫人说一声，再知会少爷。"

"是。不过陛下说除了大人，谁都不许……"

脚步匆匆，不一会儿人已去远。

云歌四人屏着呼吸，一动不敢动，直等到脚步声彻底消失，才敢大口呼吸。

四个人相视苦笑，虽已是春天，可春水犹寒，四个人半截身子都已泡湿，滋味颇不好受。

幸亏可以赶紧逃回家换衣服了。

云歌牵着许平君，刚想爬上岸，却又听到脚步声，四个人立即又缩回了拱桥下。

一个人大步跑着从桥上经过，好似赶着去传递什么消息。

四人等着脚步声去远，立即准备上岸，可刚攀着桥的栏杆，还没翻上岸，就又听到了细碎的人语声。

这次四人已经很是默契，动作一致，齐刷刷地缩回了桥洞下。

大公子一副无语问苍天的表情，对着桥顶翻白眼。

红衣似乎担心大公子冷，毫不顾忌云歌和许平君在，伸臂环抱住了大公子，本来很狎昵的动作，可红衣做来一派天真，只觉真情流露，毫无其他感觉。

原本期盼着脚步声消失后，他们可以回家换衣服。可不远不近，恰恰好，脚步声停在了拱桥顶上。

大公子已经连翻白眼的力气都没有了，头无力地垂在红衣肩头。

许平君冷得身子打哆嗦，却又要拼命忍住，云歌摸出随身携带的姜，递给许平君，示意她嚼，自己也握着一节姜，静静嚼着。

原想着过一会儿，他们就该离去，可桥上的人好像很有闲情逸致，临桥赏景，半晌都没有一句话。

很久后，才听到霍光恭敬的声音："陛下好似很偏爱夜色。听闻在宫中也常常深夜临栏独立、欣赏夜景。"

大公子立即站直了身子，吊儿郎当的神情褪去，罕见地露了几分郑重。

云歌和许平君也是大惊，都停止了嚼姜，竖起了耳朵。

只红衣虽然表情大变，满脸焦虑，却只是因为大公子的安危，而非什么皇帝。

不高不低，不疾不徐，风碎玉裂的声音，虽近在身旁，却透出碧水千洄，关山万重的疏离淡漠："只是喜欢看星光和月色。朕听说你在办宴会，宫里一时烦闷，就到你这里散散心，希望没有惊扰你。"

"臣不敢。"

霍光真是一个极沉得住气的人，其他人若在皇帝身侧，皇帝长时间没有一句话，只怕就要胡思乱想，揣摩皇帝的心思，越想越乱，最后难免自乱阵脚。他却只沉默地站着，也看向了湖面上的一轮圆月。

云歌看许平君身子不停打战，紧咬着牙关方能不发出声音，忙轻拽了拽她的衣袖，示意她吃姜。自己却不禁好奇地看向桥影相接处的一个颀长影子。

霍光应该不敢和他并肩而立，所以靠后而站，湖面因而只有他一个人的倒影。宽大的袍袖想是正随风轻扬，湖面的影子也是变幻不定。

本是互不相干的人，云歌却不知为何，心中一阵莫名的牵动，想到他深夜临栏独立，只觉得他虽拥有一人独眺风景的威严，却是碧海青天，晚风孤月，怎一个无限清凉！

"陛下可想去宴席上坐一会儿？臣已经命人安置好了僻静的座位，不会有人认出陛下。"

"你都请了谁？"

"上官桀、桑弘羊、杜延年……"

一连串的名字还没有报完，听着好像很爽朗的声音传来，"霍贤弟，你这做主人的怎么扔下我们一堆人，跑到这里来独自逍遥……啊？陛……陛下，臣不知陛下在此，无礼冒犯……"上官桀面色惊慌，赶着上前跪下请罪。

随后几步的桑弘羊，已经七十多岁，须发皆白的老头，也打算艰难地下跪。

刘弗陵示意身旁的太监去搀扶起桑弘羊，"都免了。朕穿着便服随便走走，你们不用拘礼。"

大公子笑着摇头，霍光老头现在肯定心内暴怒，他和刘弗陵站在桥上赏风景，上官桀和桑弘羊却能很快找来，他的府邸的确需要好好整顿一下了。

红衣做了一个杀头的姿势，警告大公子不要发出声音。

红衣的动作没有对大公子起任何作用，反倒吓得许平君一脸哀愁害怕地看着云歌。

云歌苦笑摇头，这是什么运气？桥上站着的可是当今的皇帝和三大权臣，整个天下的运势都和他们息息相关。一般人想接近其中任何一人，只怕都难于登天，而他们竟然能如此近距离地接触这些高不可攀的人，他们究竟算荣幸，还是算倒霉？

桥上四人的对话吸引了大公子的注意，面上虽仍是笑嘻嘻，眼神却渐渐专注。

刘弗陵是一只聪明机智的小狐狸，但是稚龄登基，没有自己的势力，朝政全旁落在了托孤大臣手中。

桑弘羊是先皇的重臣，行事继承了汉武帝刘彻的风格，强硬的法家人物代表，是一头老狮子，虽然雄风不如当年，可朝中威慑仍在。

上官桀是狼，贪婪狠辣，凭军功封侯，军中多是他的势力。先皇亲手所设、曾跟随名将霍去病征讨匈奴的羽林营完全掌控在上官家族手中，由骠骑将军上官安统辖。

霍光是虎，虽年龄小于桑弘羊和上官桀，却凭借多年苦心经营，朝廷中门徒众多，渐有后来居上的趋势。

霍光和上官桀是儿女亲家，一个是当今上官皇后的外祖父，一个是上官皇后的祖父，但两人的关系却是似合似疏。

霍光、上官桀、桑弘羊三人如今都是既要彼此照应，防止皇帝铲除他们，却又想各自拉拢皇帝，让皇帝更亲近信任自己，借机铲除对方，独揽朝政。

而皇帝最希望的自然是他们三人斗个同归于尽，然后感叹一声，这么多年过去，朕终于可以睡个安稳觉了。

真是乱、乱、乱……

大公子越想越好笑，满脸看戏的表情，似完全忘了桥上四人的风波可是随时会把他牵扯进去，一个处理不当，绞得粉身碎骨都有可能。

桥上是暗潮汹涌，桥下是一团瑟瑟。

云歌双手紧握着姜块，每咬一口姜，就在心里骂一声"臭皇帝"。

真希望哪天她能把这个臭皇帝扔进初春的冰水中泡一泡。听闻皇宫里美女最多，不在那边与美女抚琴论诗、赏花品酒，却跑到这里和几个老头子吹冷风，害得他们也不能安生。

桥上四人语声时有时无，风花雪月中偶尔穿插一句和朝政相关的事情，点到即止。一时半会儿，显然还没有要走的意思。

许平君已经嘴唇乌紫，云歌看她再撑下去，只怕就要冻出病来，而自己也已是到了极限。

云歌打手势问，大家能不能游水逃走。

许平君抱歉地摇头，表示自己不会游水。

红衣也摇头，除非能一口气在水底潜出很远，否则暗夜中四个人游泳的声音太大，肯定会惊动桥上的人。

云歌只能作罢，想了会儿，指指自己，指指桥上，又对大公子和红衣指指许平君，示意自己想办法引开桥上的人，他和红衣带着许平君逃走。

红衣立即摇头，指指自己，再指指大公子，示意她去引人，云歌照顾大公子逃走。

云歌瞟了眼大公子，她照顾他？红衣真是强弱不分。云歌摇摇头，坚持自己去。

大公子笑着无声地说："我们猜拳，谁输谁去。" 一副兴致勃勃的样子。

此人不管何时何地、何人何事对他而言都好像只是一场游戏。

猜你个头！云歌瞪了大公子一眼，低身从桥墩处摸了几块石头。先问大公子哪个方向能逃出府，然后搓了搓手，拿出小时候打水漂的经验，贴着水面，将石头反方向用力扔了出去，自己立即深吸口气，整个人沉入水底，向着远处潜去。

石块贴着水面飞出老远，扑通、扑通、扑通、扑通、扑通在水面连跳了五下才沉入水底。安静的夜色中听来，动静很大。

于安第一个动作就是挡在了皇帝面前，和另一个同行的太监护着皇帝迅速走下桥，避开高地，以免成为明显的目标，匆匆寻着可以暂且藏身的地方。

霍光大声呵斥："什么人？"

早有随从高声叫侍卫去查看，湖面四周刹那间人声鼎沸，灯火闪耀。

桑弘羊和上官桀愣了一下后，都盯向霍光，目光灼灼。

上官桀忽地面色惊慌，一面高声叫着"来人、来人"，一面跟随在刘弗陵身后，一副豁出性命也要保护皇帝的架势。

原本暗夜里，人影四处晃动中，刘弗陵的行踪并不明显，此时却因为上官桀的叫声，都知道他的方向有人需要保护。

桑弘羊年纪已大，行动不便，稀里糊涂间又似乎走错了方向，抖着声音也大叫："来人、来人。"

他的"来人"和上官桀的"来人"让刚赶来的侍卫糊涂起来，不知道皇帝究竟在哪边，又究竟该先保护哪边。

刘弗陵和霍光都是眸中光芒一闪而过，若有所思地看着桑弘羊蹒跚的背影。

云歌东扔一块石头，西扔一块石头，弄得动静极大，努力把所有注意力都引到自己身上，侍卫的叫声此起彼伏，从四面八方循着声音向云歌追踪而来，一时间场面很混乱，但越混乱，才越能让许平君他们安全逃走。

云歌此时已在湖中央，一览无余，又没有刻意遮掩身形，很快就有护卫发现了她，跳下水追来。

霍光冷着声吩咐："一定要捉活的。"

云歌顾不上想她如果被捉住，后果会是什么。只知道拼命划水，引着侍卫在湖里捉迷藏。

湖面渐窄，由开阔变为蜿蜒曲折。

溪水一侧是临空的半壁廊，另一侧杏花正开得好。落花点点，秀雅清幽，颇有十里杏花掩茅屋、九曲碧水绕人家的气象。

湖面渐窄的好处是后面的追兵只能从一个方向接近她，云歌的戏水技术很高，虽然此时体力难继，但他们一时也难追上；可坏处却是岸上的追兵已经有机可乘。幸亏有霍光的"留活口"之命，侍卫有了顾忌，只要云歌还在水中，他们还奈何不了她。

"陛下，不如立即回宫。"于安进言。

不想刘弗陵不但未听他的话，反倒随着刺客逃的方向而去。

上官桀已经觉察出事情不太对，正困惑地皱着眉头思索。于安还想再说，刘弗陵淡淡地问："上官桀，你觉得是刺客吗？"

上官桀谨慎地思考了一瞬，"未有口供前，臣不敢下定言。现在看疑点不少，皇帝来司马府的事情，有几人知道？"

于安说："只陛下和奴才，就是随行的太监和侍卫也并不知陛下要来霍大人府邸。"

上官桀皱着眉头，"如此看来这刺客的目标应该不是陛下，那会是谁呢？"眼光轻飘飘地从霍光、桑弘羊面上扫过，又暗盯了皇帝一眼。

事情发生在自己府邸，没有审讯前，霍光一句话不敢说，只沉默地走着。

桑弘羊完全靠人扶着，才能走得动，一面喘着粗气追皇帝，一面断断续续地说："如果……想要逃跑，就应该往东边逃，那里湖水和外相通，这个方向，如果……老……臣没有记错，是死路。如果……是……是刺客，不可能连府中地形都不熟悉就来行刺。"

霍光感激地看了眼桑弘羊，桑弘羊吹了吹胡子，没有理会霍光。

刘弗陵隔着杏花，看向溪水。阵阵落花下、隐隐灯光间，只见一个模糊的身影在水面时起时沉、时左时右，身后一众年轻力壮的侍卫紧追不舍，那个身影却若惊鸿、似游龙，分波而行、驭水而戏，只逗得身后众人狼狈不堪，他却依然"逍遥法外"。

看到自己府邸侍卫的狼狈样子，霍光面色几分尴尬，"长安城极少有水性这么好的人，都可以和羽林营教习兵士水中厮杀的教头一比高低了。"

上官桀面色立变，冷哼一声刚要说话，刘弗陵淡淡地说："何必多猜？抓住人后问过就知道了。"

众人忙应了声"是"，都沉默了下来。

溪水越来越窄，头顶已经完全是架空的廊。云歌估计水路尽头要么是一个引水入庭院的小池塘，要么是水在廊下流动成曲折回绕的环状，看来已无处可逃。

不远处响起丫头说话的声音，似在质问侍卫为何闯入。

云歌正在琢磨该在何处冒险上岸，不知道这处庭院的布局是什么样子，是霍府何人居住，一只手蓦然从长廊上伸下，抓住云歌的胳膊就要拎她上岸。

云歌刚想反手击打那人的头，却已看清来人，立即顺服地就力翻上了长廊。

冷风一吹，云歌觉得已经冷到麻木的身子居然还有几分知觉，连骨髓都觉出了冷，身子如抽去了骨头，直往地上软去。

孟珏寒着脸抱住了云歌，一旁的侍女立即用帕子擦木板地，拭去云歌上岸时留下的水渍，另一个侍女低声说："孟公子，快点随奴婢来。"

孟珏俯在云歌耳边问："红衣呢？"

云歌牙齿打着战，从齿缝里抖出几个字，"逃……逃了。"

"有没有人看到大公子？"

"没。"

孟珏的神色缓和了几分，"你们一个比一个胆大妄为，把司马府当什么？"

看到云歌的脸煞白，他叹了口气，不忍心再说什么，只拿了帕子替云歌擦拭。

庭院外传来说话声，"成君，开门。"

"爹爹，女儿酒气有些上头，已经打算歇息了。宴席结束了吗？怎么这么吵？"

霍光请示地看向刘弗陵，"臣这就命小女出来接驾。"

刘弗陵说，"朕是私服出宫，不想明日闹得满朝皆知，你就当朕不在，一切由你处理。"

"成君，有贼子闯入府里偷东西，有人看见逃向你这边。把你的侍女都召集起来。"霍光犹豫了下，顾忌到毕竟是女儿的闺房，遂对儿子霍禹下命："禹儿，你带人去逐个房间搜。"

霍成君娇声叫起来："爹爹，不可以！究竟发生了什么事情？你怎么……你怎么可以让那些臭男人在女儿屋子里乱翻？"

霍光偏疼成君，面色虽然严肃，声音还是放和缓，"成君，听话。你若不喜欢住别人翻过的屋子，爹改日给你另换一处庭院。"

霍成君似乎很烦恼，重重叹了口气，"小青，你跟在哥哥身边，看着那些人，不许他们乱翻我的东西。"

云歌紧张地看着孟珏，孟珏一面替她擦头发，一面板着脸说："下次做事前，先想一下后果。"

听到脚步声，孟珏忙低声对云歌说："你叫孟云歌，是我妹妹。"

云歌愣了一下，看到挑帘而入的霍成君，心中明白过来。

霍成君的眉头虽皱着，却一点不紧张，笑看着他们说："孟珏，你的妹妹可真够淘气，上次杀了我的两匹汗血宝马，这次又在大司马府闹刺客，下次难不成要跑到皇宫里去闹？"

云歌瞪着孟珏，称呼已经从孟公子变成孟珏！

霍成君笑说："见过你三四次了，却一直没有机会问你叫什么名字。"

云歌咬着唇，瞪着孟珏，一声不吭，孟珏只能替她说："她姓孟，名云歌，最爱捣蛋胡闹。"

霍成君看云歌冻得面孔惨白，整个人缩在那里只有一点点大，这样的人会是刺客？本就爱屋及乌，此时越发怜惜云歌，云歌以前在她眼中的无礼讨厌之处，现在都成了活泼可爱之处，"别怕，爹爹最疼我，不会有事的。”

整个庭院搜过，都没有人。

霍光沉思未语，桑弘羊问："和此处相近的庭院是哪里？长廊和何处相连？杏花林可都仔细搜过了？刚才追得近的侍卫都叫过来再问问，人究竟是在哪里失去了踪影？"

侍卫们一时也说不清，因为岸上岸下都有人，事情又关系重大，谁都不敢把话说死，反倒越问越乱。

霍光刚想下令从杏花林里重新搜过，上官桀指了指居中的屋子，"那间屋子搜过了吗？"

霍光面色阴沉，"那是小女的屋子，小女此时就在屋子里。不知道上官大人是什么意思？"

上官桀连连道歉，"老夫就是随口一问，忘记了是成君丫头的屋子。"

门哐啷一声，被打得大开。

霍成君随意裹着一件披风，发髻显然是匆忙间刚绾好，人往门侧一站，脆生生地说："桑伯伯，上官伯伯，侄女不知道你们也来了，真是失礼。屋子简陋，上官伯伯若不嫌弃，请进来坐坐。"说着弯了身子相请。

云歌和孟珏正贴身藏在门扉后，云歌透着门缝看出去，看到在上官桀、桑弘羊身后的暗影中，站着一个颀长的身影，周围重重环绕着人，可他却给人一种遗世独立的感觉。黑色的衣袍和夜色融为一体，面容也看不清楚。

原本以为一个刚遇到刺客的人怎么也应该有些慌乱和紧张，可那抹影子淡定从容，甚至可以说冷漠。静静站在那里，似在看一场别人的戏。

云歌想到此人是大汉的皇帝，而她会成为行刺皇帝的刺客，这会儿才终于有了几分害怕。只要他们进屋，就会立即发现她和孟珏，紧张得手越拽越紧。孟珏握住她的手，轻轻地一根根掰开她的手指，把她的手握在手中，手掌温暖有力，云歌身上的寒意淡去了几分。

孟珏贴在她耳边，半是嘲讽半是安慰地轻声说："事已至此，有什么好怕的？不过是兵来将挡，水来土掩。如果被发现了，一切交给我来处理。但是记住了，无论如何，不可以说出大公子和红衣，否则只是祸上加祸。"

身子紧贴着他的身子，此时他的唇又几近吻着她的耳朵，云歌身子一阵酥麻，软软地靠在了孟珏怀中，心中却越发赌着一口气，轻抬脚，安静却用力地踩到孟珏脚上："谁需要你的虚情假意？"

孟珏倒抽了一口冷气，身子却一动不敢动，"你疯了？"

云歌没有停下，反倒更加了把力气，在他脚面上狠踩了一下，一副毫不理会外面是何等情形的样子。

云歌虽出身不凡，却极少有小姐脾气。孟珏第一次碰到如此横蛮胡闹、不讲道理的云歌，何况还是这等危险的情境下。一时不解，待转过味来，心中猛地一荡，脸上仍清清淡淡，眼中却慢慢漾出了笑意，脚上的疼倒有些甘之若饴。怀内幽香阵阵，不自禁地就侧首在云歌的脸颊上亲了下。

云歌身子一颤，脚上的力道顿时松了。孟珏也是神思恍惚，只觉得无端端地喜悦，像小时候，得到父亲的夸赞，穿到母亲给做的新衣，听到弟弟满是崇拜骄傲地和别人说："我哥哥……"

那么容易，那么简单，却又那么纯粹的满足和快乐，感觉太过陌生，恍惚中竟有些不辨身在何处。忽听到屋外上官桀的声音，如午夜惊雷，震散了一场美梦。恍惚立退，眼内登时一片清明。

屋子分为内外两进，纱帘相隔。

原来垂落的纱帘，此时因为大开的门，被风一吹，哗啦啦扬起，隐约间也是一览无余。

镜台、妆盒、绣床，还有没来得及收起的女子衣服，一派女儿闺房景象。

上官桀老脸一红，笑着说："不用了，不用了，老夫糊涂，不知道是成君丫头的闺房。成君，你若不舒服就赶紧去歇息吧！"

霍光似笑非笑地说："上官大人还是进去仔细搜搜，省得误会小女窝藏贼人。"

上官桀尴尬地笑着，桑弘羊捋着胡须，笑眯眯地静看着好戏。

刘弗陵淡淡说："既然此处肯定没有，别处也不用看了。扰攘了这么长时间，贼人恐怕早就趁乱溜走了。"

未等众人回应，刘弗陵已经转身离去。

霍光、桑弘羊、上官桀忙紧跟上去送驾。

霍光恭声说："陛下，臣一定会将今日事情查个水落石出。"

刘弗陵未置可否，"你不用远送了。动静闹得不小，应该已经惊扰了前面宴席的宾客，你回去待客吧！"

霍成君立在门口，看到众人去远了，才发觉自己已经是一身冷汗，腿肚子都在抖。她吩咐丫头们锁好院门，都各自去休息。

霍成君进屋后，看到云歌头埋在胸前，脸涨得通红，不解地看向孟珏。

孟珏淡淡而笑，一派悠然，对霍成君说："她没有经历过这些事情，被吓着了，吓吓也好，省得以后还敢太岁头上动土。"

霍成君笑睨着孟珏，"别说是她，我都被吓得不轻。上官伯伯不见得会进来看，你却非要我冒这么大险。今日的事，你怎么谢我？"

孟珏笑着行礼："大恩难言谢，只能日后图报了。现在司马府各处都肯定把守严密，麻烦你给云歌找套相同的干净衣服让她换上，我们赶紧溜到前面宾客中，大大方方地告辞离府。"

霍成君听到"大恩难言谢，只能日后图报"，双颊晕红，不敢再看孟珏，忙转身去给云歌寻合适的衣服。

云歌身体一会儿冷，一会儿热，面上还要装得若无其事，笑着去找带来的两个厨子，又去和管事的人请退。

等走出霍府，强撑着走了一段路，看见孟珏正立在马车外等她，她提着的一口气立松，眼睛还瞪着孟珏，人却无声无息地就栽到了地上。

云歌醒转时，已是第二日。守在榻边的许平君和红衣都是眼睛红红。

许平君一看她睁开眼睛，立即开骂："死丫头，你逞的什么能？自己身子带红，还敢在冷水里泡那么久！日后落下病根可别埋怨我们。"

红衣忙朝许平君摆手，又频频向云歌作谢。

许平君还想骂，孟珏端着药进来，许平君忙站起退了出去，"你先吃药吧！"

红衣缩在许平君身后，巴望着孟珏没有看到她，想偷偷溜出去。

"红衣，你去告诉他，如果他还不离开长安，反正都是死，我不如自己找人杀了他，免得他被人发现了，还连累别人。"

红衣眼泪在眼眶里转悠，一副全是她的错，想求情又不敢求的样子。

孟珏一见她的眼泪，原本责备的话都只能吞回去，放柔了声音说："我是被那个魔王给气糊涂了，一时的气话。你去看好他，不要再让他乱跑了。"

红衣立即笑起来，一连串地点着头，开心地跑出了屋子。

孟珏望着红衣背影，轻叹了口气。转身坐到云歌身侧，手搭到云歌的手腕就要诊脉，云歌脸红起来，"你还懂医术？"他既然懂医术，那自然知道自己为什么晕倒了。

孟珏想起义父，眼内透出暖意，"义父是个极其博学的人，可惜我心思不在这些上，所学不过他的十之三四。这几日你都要好好静养了，不许碰冷水、冷菜，凉性的东西也都要忌口，梨、绿豆、冬瓜、金银花茶这些都不能吃。"

云歌红着脸点头，孟珏扶她起来，喂她药喝，云歌低垂着眼睛，一眼不敢看他。

"云歌，下次如果不舒服，及早和我说，不要自己强撑，要落下什么病根，可是一辈子的事情。"

云歌的头低得不能再低，嘴里含含糊糊地应了。

孟珏喂云歌吃过了药，笑道："今日可是真乖，和昨日夜里判若两人。"

云歌闻言，娇羞中涌出了怒气，瞪着孟珏，"我就叫云歌，你以后要再敢随便给我改名字，要你好看！"

孟珏只看着云歌微微而笑。

刘病已在窗外看到屋内的两人，本来想进屋的步子顿住。

静静看了会儿孟珏，再想想自己，嘴边泛起一抹自嘲的笑，转身就走。

可走了几步，忽又停住，想了想，复转身回去，挑起帘子，倚在门口，懒洋洋地笑着说："云歌，下次要再当刺客，记得找个暖和的天气，别人没刺着，反倒自己落了一身病。"

云歌不自觉地身子往后缩了缩，远离了孟珏，笑嚷："大哥，你看我可像刺客？"

孟珏淡淡笑着，垂眸拂去袖上的灰尘。

许平君正和红衣、大公子在说话，眼睛却一直留意着那边屋子，此时心中一涩，再也笑不出来。怔怔站了会儿，眼神由迷惘转为坚定，侧头对红衣和大公子粲然一笑，转身匆匆离去，"我去买些时鲜的蔬菜，今天晚上该好好庆祝我们'劫后余生'。"

红衣不解地看着许平君背影，怎么说走就走？买菜也不必如此着急呀！

大公子坐在门槛上，跷着二郎腿，望着那边屋子只是笑。

盐铁会议虽有一个桑弘羊积极参与，却是一个巴掌拍不响。因为霍光和上官桀的老谋深算，会议未能起到刘弗陵预期的作用：将矛盾激化。

但之后霍光宴请贤良，刘弗陵夜临霍府，还有一个莫名其妙的刺客事件，却让三大权臣之间的猜忌陡然浮出了水面。

霍光一直积极推举重用亲近霍氏的人，而对上官桀和桑弘羊任用何人的要求常常驳回，在朝廷权利的角逐上，渐渐有压倒上官桀的趋势。

自汉武帝在位时，上官桀的官职就高于霍光，当今皇后又是他的孙女，上官桀一直觉得自己才应该是最有权力的人。

幼帝刚登基时，在燕王和广陵王的暗中支持下，包括丞相在内的三公九卿都质疑过先帝为何会选择四个并没有实权的人托孤。为了保住权力，也是保住他们的性命，上官桀和霍光心照不宣地联手对付着朝廷内所有对他们有异议的人，两人还结为了儿女亲家。

一直以来，霍光表面上都对上官桀很敬重，事事都会和上官桀有商有量，甚至请上官桀代做决定，但随着敌人的一个个倒下，小皇帝的一天天长大，形势渐渐起了变化。

也许从选谁做皇后开始就埋下了矛盾。

其实，上官桀的小女儿上官兰、霍光的女儿霍成君才和刘弗陵的年龄匹配。可当上官桀想送上官兰进宫时，受到暗中势力的激烈阻止。迫不得已他只能选择让孙女上官小妹进宫，霍光又以小妹年龄太小，和皇帝不配来阻止。

实际原因呢？虽然小妹是霍光的外孙女，可小妹的姓氏是上官，而非霍。

但那时候的霍光还不能完全和上官桀相斗，桑弘羊又对后位虎视眈眈，也拟订了人选进呈公主。

鹬蚌相争，渔翁得利！

小妹毕竟流着霍家的血，两相权衡后，霍光最终妥协，和上官桀联手打压桑弘羊，把小妹送进宫做了皇后。上官桀和霍光在小妹封后的当日也都各自加官晋爵。

表面上，上官氏和霍氏同享着盛极的荣耀，矛盾却在权力的阴影中生根发芽、茁壮成长。或者矛盾本就存在，只是以前遮掩得太好。

上官桀曾为钩弋夫人入宫得宠立过大功，上官氏和钩弋夫人一直关系甚好，因此皇帝幼时和上官桀更亲近，年纪渐长，却和霍光越走越近。

皇帝能轻车简从地驾临霍府，可见对霍光的信任。皇帝的意图已经很明显，日后会重用的是霍光和贤良派，而非上官氏和士族。

上官桀心中应该已很明白，走到今日，上官氏和霍氏绝不可能再分享权力。不是东风压倒西风，就是西风压倒东风。

而云歌、大公子四个人误打误撞弄出的"刺客事件"只会让矛盾更深。

霍光定会怀疑是其他二人暗中陷害他，目的当然不是行刺皇帝，而是让皇帝怀疑他。

狡诈多疑的上官桀却一定会想为什么此事发生在霍府？不早不晚，发生在他到之后？甚至怀疑是冲着他而去，说不定给他暗传消息的霍府家奴根本就是霍光给他设置的套。

桑弘羊这个老儿倒是有些古怪，那晚似乎不惜暴露自己，也要保护皇帝安全。

大公子因为知道刺客的真相，所以倒对他生了几分敬重，此人虽是权臣，却绝非佞臣。但对于不知道刺客真相的人，却难免怀疑他胆子如此大，难道因为刺客和他有关？他借机表忠心？

虽然盼的是虎狼斗，但只怕虎赶走了狼，或者狼赶走了虎，独坐山头。

如果非要选择一方，小珏肯定希望赢的是霍光。

皇帝呢？皇帝对霍光的亲近有几分真？或者一切都只是为了激化上官桀和霍光矛盾的手段？甚至皇帝看似临时起意的夜临霍府，只怕也是刻意为之。

堂堂天子，却轻车简从，深夜驾临臣子府邸，难道不是显露了对臣子的极度信任和亲近？和臣子对月谈笑，指点江山，更是圣君良臣的佳话！上官桀面对这等局面，会不采取行动？

可霍光真会相信皇帝对他的亲近和信任吗？

桑弘羊到底又存了什么心思？

真是头疼！

不想了！大公子翻了身子，合上了双目。

红衣看他睡着了，轻轻放下帐子，出了屋子。

云歌的身体底子很好，孟珏的医术又非同凡响，再加上许平君和红衣的照顾，云歌好得很快。可难得有机会偷懒，索性以病为借口给自己放大假休息。常叔再爱财，也不能逼病人给他赚钱。

云歌一个舒服的午觉睡醒，满庭幽静，只有温暖的阳光透过窗格子晒进来，顽皮地在帘子上画出一格格方影。

红衣正在院中的槐树下打绳穗，大公子却不见人影。

云歌走到红衣身旁坐下，"大公子呢？"

红衣指指屋子，做了个睡觉的姿势，朝云歌抿嘴一笑，又低下头专心干活。

红衣的手极巧，云歌只看她的手指飞舞，青黑色的丝线就编织成了一朵朵叶穗。云歌想起大公子身上带着的一块墨玉合欢佩，看红衣编织的颜色和花样，正好配合欢佩，"红衣，你的手真巧，女红针线我是一点不会做。"

红衣拿了根树枝，在地上写："你想要什么？我编给你。"

云歌捡了截树枝，想了想，大概画了个形状，"我曾见过人家带这个，觉得很好看，这个难编吗？"

红衣笑睒着云歌，点点头，又摇摇头，指了指云歌的心，写下三个字，"同心结。"

云歌未明白红衣究竟是说难编，还是不难编，但她的心思也不在这上面，遂没有再问。

红衣挑了一段红丝线，绕到云歌手上，示意云歌自己编。

云歌并没有想学，但看红衣兴致勃勃，不好拒绝，只能跟着她做起来，"红衣，我想……问你一件事情。"

红衣笑点点头，示意她问，云歌犹豫了下："你和孟珏熟悉吗？"

红衣看着云歌手中的同心结，以为她的同心结是编给孟珏，一脸欣喜地朝云歌竖了竖拇指，夸赞她好眼光。

云歌却以为红衣赞她编得好，笑道："过奖了！哪里有你的好，你的才又漂亮又实用。"

红衣霞上双颊，又羞又急，匆匆伸手比了一个十二三岁孩子的高度，表示她在那么高时，就认识孟珏了，她很了解孟珏，孟珏很好。

"原来你少时就认识他了。那……红衣……你知不知道孟珏……孟珏他吃菜根本吃不出味道？"

酸甜苦辣咸，孟珏竟是一种都尝不出来。云歌以前只在书上看到过有不辨百味的人，当时就想，这样的人吃什么都如同嚼蜡，人生还有什么乐趣？却没有料到，自己有一日会碰到这样的人。

红衣不解地看着云歌，云歌立即笑说："没什么，我随口胡说。为什么这个要叫同心结？"

"红衣，我想喝不冷也不热的茶。"不知何时立在门口的大公子对红衣吩咐。

红衣立即站起，对云歌抱歉地一笑，匆匆跑去厨房。

云歌看着大公子，"你知道？"

大公子仍然带着一分似笑未笑的笑意，"你发觉多久了？"

"不久，试过几次后，最近才刚刚确认。"

"他对这件事情讳莫如深，你最好当作不知道。我认识他时，他已经是这样了。具体因由，我也不十分清楚。好像他在幼年时，目睹了娘亲惨死，大概受了刺激，就落下了病根，舌头不辨百味。"

"惨死？"云歌满心震惊。

大公子笑瞅着云歌："云丫头，你打算嫁给孟珏吗？"

云歌气瞪着他，"你胡说八道什么？别忘了，你现在住在我家里，得罪了我，赶你出门。"

"你不打算嫁给孟珏，打听人家这么多事情干吗？他的事情，我只是半清楚，半不清楚，你若想知道，直接去问他。不过……"大公子就着红衣的手喝了口茶，牵着红衣出了院子，"不过，我的建议是什么都不要问。每个人都有些事情，只想忘记，只想深埋，何必非要把那些陈芝麻烂谷子的事情都扒出来呢？"

大公子把她想成什么人了？云歌对着大公子的背影挥了下拳头。她不过是想知道孟珏没有味觉的原因，看是否有可能治好，云歌实在无法想象一个人吃什么都没有味道的生活。

继而又无力地重重叹了口气，为什么他们都有想忘记、想深埋的事情？

刘病已如此，孟珏也如此。

她曾很多次想问一下刘病已过去的事情，想问问他这些年怎么过的？也想试探一下他还记得几分当年西域的事情，却感觉出刘病已一点都不想回顾过去，甚至十分避讳他人问，所以一句不敢多说，难道以后对孟珏也要如此？

云歌心情低落，无意识地像小时候一样，爬到了树上坐着发呆。

看到一个身形像刘病已的人从院外经过，云歌揉了揉眼睛看第二眼。看完第二眼，第三眼，眼睛一揉再揉后，她终于确定那个身杆笔直，走路端正，神情严肃认真的人的确是大哥。

吊儿郎当，漫不经心，懒洋洋的像刚爬起床的笑，慵懒的像随时随地可以倒下睡的步履，这些都不见了！

走在大哥前面的人是谁？竟然能让大哥变了个人？

云歌蹑手蹑脚地悄悄翻进了刘病已的院子，却不料看到的是那个人神情恭敬地请刘病已坐。

刘病已推了几次，没有推掉，只能执晚辈之礼坐下，老者却好像不敢接受，立即避开，等刘病已坐好后才坐到了下首位置。

张贺沉默地打量着屋子，眼睛慢慢潮湿。家徒四壁，屋子中唯一的一点暖意就是桌上陶土瓶子中插着的一簇野花。

张贺按下心酸，笑着说："收拾得很干净，不像是你自己做的。是谁家姑娘帮的忙？"

刘病已回道："许家妹子偶尔过来照应一下。"

"许广汉的丫头？"

"嗯。"

"病已，你也到成家的年龄了，可有中意的人？家里一定要有个女人才能像个家。"

刘病已怔了一下，低下了头。

张贺等了半晌，刘病已仍不说话。"病已，如果你没有中意的人，我倒是有门亲事想说给你。"

刘病已抬头道："张伯伯，我这样的身份娶谁是害谁。再说，谁家能看上我这家徒四壁的人？我现在过得很好，一人吃饱，全家不愁，不想考虑这些事情……"

刘病已话没说完，张贺已经大怒地站起来，气指着刘病已："你说的是什么混账话？你爷爷、你爹爹、你叔叔们费尽心机，那么多人舍掉性命保住你这唯一的血脉，就是让你给他们绝后的吗？你看看你现在的样子！你对得起谁？你让他们在地下怎么心安？多少条人命呀！你……你……"说到后来，老泪纵横，话不成语。

刘病已沉默地坐着，身躯僵硬，眼中满是沉痛。

张贺突然向刘病已弯身跪下，"咚咚"地开始磕头。刘病已惊乱下，一个翻身跪倒也朝张贺磕头，丝毫不愿受张贺的大礼。

张贺哭着说："你若还念着你爷爷和爹娘，就听我几句劝，如果你实在听不进去，我也不敢多唠叨。我只是忘不掉那些血淋淋的人命，多少人为了保住你的性命，家破人亡、甚至全族尽灭，就是为了留一点血脉，指望着你能开枝散叶……"

刘病已双手深深地掐入了地下，却还不自知，看似木然的眼中有着深入骨髓的无可奈何。望着张贺已经泛红的额头，他扶住了张贺，漠然却坚定地说："张伯伯，你起来说话，我的命是你们给的，病已永不敢忘，伯伯的安排，病已一定遵从。"

"好，那就说定了！这件事情交给我来安排，你就安心等我的好消息。我今年内一定要喝到你的喜酒。"张贺行事果决刚毅，雷厉风行，颇有豪客之风，悲伤还未去，语声却铿锵有力。正事说完，一句废话都没有地出门离去。

张贺和刘病已的对话，有时候刻意压低了声音，有时候夹着哭音，云歌并没有听真切，但模糊中捕捉到的几句话，已经让她明白他们在说大哥的亲事。

云歌缩在墙角默默发呆，连张贺何时离去都没有察觉。千头万绪，只觉心内难言的滋味。

刘病已在屋子内也是沉默地坐着，很久后，忽地叫道："云歌，还在外面吗？"

云歌揉着发麻的腿，一瘸一拐地走出来，强笑着问："大哥，你知道我偷听？"

刘病已的语声第一次毫不掩饰地透出难以背负的疲惫和忧伤，"云歌，去取些酒来。我现在只想大醉一场，什么都不想再想，什么都想忘记。"

忘记？流在身上的血时刻提醒着他，他怎么忘得了？

借酒浇愁，愁更愁！

醉了的刘病已，杯子都已经拿不稳，却仍是一杯又一杯。

云歌陪着他喝了不少，也有七分醉意，拽着刘病已的胳膊问："大哥，大哥……陵哥哥，陵哥哥，我是云歌，我是云歌呀！你有没有想起一点我？我从来没有忘记许诺，我不是小猪，你才是小猪！"

刘病已趴在桌上，笑着去揉云歌的头，却是看见两个云歌在晃悠，手摇摇晃晃地落在了云歌脸上，"云歌，我记得，你叫云歌……我不想记得，我想都忘了，忘记我姓刘，忘记那些鲜红的血……人命……云歌，我不想记得……"

"陵哥哥，我送你的绣鞋呢？你记得吗？你还问我知道不知道送绣鞋的意思，我当时不知道，后来就知道了。你叮嘱我不要忘记，我没有忘记，我一直记着的，我们之间有约定……"

两个人一问一答，自说自话，各怀心事，一会儿笑，一会儿悲。

孟珏在云歌屋中没有找到她，从墙头落入刘病已院中时，看到的就是云歌脸通红，依在刘病已肩头，正闭着眼睛絮絮念叨："我的珍珠绣鞋呢？你弄丢了吗？"

孟珏眼内黑沉沉的风暴卷动着，欲绞碎一切。他进屋把云歌从刘病已怀里抱了出来。

刘病已想伸手拽云歌，"云歌……"却是身子晃了晃，重重摔在了地上，他努力想站起来，却只能如受伤绝望的虫子一般，在地上挣扎。

孟珏毫无搀扶相帮的意思，厌恶冷漠地看了刘病已一眼，如看死人，转身就走。

"那么多人命……那么多人命……血淋淋的人命……"

孟珏闻声，步履刹那僵住，全身的血液都像在仇恨中沸腾，却又好似结成了悲伤的寒冰，把他的身子一寸寸地冻在门口。

刘病已蓦然捶着地大笑起来："……血淋淋……你们问过我吗？问过我究竟想不想活？究竟要不要你们牺牲？背负着上百条人命地活着是什么滋味？一个人孤零零地活着是什么滋味？什么事都不能对人言是什么滋味？没有一点希望地活着是什么滋味……不能做任何事情，连像普通人一样生活都是奢望。我的命就是来受罪和接受惩罚的，怎能容我像普通百姓一样生活？……连选择死亡的资格都没有……因为必须要活着……因为我欠了那么多条人命……即使一事无成，什么都不能做，像狗一样……也要活着……如果当日就死了，至少有父母姐妹相伴，不会有幼时的辱骂毒打，不会有朝不保夕的逃亡……也不会有如今的煎熬……"

孟珏的眼前闪过了他永不愿再想起，却也绝不能忘记的一切，那些为了活下去而苦苦挣扎的日子。

饿极时，为了活着，他从狗嘴里抢过食物，被狗主人发现后的讥笑唾骂。

和野狗抢夺过死人，只是为了死人身上的衣服。

母亲断气后，眼睛依旧大大地睁着。酷刑中，母亲的骨头被一寸寸敲碎，食指却固执地指着西方。死不能瞑目的她，以为年少时离开的家乡能给儿子栖身之地，却怎么知道她的儿子在那个地方有另外一个名字，叫"杂种"。

除夕晚上，家家都深锁门，围炉而坐，赏着瑞雪，欢庆着新的一年，憧憬着来年的丰收，他却躺在雪地里，木然地看着满天飞雪飘下，远处一只被猎人打瞎了一只眼睛的老狼正徘徊估量着彼此的力量。他已经没有力气再挣扎。太累了，就这样睡去吧！娘亲、弟弟都在另一个世界等着他……

弟弟的哭泣声传来："爹爹，我的名字不叫刘询，我不要做卫皇孙，我是你的华儿……大哥，救我，大哥，救我……"都说虎毒不食子，可他亲眼看到父亲为了不让弟弟说话泄漏身份，把弟弟刺哑，那个三岁的小人儿，被人抱着离开时，似乎已经明白他心目中最聪明的哥哥这次也救不了他了，不再哭泣，没有眼泪，只一直望着他，眼内无限眷念不舍，弟弟还努力挤出了一个微弱的笑，嘴一开一合，却没有一点声音，可他听懂了，"哥哥，不哭！我不疼。"

他在哭吗？他的视线模糊，他想擦去眼泪，努力看清楚弟弟，可双手被缚……

仇恨绝望会逼得人去死，却也会逼得人不惜一切活下去。

那只半瞎的老狼想咬断他的咽喉，用他的血肉使自己活到来年春天，可最终却死在了他的牙下。当人心充满了仇恨和绝望时，人和野兽是没有区别的，唯一的不同就是人更聪明，更有耐心，所以狼死，他活。

……

刘病已脸贴着地面，昏醉了过去，手仍紧紧地握成拳头，像是不甘命运，欲击打而出，但连出拳的目标都找不着，只能软软垂落。

屋内的灯芯因为长时间没有人挑，光芒逐渐微弱。昏暗的灯光映着地上一身污渍的人，映着屋外丰姿玉立的人。时间好像静止，却又毫不留情任由黑暗席卷，"毕剥"一声，油灯完全熄灭。

孟珏仍一动不动地站着，直到云歌嘟囔了一声，他才惊醒。云歌似有些畏冷，无意识地往他怀里钻，他将云歌抱得更紧了些，迎着冷风，步履坚定地步入了黑暗。

孟珏抱着云歌到许平君家踢了踢门，许母开门后看到门外男子抱着女子的狎昵样子，惊得扯着嗓子就叫，正在后屋喂蚕的许平君立即跑出来。

孟珏盯了许母一眼，虽是笑着，可泼悍的许母只觉如三伏天兜头一盆子冰水，全身一个哆嗦，从头寒到脚，张着嘴什么声音都发不出来。

"平君，病已喝醉了，有空过去照顾下他。"

孟珏说完，立即抱着云歌扬长而去。

"孟大哥，你带云歌去哪里？"

孟珏好像完全没有听见许平君的问话，身影快速地消失在夜色中。

第二日，云歌醒来时，怎么都想不明白，自己明明是和刘病已喝酒，怎么就喝到了孟珏处？

躺在榻上，努力地想了又想，模模糊糊地记起一些事情，却又觉得肯定是做梦。

在梦中似乎和刘病已相认了，看到了小时候的珍珠绣鞋，甚至握在了手里，还有无数个记得吗？记得吗？似乎是她问一个人，又似乎是一个人在问她。

"还不起来吗？"孟珏坐在榻边问。

云歌往被子里面缩了缩，"喂！玉之王，你是男的，我是女的，我们男女有别！我还在睡觉，你坐在我旁边不妥当吧？"

孟珏笑意淡淡，"你以为昨天晚上是谁抱着你过来？是谁给你脱的鞋袜和衣裙？是谁把你安置在榻上？"

云歌沉默了一瞬，两瞬，三瞬后，从不能相信到终于接受了残酷的现实，扯着嗓子惊叫起来，"啊——"拽起枕头就朝孟珏扔过去，"你个伪君子！所有人都被你骗了，什么谦谦君子？"

孟珏轻松地接住枕头，淡淡又冷冷地看着云歌。

云歌低头一看自己，只穿着中衣，立即又缩回被子中，"伪君子！伪君子！以前那些事情，看在你是为了救我，我就不和你计较了，这次你又……你又……呜呜呜……"云歌拿被子捂住了头，琢磨着自己究竟吃了多大亏，又怎样才能挽回。

孟珏的声音，隔着被子听来，有些模糊，"这次是让你记住不要随便和男人喝酒，下次再喝醉，会发生什么我就不知道了。"

云歌蒙着头，一声不吭。想起醉酒的原因，只觉疲惫。

很久后，孟珏叹了口气，俯下身子说："别生气了，都是吓唬你的，是命侍女服侍的你。"

隔着不厚的被子，云歌觉得孟珏的唇似乎就在自己脸颊附近，脸烧起来。

孟珏掰开云歌紧拽着被子的手，轻握到了手里，像捧着梦中的珍宝，"云歌，云歌……"

一叠叠，若有若无，细碎到近乎呢喃的声音。

似拒绝，似接受。

似痛苦，似欢喜。

似提醒，似忘却。

却有一种荡气回肠的魔力。

云歌不知道孟珏究竟想说什么，只知道自己心的一角在溶化。

云歌心中慢慢坚定，不是早已经有了决定吗？事情临头，却怎么又乱了心思？对大哥要成家的事情最难过的肯定不是自己，而是许姐姐。

云歌找到许平君时，许平君正和红衣一起在屋中做女红。

"许姐姐。"云歌朝红衣笑了笑，顾不上多解释，拽着许平君的衣袖就往外走，看四周无人，"许姐姐，大哥要成家了，昨天一个伯伯来找大哥说了好一会儿话，说是要给大哥说亲事。这事我已经仔细想过了，如果有孟珏帮忙，也许……"

云歌一脸迫切，许平君却一声不吭，云歌不禁问："姐姐，你……你不着急吗？"

许平君不敢看云歌，眼睛望着别处说："我已经知道了。你说的伯伯是张伯伯，是我爹以前的上司，昨天晚上他请了我爹去喝酒，爹喝得大醉，很晚才回来，今日清醒后，才稀里糊涂地和我娘说，他似乎答应了张伯伯一门亲事。"

云歌轻轻啊了一声，怔怔站了一会儿，抱着许平君跳起来，笑着说："姐姐，姐姐，你应该开心呀！我昨天亲耳听到大哥说一切都听张伯伯做主，像对父亲一样呢！父母命，媒妁言，都有了！"

许平君看到云歌的样子，轻揉了揉云歌的头，笑了起来，三分羞三分喜三分愁，"我娘还不见得答应，你知道我娘，她现在一门心思觉得我要嫁贵人，哪里看得上病已？"

云歌嘻嘻笑着："不怕，不怕，你不是说张伯伯是你爹以前的上司吗？张伯伯现在还在做官吧？你爹既然已经答应了张伯伯，那一切都肯定反悔不了，你娘不乐意也不行。实在不行，请张伯伯那边多下些聘礼，我现在没钱，但可以先和孟珏借一点，给你下了聘再说，你娘见了钱，估计也就唠叨唠叨了。"

许平君笑点了点云歌额头，"就你鬼主意多。"

刘病已刚见过张贺，知道一切已定。回忆起和许平君少时相识，到今日的种种，心内滋味难述。平君容貌出众，人又能干，嫁给他，其实是他高攀了，可是纵然举案齐眉，到底……

刘病已暗嘲，他有什么资格可是呢？

许平君看见刘病已进来，立即低下了头，脸颊晕红，扭身要走。

刘病已拦住了她，脸上也几分尴尬，想说什么却说不出来的样子，许平君的头越发垂得低。

云歌看到二人的模样，沉默地就要离去。

"云歌，等等。"刘病已看了眼许平君，从怀里摸出一个小布包，打开后，是一对镯子。

"平君妹子，你是最好的姑娘，我一直都盼着你能过得好。你若跟着我，肯定要吃苦受罪，我给不了你……"

许平君抬起头，脸颊晕红，却坚定地看着刘病已，"病已，我不怕吃苦，我只知道，如果我嫁给了别人，那我才是受罪。"

刘病已被许平君的坦白直率所震，愣了一下后，笑着摇头，语中有怜："真是个傻丫头。"

他牵起许平君的手，将一只镯子拢到了许平君的手腕上，"张伯伯说这是我娘带过的东西，这个就算作我的文定之礼了。"

许平君摸着手上的镯子，一面笑着，一面眼泪纷纷而落。这么多年的心事，百转千回后，直到这一刻，终于在一只镯子中成了现实。

刘病已把另外一只镯子递给云歌，"云歌，这只给你。听说我本来有一个妹妹的，可是已经……"刘病已笑着摇摇头，"大哥想你拿着这只镯子。"

云歌迟疑着没有去接。

许平君隐约间明白了几分刘病已特意当着她面如此做的原因，心里透出欢喜，真心实意地对云歌说："云歌，收下吧！我也想你戴着，我们不是姐妹吗？"

云歌半是心酸半是开心地接过，套在了腕上，"谢谢大哥，谢谢……嫂子。"

许平君红着脸，啐了一声云歌，扭身就走。

云歌大笑起来，一面笑着，一面跑向自己的屋子，进了屋后，却是一头就扑到了榻上，被子很快就被浸湿。

"你知道女子送绣鞋给男子是什么意思吗？"

"我收下了。云歌，你也一定要记住。"

"以星辰为盟，绝无悔改。"

"下次再讲也来得及，等你到长安后，我们会有很多时间听你讲故事。"

从她懂事那天起，从她明白了这个约定的意义起，她就从没有怀疑过这个誓言会不能实现。

她一日都没有忘记。

她每去一个地方都会特意搜集了故事，等着有一天讲给他听。

她每认识一个人，都会想着她有陵哥哥。

她每做了一道好吃的菜，都会想着他吃了会是什么表情，肯定会笑，会像那天一样，有很多星星溶化在他的眼睛里。

她一直以为有一个人在远处等她。

她一直以为他也会和她一样，会在夜晚一个人凝视星空，会默默回想着认识时的每一个细节，会幻想着再见时的场景。

她一直以为他也和她一样，会偏爱星空……

言犹在耳，却已经人事全非。

原来这么多年，一切都只不过是她一个人的镜花水月，一个人的独角戏。

屋外，孟珏想进云歌的屋子，大公子拦住了他，"让云歌一个人静一静。小珏，好手段，干净利落！"

孟珏笑："这次你可是猜错了。"

"不是你，还能是谁？刘病已的事情，这世上知道最清楚的莫过于你。"

孟珏笑得淡然悠远，既没有承认，也没有再反驳，"面对如今的局势，王上就没有几分心动吗？与其荒唐地放纵自己，不如尽力一搏，做自己想做的事情，你就真愿意沉溺在脂粉香中过一辈子吗？大丈夫生于天地间，本就该激扬意气、指点江山。"

大公子愣了一下，笑道："你当过我是藩王吗？别叫得我全身发寒！很抱歉，又要浪费你的这番攻心言语了。看看刘弗陵的境况，我对那个位置没有兴趣。先皇心思过人，冷酷无情，疑心又极重，天下间除了自己谁都不信，会真正相信四个外姓的托孤大臣？他对今日皇权旁落的局面不见得没有预料和后招。刘弗陵能让先皇看上，冒险把江山交托，也绝非一般人。看他这次处理'刺客'事件，就已经可窥得几分端倪，霍光迟迟不能查清楚，刘弗陵却一字不提，反对霍光更加倚重，桑弘羊暗中去查羽林营，他只装不知，上官桀几次来势汹汹的进言，都被他轻描淡写地化解了。刘弗陵什么都没有做，就使一个意外的'刺客'为他所用。我警告你，把你越了界的心趁早收起来，我这个人胆子小，说不定一时经不得吓，就说出什么不该说的话。"大公子顿了顿，又笑嘻嘻地说，"不过你放心，我答应你的事情，一定做到。"

孟珏对大公子的答案似早在预料中，神色未有任何变化，只笑问："王上什么时候离开长安？"

大公子也是笑："你这是担心我的生死？还是怕我乱了你的棋局？我的事情还轮不到你操心，我想走的时候自然会走。"

孟珏微笑，一派倜傥，"大哥，你的生死我是不关心的，不过我视红衣为妹，红衣若因为你有了半点闪失，我会新账、老账和你一起算。"孟珏说话语气十分温和，就像弟弟对着兄长说话，表露的意思却满是寒意。

大公子听到"大哥"二字，笑意僵住，怔怔地看了会儿孟珏，转身离去，往昔风流荡然无存，背影竟是十分萧索，"长安城的局势已是绷紧的弦，燕王和上官桀都不是容易对付的人，你一切小心。"

孟珏目送着大公子的背影离去，唇微动，似乎想说什么，最终却只是淡淡地看着大公子消失在夜色中。

孟珏立在云歌门外，想敲门，却又缓缓放下了手。

背靠着门坐在台阶上，索性看起了星空。

似乎很久没有如此安静地看过天空了。

孟珏看着一钩月牙从东边缓缓爬过了中天。

听着屋内细碎的呜咽声渐渐消失。

听到云歌倒水的声音，听到她被水烫了，把杯子摔到地上的声音。

听到她走路，却撞到桌子的声音。

听到她躺下又起来的声音。

听到她推开窗户，倚着窗口看向天空。

而他只与她隔着窗扉、一步之遥。

听到她又关上窗户，回去睡觉……

孟珏对着星空想，她已经睡下了，他该走了，他该走了……可星空这般美丽安静……

云歌一夜辗转，断断续续地打了几个盹，天边刚露白，就再也睡不下去，索性起床。

拉开门时，一个东西咕咚一下栽了进来，她下意识地跳开，待看清楚，发现居然是孟珏。

他正躺在地上，睡眼蒙眬地望着她，似乎一时也不明白自己置身何地。

一瞬后，他一边揉着被跌疼的头，一边站起来向外走，一句话都不说。

云歌一头雾水，"喂，玉之王，你怎么在这里？"

孟珏头未回，"喝醉了，找大公子走错了地方。"

云歌进进出出了一早上，总觉得哪里不对，又一直想不分明。后

来才猛然发觉，从清早到现在没有见过大公子和红衣。推开他们借住的屋门，墙壁上四个龙飞凤舞的大字"告辞，不送"。

许平君问："写的什么？"

"他们走了。"

两个人对着墙壁发了一会儿呆，许平君喃喃说："真是来得突然，走得更突然，倒是省了两个人的喜酒。"

云歌皱着眉头看着墙上的字，"字倒是写得不错。可是为什么写在我的墙上？他知不知道糊一次墙有多麻烦？"

许平君点了点头，表示同意，"可惜大公子既不是才子，也不是名人，否则字拓了下来，倒是可以换些钱，正好糊墙。不过这些他用过的东西，都是最好的，可以卖到当铺去。"

云歌和许平君都是喜聚不喜散的人，这几日又和红衣、大公子笑闹惯了，尤其对红衣，两人都是打心眼里喜欢。不料他们突然就离去，云歌和许平君两人说着不相干的废话，好像不在意，心里却都有些空落。

"云歌，你说我们什么时候能再见到红衣？"

"有热闹的时候呗！大公子哪里热闹往哪里钻，红衣是他的影子，见到了大公子，自然就见到红衣了。"

许平君听到"影子"二字，觉得云歌的形容绝妙贴切，红衣可不就像大公子的影子吗？悄无声息，却如影随形、时刻相伴，下意识地低头，一看却是一愣，心中触动，不禁叹了口气。

云歌问："许姐姐？"

许平君指了指云歌的脚下。

恰是正午，明亮的太阳当空照，四处都亮堂堂，什么都看得清清楚楚，影子却几乎看不见。

云歌低头一看也是叹了口气，不愿许平君胡思乱想，抬头笑道："好嫂嫂，就要做新娘子了，大红的嫁衣穿上，即使天全黑了，也人人都看得见。哎呀！还没有见过嫂嫂给自己做的嫁衣呢！嫂嫂的能干是少陵原出了名的，嫁衣一定十二分的漂亮，大哥见了，定会看呆了……"

许平君脸一红，心内甜蜜喜悦，却是板着脸瞪了一眼云歌，转身就走，"一个姑娘家，却和街上的汉子一样，满嘴的混账话！"身后犹传来云歌的笑声："咦？为什么我每次一叫'嫂嫂'，有人就红脸瞪眼？"

许平君不曾回头，所以没有看到欢快的笑语下，却是一双凝视着树的影子的悲伤眼睛。

　　因为许母事先警告过刘病已不许请游侠客，说什么"许家的亲戚都是安分守己的良民，看到游侠客会连酒都不敢喝"，所以刘病已和许平君的婚宴来的几乎全是许家的亲戚。

　　十桌的酒席，女方许家坐了九桌。男方只用了一桌，还只坐了两个人——云歌和孟珏。人虽少，许家的亲朋倒是没有一个人敢轻视他们。

　　刚开始，孟珏未到时，许家的客人一面吃着刘病已的喜酒，一面私下里窃窃私语，难掩嘲笑。

　　哪有人娶亲是在女方家办酒席的？还只云歌一个亲朋。落魄寒酸至此也是世上罕见。虽然张贺是主婚人，可人人都以为他的出席，是因为曾是许广汉的上司，是和许家的交情，张贺本就不方便解释他和刘病已认识，只能顺水推舟任由众人误会。

　　许母的脸色越来越难看，许广汉喝酒的头越垂越低，云歌越来越紧张。这是大哥和许姐姐一生一次的日子，可千万不要被这些人给毁了。

　　云歌正紧张时，孟珏一袭锦袍，翩翩而来。

众人满面惊讶，觉得是来人走错了地方。

当知道孟珏是刘病已的朋友，孟珏送的礼金又是长安城内的一纸屋契。七姑八婆的嘴终于被封住。

许母又有了嫁女的喜色，许广汉喝酒的头也慢慢抬了起来，张贺却是惊疑不定地盯着孟珏打量。

三叔四婶，七姑八婆，纷纷打听孟珏的来历，一个个轮番找了借口上来和孟珏攀谈。孟珏是来者不拒，笑容温和亲切，风姿无懈可击，和打铁的能聊打铁，和卖烧饼的能聊小本生意如何艰难，和耕田的聊天气，和老婆婆还能聊腰酸背疼时如何保养，什么叫长袖善舞、圆滑周到，云歌真正见识到了。一个孟珏让满座皆醉，人人都欢笑不绝。

喝了几杯酒后，有大胆的人，借着酒意问孟珏娶妻了没有。话题一旦被打开，立即如洪水不可阻挡，家里有适龄姑娘，亲戚有适龄姑娘，朋友有适龄姑娘，亲戚的亲戚，朋友的朋友，亲戚的亲戚的亲戚，朋友的朋友的朋友……

云歌第一次知道原来长安城附近居然有这么多才貌双全的姑娘，一家更比一家好。

孟珏微笑而听，云歌微笑喝酒。

因为和陵哥哥的约定，云歌一直觉得自己像一个已有婚约的女子，只要婚约在一日，她一日就不敢真正放下，甚至每当刘病已看到她和孟珏在一起，她都会有负疚感。

今日，这个她自己给自己下的咒语已经打破。

那厢的少时故友一身红袍，正挨桌给人敬酒。

其实自从见到刘病已的那刻起，云歌就知道他是刘病已，是她的大哥，不是她心中描摹过的陵哥哥。很多时候，她觉得自己对刘病已的亲近感更像自己对二哥和三哥的感觉。

现在坐在这里，坐在他的婚宴上，她更加肯定地知道她是真心地为大哥和许姐姐高兴，没有丝毫勉强假装。此时心中的伤感怅惘，哀悼的是一段过去，一个约定，哀悼的是记忆中和想象中的陵哥哥，而不是大哥。

这厢身边所坐的人，面上一直挂着春风般的微笑，认真地倾听每一个和他说话人的话语，好像每一个都是很重要的人。

他的心思，云歌怎么都看不透。若有情，似无意。耳里听着别人给他介绍亲事，她不禁朝着酒杯里自己的倒影笑了。这些人若知道孟珏是霍成君的座上宾，不知道还有谁敢在这里唠叨？

而我是他的妹妹？

妹妹！云歌又笑着大饮了一杯。

有人求许母帮忙说话，证明自己说的姑娘比别家更好，也有意借许母是刘病已岳母的身份，让孟珏答应考虑他的提议。

喜出风头的许母刚要张口，看到云歌，忽想起那夜孟珏抱着云歌的眼神，立即又感到一股凉意。虽然现在怎么看孟珏，都觉得那日肯定是自己的错觉，可仍然罕见地保持了沉默。

孟珏摁住了云歌倒酒的手，"别喝了。"

"要你管？"

"如果你不怕喝醉了说胡话，请继续。"孟珏笑把酒壶推到了云歌面前。

云歌怔怔看了会儿酒壶，默默拿过了茶壶，一杯杯喝起茶来。

婚宴出人意料地圆满。因为孟珏，人人都喜气洋洋，觉得吃得好，喝得好，聊得更好。步履蹒跚地离开时，还不忘叮嘱孟珏他们提到的姑娘有多好。

刘病已亲自送孟珏和云歌出来，三人沉默地并肩而行。

没有了鼓乐声喧，气氛有些怪异，云歌刚想告别，却见孟珏和刘病已对视一眼，身形交错，把她护在中间。

刘病已看着漆黑的暗影处笑着问："不知何方兄台大驾光临，有何指教？"

一个人弯着身子钻了出来，待看清楚是何小七，刘病已的戒备淡去，"小七，你躲在这里干什么？"

"我怕被许家那只母大虫看见，她又会唠叨大哥。"看刘病已蹙眉，何小七嘻嘻笑着摸了摸头，油嘴滑舌地又补道："错了，错了。以后再不乱叫了，谁叫我们大哥摘了许家的美人花呢？我们不看哥面，也要看美人嫂子的面呀！"

刘病已笑骂："有什么事赶紧说！说完了滚回去睡觉！"

何小七从怀里掏出一个小盒子，双手奉上，一脸诚挚地说着搜肠刮肚想出的祝词："大哥，这是我们兄弟的一点心意。祝大哥大嫂白头偕老、百子千孙、燕燕于飞、鸳鸯戏水、鱼水交欢、金枪不倒……"

刘病已再不敢听下去，忙敲了何小七一拳，"够了，够了！"

"大哥，我还没有说完呢！兄弟们觉得粗鄙的言语配不上大哥，我可是想了好几日，才想了这一串四个字的话……"

刘病已哭笑不得，"难得想了那么多，省着点，留着下次哪个兄弟成婚再用。"

何小七一听，觉得很有理，连连点头："还是大哥考虑周全。"

云歌没忍住，"扑哧"一声笑了出来，孟珏瞅了她一眼，她立即脸烧得通红。

刘病已打开盒子看了一眼，刚想说话，何小七立即赶着说："大哥，兄弟们都知道你的规矩，这里面的东西不是偷，不是骗，更不是抢的，是我们老老实实赚钱凑的份子。我是认认真真当了一个月的挑夫，黑子是认认真真地乞讨，麻子哥去打铁……"何小七说着把自己的手凑到刘病已眼前让他看，以示自己绝无虚言。

刘病已觉得手中的盒子沉甸甸地重，握着盒子的手紧了紧，拍了下何小七的肩膀，强笑着说："我收下了。多谢你们！大哥不能请你们喝喜酒……"

何小七嘻嘻笑着："大哥，你别往心里去，兄弟们心里都明白。我们兄弟哪天没有喝酒的机会？也不少这一天。我这就滚回去睡觉了。"说完，袖着手一溜烟地跑走了。

孟珏凝视着何小七的背影，神情似有几分触动，对刘病已说："其实你比长安城的很多人都富有。"

刘病已淡淡一笑，把孟珏送给他的屋契递回给孟珏，"多谢孟兄美意，今日替我压了场子。"

孟珏瞟了眼，没有接，"平君一直管我叫大哥，这是我对平君成婚的心意。你能送云歌镯子，我就不能送平君一份礼？"

刘病已沉默地看着孟珏。

云歌半恼半羞。平君是刘病已的妻，她是孟珏的什么人？这算什么礼对礼？当日送镯子时只有她、许姐姐、刘病已知道，孟珏是如何知道的？

"孟石头，你说什么呢？你送你的礼，扯上我干吗？大哥，你和许姐姐都是孟石头的朋友，这是孟石头的心意，你就收下吧！反正孟石头还没有成婚，还有一个回礼等着呢！大哥占不了便宜的。"

孟珏笑说："新郎官，春宵一刻值千金，不用再送了，赶紧回去看新娘子吧！"说完，拖着云歌离开。

走出老远，直到到了家门口，却仍不见他松手。

云歌挣了几下，没有挣脱，本来心中就不痛快，强颜欢笑了一个晚上，现在脾气全被激起，低着头一口咬了下去，看他松不松手？

云歌咬的力道不轻，孟珏却没有任何声息。

云歌心中发寒，难道这个人不仅失去了味觉，连痛觉也失去了？抬头疑惑地看向他。

夜色漆黑，孟珏的眼眸却比夜色更漆黑，像个深不见底的黑洞，吞噬着一切，卷着她也要坠进去。云歌仓皇想逃，用力拽着自己的手，孟珏猛然放开了她，云歌失力向后摔去，云歌赶忙后退，想稳住自己的身形，却忘了身后就是门槛，一声惊叫未出口，就摔在了地上。

"孟石头！"云歌揉着发疼的屁股，怒火冲头。

孟珏笑得好整以暇，"不放开你，你生气，放开你，你也生气。云歌，你究竟想要什么？"

孟珏这话说得颇有些意思，云歌气极反笑，站起来，整理好衣裙，语声柔柔："孟珏，你又想要什么？一时好，一时坏，一会儿远，一会儿近，嘲笑他人前，可想过自己？"

孟珏笑说："我想要的一直都很清楚明白。云歌，如果舍不得，就去争取，既然不肯争，就别在那里顾影自怜。不过也许你从小到大根本就不知道什么叫'争取'，任何东西都有父母兄长捧到你眼前供你挑选，不知道世间大多数人都是要努力争取自己想要的东西。"

云歌盯着孟珏，疑惑地问："孟石头，你在生气？生我的气？"

孟珏怔了一下，笑着转身离去，"因你为了另一个人伤心，我生气？你未免太高看自己。"生气，是最不该有的情绪。对解决问题毫无帮助，只会影响一个人的判断和冷静，他以为这个情绪早已经被他从身上抹去了。可是，这一刻他才意识到，他竟然真的在生气。

"孟珏，你听着：首先，人和东西不一样。其次，我'顾影自怜'的原因，你占了一半。"云歌说完话，砰的一声就甩上了门。

孟珏唇边的笑意未变，脚步只微微顿了下，就依旧踏着月色，好似从容坚定地走在自己的路上。

云歌愁眉苦脸地趴在桌子上。

常叔大道理小道理讲了一个多时辰，却仍旧嘴不干，舌不燥，上嘴唇碰下嘴唇，一个磕巴都不打。

一旁的许平君听得已经睡过去又醒来了好几次。她心里惦记着要酿酒干活，可常叔在，她又不想当着常叔的面配酒，只能等常叔走。却不料常叔的唠叨功可以和她母亲一较长短。忍无可忍，倒了杯茶给常叔，想用水堵住他的嘴。

常叔以非常赞许的目光看着许平君，再用非常不赞许的目光看向云歌，"还是平君丫头知人冷暖，懂得体谅人。平君呀，我现在不渴，过会儿喝。云歌呀，你再仔细琢磨琢磨……"

许平君将茶杯强行塞到常叔手中，"常叔说了这么久，先润润喉休息休息。"

许平君的语气阴森森的，常叔打了冷战，吞下了已经到嘴边的"不"字，乖乖捧着茶杯喝起来。

终于清静了！许平君揉了揉太阳穴，"云歌，公主是金口玉言，你根本没有资格拒绝。不过你若实在不想去，有个人也许可以帮你。孟大哥认识的人很多，办法也多，你去找他，看看他有没有办法帮你推掉。"

"我不想再欠他人情。"云歌的脸垮得越发难看。

"那你就去。反正长安城里做菜是做，甘泉宫中做菜也是做，有什么区别呢？你想，就因为皇帝在甘泉山上建了个行宫，一般人连接近甘泉山的机会都没了，你可以进去玩一趟，多好！听说甘泉山的风光极好，你就全当出去玩一趟，不但不用自己掏钱，还有人给你钱。上次我们给公主做菜，得的钱都赶上平常人家一年的开销了。这次你若愿意，我依旧陪你一块儿去。"

常叔频频点头，刚想开口，看到许平君瞪着他，又立即闭嘴。

云歌郁郁地叹了口气，"就这样吧！"

常叔立即扔下茶杯，倒是知趣，只朝许平君拱拱手做谢，满面笑意地出了门。

"许姐姐，你不要陪大哥吗？"

一提到刘病已，许平君立即笑了，"来回就几天工夫，他又不是小孩子，能照顾好自己。嗯……云歌，不瞒你，我想趁着现在有闲工夫多赚些钱，所以借你的光，跟你走一趟。等以后有了孩子，开销大，手却不得闲……"

"啊！你有孩子了？你怀孕了？才成婚一个月……啊！大哥知道不知道？啊！"云歌从席上跳了起来，边蹦边嚷。

许平君一把捂住了云歌的嘴，"真是傻丫头！哪里能那么快？这只是我的计划！计划！亏你还读过书，连我这个不识字的人都听说过未雨绸缪。难道真要等到自己怀孕了才去着急？"

云歌安静了下来，笑抱住许平君，"空欢喜一场，还以为我可以做姑姑了。"

许平君笑盈盈地说："我算过账了，以后的日子只要平平安安，最大的出账就是给孟大哥和你的成婚礼，这个是绝对不能省的，不过……"许平君拧了拧云歌的鼻子，"你若心疼我和你大哥的钱，最好嫁给孟大哥算了，我们花费一笔钱就打发了你们两个人……"

云歌一下推开了许平君，"要赚钱的人，赶紧去酿酒，别在这里说胡话。"

许平君笑着拿起箩筐到院子里干活，虽然手脚不停，忙碌操劳，却是一脸的幸福。

云歌不禁也抿着唇笑起来，笑着笑着却叹了口气。

许平君侧头看了她一眼，"这一个月没见到孟大哥，某些人叹气的功夫倒是越练越好了。"

云歌捂住了耳朵，"你别左一个'孟大哥'，右一个'孟大哥'好不好？听得人厌烦！"

许平君笑着摇头，不再理会云歌，专心酿酒，任由云歌趴在桌上发呆。

云歌和许平君虽然是奉公主的旨意而来，却一直未曾见到公主。只有一个公主的内侍总管来传达了公主对云歌菜肴的赞美，又吩咐云歌尽心听公主的吩咐，只要做好菜，公主一定会重重赏赐。

想是因为出行，防卫格外严，云歌和许平君都被搜了身，还被叮嘱，未有吩咐不可随意行动，不过虽然查得严格，但所有人对她们的态度都很有礼，让云歌心中略微舒服了一点。

云歌和许平君共坐一辆马车，随在公主的车舆后出了长安。

出门前云歌虽然很不情愿，可当马车真的行在野外时，她却很开心，一路撩着帘子，享受着郊外的风光。

到了甘泉宫后，云歌和许平君住一屋。

公主的总管说因为云歌和许平君不懂规矩，所以吩咐别的侍女多帮着云歌和许平君，出了差错唯她们是问。

虽然严厉的话是朝公主的侍女说的，但云歌觉得只不过是对她和许平君的变相警告。云歌偷偷朝许平君吐了吐舌头，做了个害怕的表情，进屋后哈哈笑起来。

许平君对云歌的大大咧咧十分不放心，提醒云歌："长安城内出来避暑的不只公主，刚才从山上望下去，一长串马车直到山下。我们是要小心一些，别不小心冲撞了其他人，有些人可是公主都得罪不起。"

"许姐姐出门前，大哥叮嘱了姐姐不少话吧？"

"没有。病已吩咐我的话，你都听到了，就是让我们只专心做菜，别的事情，做聋子、做哑子、做瞎子。我搞不清楚他究竟是愿意我们来，还是不愿意我们来。"

云歌皱着眉头，叹了口气，"想不清楚就不要想了，男人的心思，琢磨来琢磨去，只是伤神，还是不要想的好。"

许平君正在饮茶，听到云歌的话，一口茶全喷了出来，一面咳嗽，一面大笑，"小丫头，你……你琢磨哪个男人的心思琢磨到伤神了？"

云歌装作没有听见，迅速跑出了房门，"我去问问侍女姐姐大概要我做些什么样的菜。"

云歌琢磨公主传召她，只能是为了做菜，可是来了两天，仍然没有命她下过厨房，她这个厨子，日日吃的都是别人做的菜。

云歌问了几次，都没有人给她准确答案，只说公主想吃时，自然会命她做。

因为她们是公主带来的人，公主又特意吩咐过，所以云歌和许平君都可以在有人陪伴的前提下去山中游玩，日子过得比在长安城更舒服悠闲。

今日陪着她们在山麓里玩的人叫郭富裕，是一个年龄和她们相仿的小太监，比前两天的老太监有意思得多，云歌和许平君也都是好玩闹的人，三个人很快就有说有笑了。

云歌看左面山头有道瀑布，想去看看，富裕却不能答应，"明日吧！明日我再带两位姐姐过去玩，燕王、广陵王、昌邑王奉诏来甘泉宫等候觐见皇帝，今日正在那边山头打猎，不怕一万，就怕万一，万一惊了王上，奴才担待不起。如果竹姐姐想看瀑布，又愿意多走些路，我们不如翻过这个山头，到东面去，那里有一处瀑布，虽然没有这边的大，但也很美。"因为众人都称云歌为"竹公子"，富裕和她们混熟后，就以竹姐姐称呼云歌。

云歌笑着应好。

许平君听到富裕的话，才知道皇帝也要来甘泉宫，许平君偷偷问云歌："你说我们这次能见到皇帝吗？"

云歌瞪了她一眼，"还想见？你上次还没有被冻够？"

许平君笑撇撇嘴，"上次是被大公子害的，我们这次是被公主请来的，指不准就能光明正大地见到皇帝，回头告诉我娘，她又多了吹嘘的资本，心情肯定又能好很多天，我也能舒坦几日。"

云歌沉默地笑了笑，没有回许平君的话。

这个皇帝虽然说的是避暑行猎，却丝毫不闲，不许进京的藩王被召到此处，不可能只是让藩王来游玩打猎。

不过，自己只是做菜的，即使有什么事情，也落不到自己头上，就不用想那么多了。

等云歌回过神来，发现许平君正和富裕打听皇帝。

富裕年纪不大，行事却很懂分寸，关于皇帝的问题，一概是一问三不知。

许平君和富裕说着说着，话题就拐到了藩王身上。

先皇武帝刘彻共有六子：刘据、刘闳、刘旦、刘胥、刘髆，和当今皇帝。因为先皇六十多岁才有的皇帝，所以皇帝和其他兄弟的年龄差了很多。如今除了皇帝，还活着的有燕王刘旦和广陵王刘胥。现在的昌邑王刘贺是刘髆的儿子。年龄虽比皇帝大，辈分却是晚了一辈，是皇帝的侄子。皇帝的其他兄弟，都没有子嗣留下，所以藩王封号也就断了。

云歌暗想，卫太子刘据怎么会没有子嗣呢？三子一女，孙子孙女都有，只是都已被杀。

燕王刘旦文武齐修，礼遇有才之人，门客众多，在民间口碑甚好。

广陵王刘胥虽然封号雅致，人却是孔武有力，力能扛鼎，徒手能搏猛兽，性格鲁莽冲动，残忍嗜杀，一直不受先帝宠爱。偏偏自以为自己很有才华，对刘彻把皇位传给了年幼的刘弗陵一直极不服。

富裕对这两位传闻很多的藩王似乎不敢多谈，所说还不如云歌和许平君从民间听到的多。直到说起昌邑王刘贺，富裕才恢复了少年人的心性，有说有笑，妙语不绝。

"两位姐姐有机会一定要见见昌邑王，论长相俊美，无人能及这位藩王。"

许平君和云歌都是一笑，在没有见过孟珏之前，富裕说此话还不错，可见过孟珏后，如果只论外貌，也只有大公子的魅惑不羁可以一比。若这世上想再找一人比他们二人还好看，只怕很难。

"听闻这位藩王脾气好起来，给丫头梳头打水、服侍沐浴都肯，可脾气一旦坏起来……"富裕瞟了眼四周，压着声音说："先皇驾崩时，昌邑王听闻后，居然照常跑出去打猎，连奴婢都要服丧痛哭，可王上依旧饮酒作乐，追着丫头调戏，是个无法无天的王……咦！一头鹿……"

一头鹿从林间蹿出，闪电般绕过富裕身侧，跳入另外一侧的树林中。因为隔着浓密的刺莓，追在它身后的箭全部落了空。

一个四十多岁的男子从林间奔出，满面怒气地瞪向富裕。

富裕虽不认识来人，但看到他衣着的刺绣纹样，以及身后随从的装扮，猜出来人应是位藩王，再看此人的形貌举止，黑眉大眼、脸带戾气，应该既非儒雅的燕王，也非俊秀的昌邑王，而是残忍嗜杀的广陵王。

好的不碰，歹的碰！富裕浑身打了个哆嗦，面色苍白地跪下，头磕得咚咚响，"王上，奴才不知道您在这里打猎，奴才以为……"

"本王在哪里打猎还要告知你？"

富裕吓得再不敢说一句话，只知道拼命磕头。

许平君看形势不对，也跪了下来，云歌却是站着未动，许平君狠拽了拽云歌衣袖，云歌才反应过来，低着头，噘着嘴跪在了许平君身侧。

"你们惊走了宝贝们的食物，只好拿你们做食物了。"广陵王拍了拍身侧的两只桀犬，"去！"

桀犬不同于一般的犬，是将挑选出来的最健康的小狗关于一屋，不给食物，让它们互相为食，唯一存活下来的那只狗才有资格成为桀犬，民间的猎人驯养桀犬，一般以九为限，但宫廷中的桀犬却是常常将百只狗关于一屋来挑选，养成的桀犬残忍嗜血、可斗虎豹，珍贵无比。

富裕哭着求饶，却一点不敢反抗。

许平君仓皇间，一把推开了云歌，挡在云歌身前，"快跑。"怕得身子簌簌直抖，却随手抓了一根树枝，想要和桀犬对抗。

两只桀犬，直扑而来，平君手中胳膊粗细的木棍，不过一口，已被咬断。

云歌也随手捡了一截木棍，一手挥棍直戳犬眼，将攻击富裕的桀犬逼退，一手把平君拽到自己身后，让攻击平君的桀犬落了空。

两只桀犬都盯向云歌，云歌的身子一动不敢动，双眼却是大睁，定定地和桀犬对视，喉咙里发着若有若无的低鸣。

桀犬立即收了步伐，浑身的毛都竖了起来，如临大敌，残忍收敛，换上了谨慎，在云歌面前徘徊，犹豫着不敢进攻。

"许姐姐，你带富裕先走。"

云歌的声音冷静平稳，可许平君看到她颈后已经沁出密密麻麻的汗珠。

"走？全天下都是我刘家的，你们能走到哪里去？"广陵王看到桀犬对云歌谨慎，诧异中生了兴趣，"有意思，没想到比打鹿有意思！"撮唇为哨，命桀犬进攻云歌。

桀犬在主人的命令下，不敢再迟疑，向云歌发起了试探性地攻击。

不过两三招，广陵王已看出云歌虽然会点拳脚功夫，招式也十分精妙，可显然从未下功夫练习过，招式根本没有力道，恐怕连半头桀犬都打不过，之前也不知道怎么吓唬住了桀犬。

云歌完全是模仿从雪狼身上学来的气势和呜呜。

桀犬本以为遇到了狼，从气势判断，还绝非一只普通的狼，所以才分外小心。此时发现不是，谨慎消失，残忍毕露。一只攻向云歌的腿，云歌后退，裙裾被桀犬咬住，另外一只借机跳起，跃过同伴身子，直扑向云歌的脖子。云歌的裙裾还在桀犬口中，为了避开咽喉的进攻，只能身子向后倒去。

平君不敢再看，一下闭上了眼睛，只听到一声粗哑的惨叫，她的眼泪立即流了出来。

忽又觉得声音不对，立即睁开眼睛，看到的是富裕护住了云歌。此时，两只桀犬一只咬着他的胳膊，一只咬着他的腿。

富裕惨叫着说："王上，吃了奴才就够了，这两位姑娘是公主的贵客，并非平常奴婢……"

广陵王却似乎什么都没有听见，只是兴致盎然地看着眼前一幕。

云歌翻身站起，挥舞棍子，和桀犬相斗，阻止它们接近富裕的咽喉。

许平君一面哭，一面扑过去，捡起根棍子胡乱舞着。

不过一会儿工夫，云歌和许平君也被咬到。

三人被桀犬咬死，只是迟早的事情。

正绝望时，忽听到一个人，有气无力地说："今天打猎的猎物是人吗？王叔可事先没有和我说过呀！容侄儿求个情，吃奴才没事，美人还是不要糟蹋了，王叔不喜欢，就赏给侄儿吧！"

广陵王刘胥扫了眼昌邑王刘贺，笑着说："这两只畜生被我惯坏了，一旦见血，不吃饱了，不肯停口。"

刘贺一面朝桀犬走去，一面摇头，"唉！怎么有这么不听话的畜生呢？养畜生就是要它听话，不听话的畜生不如不要。"

话语间，只闻一声兵器出鞘的声音，众人还未看清楚，一只桀犬的头已经飞向了半空，另外一只桀犬立即放开富裕，向刘贺扑去，刘贺惨叫一声，转身逃跑，"来人！来人！有狗袭击本王，放箭，放箭！"

立即有一排侍卫齐步跨出，搭弓欲射。

两只桀犬，从培育优质小狗，筛选桀犬，到桀犬养成，认他为主，费了刘胥无数心血，却不料眨眼间就失去了一只，另外一只也危在旦夕，他强压下火气，招回了剩下的桀犬，眼内喷火地盯着刘贺。

云歌此时才有功夫看谁救了她们，立即直了眼睛。

大公子？他……他是藩王？

难怪红衣那么害怕他被霍光、上官桀他们看见。他居然欺骗了她们……不对……他好像早就和她说过他是藩王，是自己当成了玩笑。

他是藩王？他是被她和许平君嘲讽笑骂的大公子？

云歌有些头晕。

许平君死里逃生，一个震惊还未过去，另外一个震惊又出现在眼前，不禁指着刘贺大叫了一声，云歌立即捂住了她的嘴。

刘贺依旧是那副不羁轻佻，笑意满面的样子，只不过这次不是朝着云歌和许平君笑，而是看着广陵王笑。

广陵王的怒火，他似乎一点感受不到，笑得如离家已久的侄子在异乡刚见到亲叔叔，正欢喜无限，"王叔，听说狗肉很滋补，可以壮阳，不如今天晚上我们炖狗肉吃？"

广陵王蓦然握着拳头，就要冲过来，他身后的随从拦住了他，低声道："那是个疯子，王上何必和他一般计较。如果在这里打起来，不是正好给了皇帝和霍光找碴儿的机会？"

广陵王深吸了几口气，才压下了心头的怒火，对着刘贺冷笑着点头，"好侄儿，今日的事，我们日后慢慢聊。"

刘贺皱起了眉头："我可没龙阳之癖，只喜欢和美人慢慢聊，男人就算了。何况你还是我王叔，又大我那么多，这都罢了，反正我们皇家的人乱个把伦不算什么，最紧要的是王叔长得……唉！侄子记得皇爷爷六十多岁时，依旧相貌堂堂，妃子们也个个都是美人，皇叔却……"刘贺上下打量着广陵王，表情沉痛又遗憾地摇头。

广陵王的脸色由黑转青，由青转白。

广陵王残暴嗜杀，贴身随从看他的样子，怕祸殃己身，不敢再劝。

一个疯子藩王，一个莽夫藩王，两人相遇就如往热油锅里浇冷水，不"噼里啪啦"都不行。两边的侍从都开始挽袖擦掌，做好了准备，去打他个"噼里啪啦"的一架。

忽闻马蹄声急急，清脆悦耳的声音传来，"成君不知王上在此行猎，未及时回避，惊扰了王上，求王上恕罪。"

霍成君一面说着，一面从马上跳下，赶着给广陵王请安。

和霍成君并骑而来的孟珏也跳下马，上前向广陵王行礼，视线从云歌身上一扫而过。

广陵王对霍光的忌惮，更胜于势单力薄的皇帝，虽然心里厌恶，仍是强挤了一丝笑出来："快起来，不知者不为罪。几年未见，已经出落成大姑娘了。"

那只已经被广陵王唤回的桀犬好似闻到什么味道，鼻子深嗅了嗅，忽地嘶叫了一声，猛地挣脱项圈，向霍成君扑去。

众人都失声惊呼，广陵王也是失态大叫，想唤回爱犬，爱犬却毫不听从。

危急时刻，幸有孟珏护着霍成君躲开了桀犬的攻击，他自己堪堪从桀犬嘴边逃开，一节袍摆被桀犬撕去。桀犬还想再攻击，已经被随后赶到的侍从团团围住，赶入了笼中。

霍成君面色苍白，众人也都余惊未去。

只刘贺似什么事都没发生一样，笑眯眯地盯着霍成君上下打量，一副浪荡纨绔子的样子，毫无男女之别的礼数，也毫不顾及霍成君的身份。

霍成君侧头盯了刘贺一眼，心中不悦。虽然看他的相貌穿着，已经猜出对方身份，但反正第一次见，索性装作没有认出昌邑王，连礼也不行。

广陵王面上带了一分歉然，强堆着笑，想开口说话。

霍成君忙笑道："王上的这只猎犬真勇猛。我哥哥还扬扬自夸他养的桀犬是长安城中最好的，和王上的猎犬相比，简直如寻常的护院家狗。若让我哥哥看到这样的好犬，还不羡慕死他？"言语中只字不提刚才的危险，谈笑间已是避免了广陵王为难。

广陵王的笑意终于有了几分真诚，"你哥哥也喜欢玩这些？以后让他来问我，不要说长安最好，就是天下最好也没问题。"

霍成君笑着谢过广陵王，瞟了眼地上的云歌，惊讶地说："咦？这不是公主府的人吗？他们三个冒犯王上了吗？"

广陵王冷哼一声。

霍成君赔着笑道："容成君大胆求个情，还望王上看在公主的面子上，饶他们一次，若所犯罪行，真不可饶恕，不如交给公主发落。毕竟游猎是为了开心，王上实在不必为了这些无足轻重的人伤了兄妹感情。"

广陵王当着霍成君的面不好发作，余怒却仍未消，恨瞪向昌邑王。一旁的随从忙借机在广陵王耳旁低低说："小不忍则乱大谋，等事成之后，王上就是想拿他喂狗也不过一句话。"

刘贺以袖掩面，遮住广陵王的目光，一副害羞的样子，"哎呀呀！王叔，你可别这样看着我，人家都说了不行了。你当着这么多人，一副想'吃'了我的样子，传出去实在有损皇家颜面。"

　　广陵王猛然转身，赶在刘贺再说什么让他忍不下去的话前，翻身上马，匆匆离去。

　　孟珏目送广陵王的身影完全消失在树林间，方向云歌行去，看着从容，却是眨眼间已蹲在了云歌身前，"伤到哪里了？"

　　云歌不理他，只对刘贺说："王上，富裕已经晕过去，民女的腿被咬伤，求王上派人送我们回公主住处。"

　　刘贺笑看了眼孟珏，吩咐下人准备竹篾，送云歌她们回去。

　　霍成君不好再装作不知道刘贺身份，只能故作吃了一惊，赶忙行礼，"第一次见王上，成君眼拙，还请王上恕罪。"

　　刘贺笑挥了挥衣袖，"反正有'不知者不为罪'的话，你都说了是你不知，我还能说什么？越是圣贤越觉得自己学识不够，越是懂得才越敢说不知。"

　　霍成君怒从中来，面上却还要维持着笑意，"王上说的绕口令，成君听不懂。"

　　孟珏想替云歌检查一下伤势，云歌挣扎着不肯让他碰，但力道比孟珏小很多，根本拗不过他。

　　孟珏强握住了云歌的一只胳膊，检查云歌的伤势，云歌另一只手仍不停打着孟珏："不要你替我看，不要你……"

孟珏见只是小腿上被咬了一口，虽然血流得多，但没有伤着筋骨，悬着的心放下来，接过刘贺随从准备好的布帛，先替云歌止住血。

霍成君笑说："云歌，我虽然也常常和哥哥斗气，可和你比起来，脾气还真差远了。你哥哥刚才在山头看见你被桀犬围攻，脸都白了，打着马就往山下冲，你怎么还闹别扭呢？"

孟珏出现后，举止一直十分从容，完全看不出当时的急迫，此时经霍成君提醒，云歌才留意到孟珏的发冠有些歪斜，衣袖上还挂着不少草叶，想来当时的确是连路都不辨地往下赶。

她心中的滋味难言，如果无意就不要再来招惹她，她也不需要他若远若近的关心。

"我哥哥光明磊落，才不是他这个样子，他不是……"看孟珏漆黑的双眸只是凝视着她，似并不打算阻止她要出口的话。

云歌心中一酸，如果人家只把她当妹妹，她又何必再多言？吞回已到嘴边的话，只用力打开孟珏的手，扶着软笔的竹竿，强撑着坐到软笔上，闭上了眼睛，再不肯开口，也不肯睁眼。

孟珏查了下许平君的伤口，见也无大碍，遂扶着许平君坐到云歌身侧，对抬软笔的人吩咐："路上走稳点，不要颠着了。"

刘贺本兴致勃勃地等着看霍成君和云歌的情敌大战，看小珏如何去圆这场局，却不料云歌已经一副抽身事外的样子，他无聊地摇摇头，翻身上马，"无趣！打猎去，打猎去！"走得比说得还快，一群人很快就消失在树林中。

许平君小声说："云歌，孟大哥那么说也是事出有因。如果一句谎话可以救人性命，你会不会讲？你一旦被抓，很可能就会牵扯出大公子，说你是刺客也许有些牵强，可大公子呢？皇家那些事情，我们也听得不少，动不动就是一家子全死。"

云歌睁开了眼睛，微微侧头，看向身后。

此时已经走出很远，孟珏和霍成君却不知为何仍立在原地。云歌心中一涩，正想回头，却看到霍成君似乎挥手要扇孟珏耳光，孟珏握住了她的手腕，霍成君挣扎着抽出，匆匆跳上马，打着马狂奔而去。孟珏却没有去追她，仍旧立在原地。

云歌不解，呆呆地望着孟珏。他怎么会舍得惹霍成君生气？怎么不去追霍成君？正发呆间，孟珏忽地回身看向云歌的方向。

隔着蜿蜒曲折的山道，云歌仍觉得心轻轻抖了下，立即扭回头，不敢再看。

回到住处时，公主已经被惊动。富裕虽然性命无碍，却仍然昏迷未醒，公主只能找云歌和平君问话。

云歌因为小腿被咬伤，下跪困难，公主索性命她和许平君都坐着回话。

云歌将大致经过讲了一遍，告诉公主她们不小心冲撞了广陵王，广陵王放狗咬她们，重点讲了富裕对公主的忠心，如何拼死相救，最后轻描淡写地说危急时刻恰好被昌邑王撞见，昌邑王救下了她们。

公主听完沉吟了会儿，问："王兄知道你们是本宫府里的人吗？"

云歌正思量如何回避开这个问题，等富裕醒来后决定如何回答，许平君已经开口："民女听到富裕向广陵王哀求，说我们是公主的客人，让狗吃他，放过我们。不过当时狗在叫，我们也在哭喊，民女不知道广陵王是否听到了。

公主冷笑着频频点头，过了好一会儿才又问："昌邑王救下你们后，王兄如何反应？他们都说了些什么？"

云歌立即赶在许平君开口前说："民女们从未经历过这等场面，当时以为必死无疑，魂魄早被吓散，怎么被人送回来的都糊涂着，所以不知道广陵王和昌邑王都说了什么。"

公主想到富裕的伤势，再看到云歌和许平君满身血迹，轻叹了口气，"难为你们两个了，你们尽快养好伤，专心做菜，受的委屈本宫会补偿你们。"又对一旁的总管说，"命太医好好照顾富裕，你和他说，难得他的一片忠心，让他安心养伤，等伤养好了，本宫会给他重新安排去处。"

太医看过云歌和平君的伤势后，配了些药，嘱咐她俩少动多休养。等煎好药，服用完，已经到了晚上。

云歌躺在榻上，盯着屋顶发呆。

许平君小声问："你觉得我不该和公主说那句话？"

"不是。我正在郁闷小时候没有好好学功夫，要被我爹、我娘、我哥哥、雪姐姐、铃铛、小淘、小谦知道我竟然连两只狗都打不过，他们要么会气晕过去，要么会嘲笑我一辈子。姐姐，这事我们要保密，日后若见到我家里的人，你可千万别提。"

许平君正想嘲笑云歌现在居然想的是面子问题，可想起刘病已，立即明白自己嘲笑错了，"云歌，那说好了，这是我们的秘密，你也千万不要在病已面前提起。"

"嗯。"

"云歌，我现在有些后悔刚才说的话了。不过我当时真的很气，我们已经因为他们打猎，尽量回避了，只是一头鹿而已，那个藩王就想要三个人的命，他们太不拿人当人了。那些读书人还讲什么'爱民如子'，全是屁话，如果皇帝也是这样的人，我也不想见了，省得见了回去生气。"

"都已经说出口的话，也不用多想了。"云歌对许平君笑做了个鬼脸，调侃着说："爱民如子倒不算屁话，皇帝对民的爱的确与对子的爱一样，都是顺者昌，逆者亡。爱民如子这话其实并不是说皇帝有多爱民，不过是听的民一厢情愿罢了。"

许平君想到汉武帝因为疑心就诛杀了卫太子满门的事情，这般的"爱子"，恐怕没有几个民希望皇帝"爱民如子"，好笑地说："云歌，你这丫头专会歪解！若让皇帝知道你这么解释'爱民如子'，肯定要'爱你如子'了。"话说完，才觉得自己的话说过了，长叹口气："我如今也被你教得没个正形，连皇帝都敢调侃了！"

云歌浑不在意地笑："姐姐，你想到曾经和大汉的藩王吵过架，感觉如何？"

许平君想到刘贺，扑哧一声笑出来，"感觉很不错。不过，知道他是藩王后，我觉得他好像也挺有威严的，把另一个那么凶的藩王气得脸又白又青，却只能干瞪眼。怎么以前没有感觉出来？"

两人都哈哈大笑起来。笑时，牵动了伤口，又齐齐皱着眉头吸冷气。

说着话，药中的凝神安眠成分发挥了作用，两个人慢慢迷糊了过去。

一个婢女替刘贺揉着肩膀，一个婢女替他捶着腿，还有两个扇着扇子，红衣替他剥葡萄。

正无比惬意时，帘子外的四月挥了下手，除了红衣，别人都立即退了出去，刘贺没好气地骂："死小珏！见不得人舒服！"

孟珏从帘外翩翩而进，"你今天很想打架吗？不停地刺激广陵王。"

刘贺笑起来，"听闻王叔剩下的那条狗突然得了怪病，见人就咬，差点咬伤王叔，王叔气怒下，亲自动手杀了爱狗。可怜的小狗，被主人杀死的滋味肯定很不好受。下次投胎要记得长点眼色，我们孟公子的袍摆是你能咬的吗？霍成君也是可怜，前一刻还是解语花，后一刻就被身侧人做了诱饵，还要稀里糊涂感激人家冒险相护。"

孟珏水波不兴，坐到刘贺对面。

刘贺对红衣说："红衣，以后记得连走路都要离我们这只狐狸远一点。"

红衣只甜甜一笑。

孟珏对红衣说："红衣，宫里赐的治疗外伤的药还有吗？"

红衣点点头。

"你和四月去把云歌和平君接过来。云歌肯定不愿意，她的性子，你也劝不动，让四月用些沉香。"

红衣又点点头，擦干净手，立即挑帘出去。

刘贺咳嗽了两声，摆出一副议事的表情，一本正经地说："小珏，你今天做了两件不智的事情。我本来横看竖看，都觉得好像和云歌姑娘有些关系，但想着我们孟公子，可是一贯的面慈心冷，你身上流的血究竟是不是热的，我都早不敢确定了，所以觉得肯定是我判断错误，孟公子做的这两桩错事，肯定是别有天机，只是我太愚钝，看不懂而已！不知道孟公子肯不肯指点一二？以解本王疑惑。"

孟珏沉默不语，拿过刘贺手旁的酒杯，一口饮尽，随即又给自己倒了一杯。

刘贺笑嘻嘻地看着孟珏，孟珏仍没有理会他，只默默地饮着酒。

刘贺凑到孟珏脸前，"你自己应该早就察觉了几分，不然也不会对云歌忽近忽远。云歌这样的人，她自己若不动心，任你是谁，都不可能让她下嫁。你明明已经接近成功，却又把她推开。唉！可怜！原本只是想挑得小姑娘动春心，没想到自己反乱了心思。你是不是有些害怕？憎恨自己的心情会被她影响？甚至根本不想见她，所以对人家越发冷淡。一时跑去和上官兰郊游，一时和霍成君卿卿我我，可是看到云歌姑娘命悬一线时，我们的孟公子突然发觉自己的小心肝扑通扑通，不受控制地乱跳，担心？害怕？紧张？"

孟珏挥掌直击刘贺咽喉，刘贺立即退后。

"离我远点，不要得意忘形，否则不用等到广陵王来打你。"

刘贺和孟珏交锋，从来都是败落的一方，第一次占了上风，乐不可支，鼓掌大笑。

笑了会儿，声音突然消失，怔怔盯着屋外出神，半晌后才缓缓说："我是很想找人打架，本想着和广陵王打他个天翻地覆，你却跑出来横插一杠子。"

孟珏神情黯然，一口饮尽了杯中的酒。

刘贺说："广陵王那家伙是个一点就爆的脾气，今天却能一直忍着，看来燕王的反心是定了，广陵王是想等着燕王登基后，再来收拾我。"

孟珏冷笑："燕王谋反之心早有，只不过他的封地燕国并不富庶，财力不足，当年上官桀和霍光又同心可断金，他也无机可乘，如今三个权臣斗得无暇旁顾，朝内党派林立，再加上有我这么一个想当异姓王想疯了的人为他出钱，贩运生铁，锻造兵器，他若不反，就不是你们刘家的人了！"

"老三，我不管你如何对付上官桀，我只要燕王的命，幽禁、贬成庶民都不行。"

孟珏微笑："明年这个时候，他已经在阎王殿前。"

刘贺仍望着窗外，表情冷漠，"今日是二弟的死忌，你若想打我就出手，错过了今日，我可是会还手的，你那半路子才学的功夫还打不过我。"

孟珏静静地坐着，又给自己倒了一杯酒，一口饮下。

看到红衣在帘子外探头，他一句话也没说，起身而去。

刘贺取过酒壶，直接对着嘴灌了进去。

云歌感觉有人手势轻柔地触碰她的伤口，立即睁开眼睛。看见孟珏正坐在榻侧，重新给她裹伤，云歌立即坐起身想走，"孟珏，你听不懂人话吗？我说过不要你给我看病。从今往后，你走你的路，我过我的桥，你别老来烦我！"

"我已经和霍成君说了你不是我妹妹，以后我不会再和她单独相见。"

云歌的动作停住，"她就是为这个想扇你巴掌？"

孟珏笑看着云歌，"你都看见了？她没有打着，我不喜欢别人碰我，不过你今天可没少打我。"

云歌低下了头，轻声说："我当时受伤了，力气很小，打在身上又不疼。"

"躺下去，我还在上药。"

云歌犹豫了会儿，躺了下去，"我在哪里？许姐姐呢？"

"这是小贺、也就是大公子的住处，你们今日已经见过他。红衣正重新给平君上药，桀犬的牙齿锋利，太医给你们用的药，伤虽然能好，却肯定要留下疤痕，现在抹的是宫内专治外伤的秘药，不会留下伤痕。"

为了方便上药，云歌的整截小腿都裸露着，孟珏上药时，一手握着云歌的脚腕，一手的无名指在伤口处轻轻打着转。

云歌一面和自己说，他是大夫，我是病人，这没什么，一面脸烧起来，眼睛根本不敢看孟珏，只直直盯着帐顶。

"我不是和你说过，不要再为公主做菜了吗？"孟珏的话虽然意带责备，可语气中流露更多的是担心。

"她是公主，她的话我不能不听，虽然她是个还算和气的人，可谁知道违逆了她的意思会惹来什么麻烦？而且许姐姐想来玩，所以我们就来了。"

"你怎么不来找我？"

云歌沉默了会儿，低低说："那天你不是转身走掉了吗？之后也没有见过你。谁知道你在哪个姐姐妹妹那里？"

孟珏替云歌把伤口裹好，整理好衣裙，坐到了她身旁。

两个人都不说话，沉默中却有一种难得的平静温馨。

"云歌。"

"嗯？"

"你不是我妹妹。"

"嗯。"

"我认为自己没有喜欢自己妹妹的乱伦癖好。"

这是孟珏第一次近乎直白地表露心意，再没有以前的云遮雾绕，似近似远。

云歌的脸通红，嘴角却忍不住地微微扬起，好一会儿后，她才轻声问："你这次是随谁来的？公主？燕王？还是……"云歌的声音低了下去。

孟珏的声音很坦然，"我是和霍光一起来，不是霍成君。"

云歌笑撇过了头，"我才不关心呢！"

"伤口还疼吗？"

"药冰凉凉的，不疼了。"

孟珏笑揉了揉云歌的头，"云歌，如果公主这次命你做菜，少花点心思，好吗？不要出差错就行。"

云歌点点头，"好。公主是不是又想让我给皇帝做菜？上次皇帝喜欢我做的菜吗？他说了什么？如果他喜欢我做的菜，那许姐姐不用担心皇帝是和广陵王一样的人了。"

孟珏没有回答云歌的问题，微蹙了下眉头，只淡笑着轻声重复了一遍"广陵王"。

云歌一下握住孟珏的胳膊，紧张地看着孟珏。

孟珏笑起来，"我又不是小贺那个疯子，我也没有一个姓氏可以依仗。别胡思乱想了，睡吧！"

"我睡不着，大概因为刚睡了一觉，现在觉得很清醒。以后几天都不能随意走动，睡觉的时候多着呢！你困不困？你若不困，陪我说会儿话，好吗？"

孟珏看了眼云歌，扶云歌坐起，转身背朝她，"上来。"

云歌愣了下，乖乖地趴在了孟珏背上。

孟珏背着她出了屋子，就着月色，行走在山谷间。

一轮圆月映着整座山，蛐蛐的叫声阵阵，不时有萤火虫从他们身周飞过。

一面斜斜而上的山坡，铺满了碧草，从下往上看，草叶上的露珠在月光映照下，晶莹剔透，点点荧光，仿似碎裂的银河倾落在山谷中。

随着孟珏的步伐，云歌也像走在了银河里。

第十三章
清波月下歌

243

云歌一声都不敢发，唯恐惊散了这份美丽。

也不知道在山麓中行了多久，突然听到了隆隆水声。云歌心中暖意融融，白日被咬了一口、险些丢掉性命都没有看到的瀑布，晚上却有一个人背着她来看。

当飞落而下的瀑布出现在云歌面前时，云歌忍不住地轻呼一声，孟珏也不禁停下了步伐。

此时天空黛蓝，一轮圆月高悬于中天，青峻的山峰若隐若现，一道白练飞泻而下，碎裂在岩石上，千万朵雪白的浪花击溅腾起。

就在无数朵浪花上，一道月光虹浮跨在山谷间。纱般朦胧，淡淡的橙青蓝紫似乎还随着微风而轻轻摆动。

孟珏放下了云歌，两人立在瀑布前，静静地看着难得一见的月光虹。

一贯老成的孟珏，突然之间做了个很孩子气的举动，他从地上捡了三根枯枝，以其为香，敬在月光虹前。

云歌轻声问："你在祭奠亲人吗？"

"我曾见过比这更美丽的彩虹，彩虹里面有宫阙楼阁，亭台池榭。"

有这样的彩虹？云歌思量了一瞬，"你是在沙漠中看到的幻景吧？沙漠中的部族传说，有一只叫蜃的妖怪，吐气成景，如果饥渴的旅人朝着美丽的幻景行去，走向的只会是死亡。"

"那时候我还没有遇见义父，不知道那是海市蜃楼的幻象。"

云歌想到孟珏的九死一生，暗暗心惊。

孟珏却语气一转，"云歌，我很喜欢长安。因为长安雄宏、包容、开阔，金日磾这样的匈奴人都能做辅政大臣。我一直想，为什么所有人都喜欢称当朝为大汉，并不是因为它地域广阔，而是因为它兼容并蓄、有容乃大。"

云歌愣愣地点了点头，怎么突然从海市蜃楼说到了长安？

"我小时候曾在胡汉混杂地域流浪了很久。不同于长安，那里胡汉冲突格外激烈。因为长相，我一直很受排挤，胡人认为我是他们讨厌的汉人，汉人又认为我是他们讨厌的胡人。小地痞无赖为了能多几分活着的机会，都会结党成派，互相照应着，可我只能独来独往，直到遇见二哥。"

"他是汉人？"

孟珏点了点头，"我和二哥为了活下去，偷抢骗各种手段都用。第一次相见，我和他为了一块硬得像石头的饼大打出手，最后他赢了，我输了，本来他可以拿着饼离开，他却突然转回来，分给我一半，当时我已经三天没有吃饭，靠着那半块饼才又能有力气出去干偷鸡摸狗的事情。二哥一直认为大汉的皇帝是个坏皇帝，想把他赶下去，自己做皇帝，让饿肚子的人都有饭吃，而我当时深恨长安，我们越说越投机，有一次两人被人打得半死后，我们就结拜了兄弟。"

看今日孟珏的一举一动，穿衣修饰，完全不能想象他口中描绘的他是他。孟珏的语气平淡到似乎讲述的事情完全和他无关，云歌却听得十分心酸。

"有一次我们在沙漠中迷路了，就看到了我见过的最美丽的彩虹。我当时因为脱水，全身无力，二哥自己水囊里的水舍不得喝，尽力留着给我。他明知道沙漠里脱水的人一定要喝盐水才能活下去，可当时我们到哪里去找盐水？他根本不该在我身上浪费水和精力。他却一直背着我。我还记得他一边走，一边和我说'别睡，别睡，小弟，你看前面，多美丽！我们就快要到了。'"

孟珏笑看着月光虹，思绪似乎飞回了当日的记忆，面上的表情十分柔和。

绝境中，能被一个人不顾性命、不离不弃地照顾，那应该是幸福和幸运的事情。

因为即使绝望，仍会感到温暖。

云歌一面为两个孩子的遭遇紧张，一面却为孟珏高兴，"你们怎么走出沙漠的？"

"幸亏遇见了我义父，两个差点被蜃吞掉的傻子才活了下来。我跟在义父身边读书识字，学各种各样的技艺。二哥却只待了半年时间，学了些武功和手艺就离开了，他想回来寻找失散的妹妹。"

"后来呢？你二哥呢？"

孟珏默默凝视着月光虹，良久后才说："后来，等我找到他时，他已经死了。"

云歌静静对着月光虹行了一礼。

起来时，因为单脚用力，身子有些不稳，孟珏扶住了她的胳膊。

孟珏对云歌而言，一直似近实远。

有时候，即使他坐在她身边，她也会觉得他离她很远。

今夜，那个完美无缺、风仪出众的孟珏消失不见了，可第一次，云歌觉得孟珏真真切切地站在自己身侧。

"你叫他二哥，那你还有一个大哥？"

孟珏没有立即回答，似乎在凝神思索，好一会儿后，他的眼睛中透了笑意："是，就小贺那个疯子。他和二哥是结拜兄弟，也算是我的兄长了。"

他们面前的月光虹，弯弯如桥，似乎一端连着现在，一端连着幸福，只要他们肯踏出那一步，肯沿着彩虹指引的方向去走，就能走到彼端的幸福。

而此时，孟珏的漆黑双眸，正专注地凝视着她。

云歌知道孟珏已经踏出了他的那一步。

云歌握住了孟珏的手，孟珏的手指冰凉，可云歌的手很暖和。

孟珏缓缓反握住了云歌的手。

随着月亮的移动，彩虹消失。孟珏又背起了云歌，"还想去哪里看？"

"嗯……随便。只想一直就这么走下去，一直走下去，一直走下去……"云歌不知道孟珏是否能听懂她"一直走下去"的意思，可她仍然忍不住地，微笑着一遍遍说"一直走下去"。

本来很倒霉的一天，却因为一个人，一下就全变了。

云歌的心情就像月夜下的霓虹，散发着七彩光辉。

听到孟珏笑说："很好听的歌，这里离行宫很远，可以唱大声点。"

云歌才意识到自己在细声哼着曲子。

居然是这首曲子，她怔忡，孟珏轻声笑问："怎么了？不愿意为我唱歌吗？"

云歌笑摇摇头，轻声唱起来。

孟珏第一次知道，云歌的歌声竟是如此美，清丽悦耳，婉转悠扬，像悠悠白云间传来的歌声。

声音并不是很大，但在寂静的夜色中，借着温暖的风，远远地飘了出去。

飘过草地，飘过山谷，飘过灌木，飘到了山道……

黑黑的天空低垂
亮亮的繁星相随
虫儿飞虫儿飞
你在思念谁

天上的星星流泪
地上的花儿枯萎
冷风吹冷风吹
只要有你陪

虫儿飞花儿睡

一双又一对才美

不怕天黑只怕心碎

不管累不累

也不管东南西北

……

马车中的刘弗陵猛然掀起了帘子，于安立即叫了声"停"，躬下身子静听吩咐。

刘弗陵凝神听了会儿，强压着激动问于安，"你听到了吗？"

于安疑惑地问："听到什么？好像是歌声。"

刘弗陵跳下了马车，离开山道，直接从野草石岩间追着声音而去。

于安吓得立即追上去，"陛下，陛下，陛下想查什么，奴才立即派人去查，陛下还是先去行宫。"

刘弗陵好像根本没有听到于安的话，只是凝神听一会儿歌声，然后大步追逐一会儿。

于安和其他太监只能跟在刘弗陵身后听听走走。

风中的歌声，若有若无，很难分辨，细小到连走路的声音都会掩盖住它。可这对刘弗陵而言，是心中最熟悉的曲调，不管多小声，只要她在唱，他就能听到。

循着歌声只按最近的方向走，很多地方根本没有路。

密生的树林，长着刺的灌木把刘弗陵的衣袍划裂。

于安想命人用刀开路，却被嫌吵的刘弗陵断然阻止。

看到皇帝连胳膊上都出现血痕时，于安想死的心都有了，"陛下，陛下……"

"闭嘴。"刘弗陵只一边凝神听着歌声，一边往前跑，根本没有留意到他身上发生的一切。

于安心头恨恨地诅咒着唱歌的人，老天好像听到了他的诅咒，歌声突然消失了。

刘弗陵不能置信地站在原地，尽力听着，却再无一点声音，他急急向前跑着，希望能在风声中再捕捉到一点歌声，却仍然一点没有。

"你们都仔细听。"刘弗陵焦急地命令。

于安和其他太监认真听了会儿，纷纷摇头表示什么都没有听到。

刘弗陵尽量往高处跑，想看清楚四周，可只有无边无际的夜色：安静到温柔，却也安静到残忍。

刘弗陵怔怔看着四周连绵起伏的山岭。

云歌，你就藏在其中一座山岭中吗？如此近，却又如此远。

"谁知道唱歌的人在哪个方向？"

一个太监幼时的家在山中，谨慎地想了会儿，方回道："风虽然从东往南吹，其实唱歌的人既有可能向南去，也有可能向东去，还有山谷回音的干扰，很难完全确定。"

"你带人沿着你估计的方向去查看一下。"

做完此时唯一能做的事情，刘弗陵黯然站在原地，失神地看着天空。

银盘无声，清风无形。

苍茫天地，只有他立于山顶。

圆月能照人团圆吗？嫦娥自己都只能起舞弄孤影，还能顾及人间的悲欢聚散？

刘弗陵站着不动，其他人也一动不敢动。

于安试探着叫了两声"陛下"，可看刘弗陵没有任何反应，再不敢吭声。

很久后，刘弗陵默默地向回走。

月夜下的身影，虽坚毅笔直，却瘦削萧索。

于安跟在刘弗陵身后，突然狠狠扇了自己一巴掌，小步上前低声说："陛下，即使有山谷的扩音，估计唱歌的人也肯定在甘泉山附近，可以命人调兵把附近的山头全部封锁，不许任何人进出，然后一个人一个人的问话，一定能找出来。"

刘弗陵扫了眼于安，脚步停都没有停地继续往前。

于安立即又甩了自己一巴掌，"奴才糊涂了。"

如果弄这么大动静，告诉别人说只是寻一个唱歌的人，那三个藩王能相信？霍光、上官桀、桑弘羊能相信？只怕人还没有找到，反倒先把早已蠢蠢欲动的藩王们逼反了。

刘弗陵道："你派人去暗中查访，将甘泉宫内所有女子都查问一遍，再搜查这附近住户。"

刘弗陵坐于马车内，却仍然凝神倾听着外面。

没有歌声。什么都没有！只有马车压着山道的辚辚声。

云歌，是你吗？

如果是你，为什么离长安已经这么近，都没有来找过我？

如果不是你，却为什么那么熟悉？

云歌，今夜，你的歌声又是为何而唱？

"累吗？"

"不累。"

"你还能背我多久？"

"很久。"

"很久是多久？"

"很久就是很久。"

"如果是很难走、很难走的路，你也会背着我吗？如果你很累、很累了，还会背着我吗？"

……

云歌极力想听到答案，四周却只有风的声音，呼呼吹着，将答案全吹散到了风中。越是努力听，风声越大，云歌越来越急。

"醒来了，夜游神。"许平君将云歌摇醒。

云歌呆呆地看着许平君，还有些分不清楚身在何处。

许平君凑到她脸边，暧昧地问："昨天夜里都干了什么？红衣过去找你们时，人去房空。天快亮时，某个人才背着一头小猪回来。小猪睡得死沉死沉，被人卖了都不知道。"

云歌的脸一下滚烫，"我们什么都没做，他只是背着我四处走了走。"

"难不成你们就走了一晚上？"许平君摇摇头表示不信。

云歌大睁着眼睛，用力点头，表示绝无假话。

"真只走了一晚上？只看了黑黢黢的荒山野岭？唉！你本来就是个猪头，可怎么原来孟珏也是个猪头！"许平君无力地摇头。

云歌想起梦中的事情，无限恍惚，究竟是真是梦？她昨天晚上究竟问过这样的傻话没有？是不是所有的女孩子都会在爱上一个人时问出一些傻傻的问题？

许平君拍拍云歌的脸颊，"别发呆了，快洗脸梳头，就要吃午饭了。"

云歌看屋子的角落里摆着一辆轮椅、一副拐杖，"公主想得很周到。"

许平君一手有伤，不能动，另外一只手拎着陶壶给云歌倒水，"可别谢错人了。我听到丁外人吩咐宫人给你找轮椅和拐杖，应该是孟大哥私下里打点过。公主忙着讨好皇帝，哪里能顾到你？"

云歌用毛巾捂着脸，盖住了嘴边的幸福笑意。

许平君说："你睡了一个早上，不知道错过多少精彩的事情。皇帝星夜上山，到行宫时，胳膊上、腿上都有血痕，马车里还有一件替换下的褴褛衣袍。听说皇帝本想悄悄进宫，谁都不要惊动，可不知道怎么走漏了风声，公主大惊下，以为皇帝遇到刺客，呼啦啦一帮人都去看皇帝，闹得那叫一个热闹。"

"真的是刺客吗？"云歌问。

"后来说不是，本来大家都将信将疑。可皇帝的贴身侍卫说没有刺客，皇帝身边的太监说是皇帝在林木间散步时，不小心被荆棘划伤。听公主带过来问话的人回说'只看到陛下突然跳下马车，什么也不说地就向野径上走，等回来时，陛下就已经受伤了。'检查皇帝伤口的几个太医也都确定说'只是被荆棘划裂的伤口，不是刀剑伤。'这个皇帝比你和孟珏还古怪，怎么大黑天的不到富丽堂皇的宫殿休息，却跑到荆棘里面去散步？"

云歌笑说："人家肯定有人家的理由。"

许平君笑睨着云歌，"难不成皇帝也有个古怪的佳人要陪？孟大哥明明很正常的人，却晚上不睡觉……"

云歌一撩盆子中的水，洒了许平君一脸，把许平君未出口的话都浇了回去。

许平君气得来掐云歌。

两人正笑闹，公主的总管派人来传话，让云歌这几日好好准备，随时有可能命她做菜。给了她们专用的厨房，专门听云歌吩咐的厨子，还有帮忙准备食材的人。

云歌和许平君用过饭后，一个推着轮椅，一个吊着手腕去看厨房。

云歌随意打量了几眼厨房，一开口就是一长串的食材名字，一旁的人赶忙记下后，吩咐人去准备。

许平君看云歌下午就打算动手做的样子，好奇地问："是因为给皇帝做，担心出差错，所以要事先试做吗？"

云歌看四周无人，低声说："不是，我前段时间，一直在翻看典籍，看了一些乱七八糟的东西，自己正在琢磨一些方子，有些食材很是古怪和稀罕。现在厨房有，材料有，人有，不用白不用。"

许平君骇指着云歌，"你，你占公主便宜。"

云歌笑得十二分坦荡，"取之于民，用之于民。难道这些东西，他们不是从民取？难道我们不是民？"看许平君撇嘴不屑，她又道："就算我不是民，你也肯定是民。"

整个下午云歌都在厨房里做菜，不知道的人还以为她多为公主尽心。

本来许平君一直很乐意尝云歌的菜，何况还是什么稀罕食材所做的菜，可当她看到菜肴的颜色越变越古怪，有的一团漆黑，像浇了墨汁，有的是浓稠的墨绿，闻着一股刺鼻的酸味，还有的色彩斑斓，看着像毒药多过像菜肴。

甚至当一只蜘蛛掉进锅里，她大叫着让云歌捞出来，云歌却盯着锅里的蜘蛛看着，喃喃自语，"别名次蠤、蛛蝥，性苦寒，微毒……"

许平君一听毒字，立即说："倒掉！"

云歌一面喃喃自语，一面却用勺子在汤锅里搅了搅，蜘蛛消失在汤中，"入足厥阴肝经，可治小儿厌乳，小儿厌乳就是不喜欢吃饭，嗯，不喜欢吃饭……这个要慢慢炖。"

许平君下定了决心，如果以后没有站在云歌旁边，看清楚云歌如何做饭，自己一定不会再吃云歌做的任何东西。

所以当云歌将做好的一道墨汁菜捧到许平君面前，请她尝试时，许平君后退了一步，又一步，干笑着说："云歌，我中午吃得很饱，实在吃不下。"

"就尝一小口。"云歌的"一小口"，让许平君又退了一大步。

云歌只能自己尝，许平君在一旁皱着眉头看。

云歌刚吃了一口，就吐了出来，不光是吐本来吃的东西，而是连中午吃的饭也吐了出来。

"水，水。"

连着漱了一壶水，云歌还是苦着脸。太苦了，苦得连胃汁也要吐出来了。

看云歌这样，许平君觉得自己做了有生以来最英明的决定。

天下至苦莫过黄连，黄连和这个比算什么？这碗黑黢黢的东西可是苦胆汁、黄连、腐巴、腐婢、猪膏莓……反正天下最苦、又不相冲的苦，经过浓缩，尽集于一碗，云歌还偏偏加了一点甘草做引，让苦来得变本加厉。

光喝了口汤就这样，谁还敢吃里面的菜？许平君想倒掉，云歌立即阻止。

缓了半天，云歌咬着牙、皱着眉，拿起筷子夹菜，许平君大叫，"云歌，你疯了，这是给人吃的吗？"

"越苦越好，越苦越好……"云歌一闭眼睛，塞进嘴里一筷菜。

胃里翻江倒海，云歌俯在一旁干呕，胆汁似乎都要吐出来。

许平君考虑是不是该去请一个太医来？如果告诉别人厨子是因为吃了自己做的菜被苦死，不知道有没有人相信？

晚饭时，孟珏接到红衣暗中传递的消息，云歌要见他。

以为有什么急事，匆匆赶来见云歌，看到的却是云歌笑嘻嘻地捧了一个碗给他，里面黑黢黢一团，根本看不出来是什么。

"这是我今日刚做好的菜，你尝尝。"

孟珏哭笑不得，从霍光、燕王、广陵王前告退，不是说走就走的事情，晚宴上的菜肴也算应有尽有，何况吃和别的事情比起来，实在小得不能再小，云歌却一副郑重其事的样子。

但看到云歌一脸企盼，他的几分无奈全都消散，笑接过碗，低头吃起来。

很给云歌面子，不大会儿功夫，一大碗已经见底，抬头时，却看到侧过头的云歌，眼中似有泪光。

"云歌？"

云歌笑着转过头，"怎么了？味道如何？"

看来是一时眼花，孟珏笑摇摇头，"没什么。只要是你做的东西，我都喜欢吃。我要回去了。你腿还不方便，有时间多休息，虽然喜欢做菜，可也别光想着做菜。"

孟珏说完，匆匆离去。云歌坐在轮椅上发呆。

晚上，云歌躺在榻上问许平君，"许姐姐，如果有一天，我是说如果，你吃什么东西都没有了味道，会是什么感觉？"

许平君想了想说："会很惨！对我而言，辛苦一天后，吃顿香喷喷的饭是很幸福的事情。云歌，你不是说过吗？菜肴就像人生，一切形容人生的词语都可以用来形容菜肴，酸甜苦辣辛，菜肴是唯一能给人直接感受这些滋味的东西，无法想象没有酸甜苦辣的饭菜，甜究竟是什么样子？苦又是什么味道？就像，就像……"

"就像瞎子，不知道蓝天究竟怎么蓝，不知道白云怎么白，也永远不会明白彩虹的美丽，红橙黄蓝，不过是一个个没有任何意义的字符。"

谈话声中，许平君已经睡着，云歌却还在辗转反侧，脑中反复想着能刺激味觉的食谱。

山中的夜空和长安城的夜空又不一样。

因为夜的黑沉，天倒显亮，青蓝、黛蓝、墨蓝，因着云色，深浅不一地交杂在一起。

刘弗陵斜靠着栏杆，握着一壶酒，对月浅酌。听到脚步声，头未回，直接问："有消息吗？"

"奴才无能，还没有。奴才已经暗中派人询问过山中住户和巡山人，没有找到唱歌的人。如今正派人在甘泉宫中查找，陛下放心，只要唱歌的人身在甘泉宫，奴才一定能把她找出来。"

于安停在了几步外。看到刘弗陵手中的酒壶吃了一惊。因为环境险恶，陛下的一举一动都有无数只眼睛盯着，所以陛下律己甚严，几乎从不沾酒。

刘弗陵回身将酒壶递给于安，"拿走吧！"

"今日霍大人正在代陛下宴请三位藩王，陛下若想醉一场，奴才可以在外面守着。"

刘弗陵看着于安，微微一笑，笑未到眼内，已经消散。

于安不敢再多说，拿过了酒壶，"陛下，晚膳还没有用过，不知道陛下想用些什么？"

刘弗陵淡淡地说："现在不饿，不用传了。"

"听公主说，前次给陛下做过菜的竹公子也在此，要不要命他再给陛下做次菜？陛下不是最爱吃鱼吗？正好可以尝一下竹公子的手艺。"

刘弗陵蹙了眉头，"阿姊也在晚宴上？"

"是。"

因为他和阿姊的亲近，让有心之人把阿姊视做了可以利用的武器。利用阿姊打探他的行踪，利用阿姊掌握他的喜怒，利用阿姊试探他的反应。

今天早上的那一幕闹剧，不就又是那帮人在利用阿姊来查探他怪异行为的原因吗？

阿姊身处豺狼包围中，却还不自知，偏偏又一片芳心所托非人。

刘弗陵起身踱了几步，提高了声音，寒着脸问："于安，公主今晨未经通传就私闯朕的寝宫，还私下询问侍从朕的行踪，现在又随意带人进入甘泉宫，你这个大内总管是如何做的？"

于安一下跪在了地上，"陛下、陛下……"此事该如何解释，难道从他看着陛下长大讲起？说陛下自幼就和公主亲近，姐弟感情一向很好？最后只能说："奴才知错，以后再不敢。"

刘弗陵冷哼一声，"知道错了，就该知道如何改，还不出去？"

于安小心翼翼地起身，倒退着出了屋子，一边摸着头上的冷汗，一边想：陛下真的是越来越喜怒难测了。

公主究竟什么事情得罪了陛下？

因为公主说广陵王眼中根本没有皇帝？因为公主暗中和霍光、上官桀交往过多？还是公主和丁外人的荒唐事？

唉！不管怎么得罪，反正是得罪了，陛下连最后一个亲近的人也没有了，真的要成孤家寡人了。

于安指了指守在殿外的太监宫女，阴恻恻地说："都过来听话，把不当值的也都叫来。今日起，公主和其他人一样，没有事先通传，不得随意在宫中走动。若有人敢私做人情，我的手段，你们也都听闻过。死，在我这里是最轻松的事情。六顺，你去公主那边传话，将竹公子立即赶出甘泉宫。过会儿公主要来找，就说我正守着陛下，不能离开。"

六顺苦着脸问："如果公主闹着硬要见陛下呢？奴才们怕挡不住。"

于安一声冷笑，"你们若让陛下见到了不想见的人，要你们还有何用？"

许平君正在做梦，梦见皇帝吃到云歌做的菜，龙心大悦，不但重赏了她们，还要召见她们，她正抱着一锭金子笑，就被人给吵醒了。

服侍公主的掌事太监命她们立即收拾包裹，下山回家，连马车都已经给她们准备好了。

许平君赔着笑脸问因由，太监却没有一句解释，只寒着脸命她们立即走。

许平君不敢再问，只能赶紧收拾行囊。

事出意外，云歌怕孟珏担心，却实在寻不到机会给孟珏传递消息，忽想起最近随身带了很多乱七八糟的中药，匆匆从荷包内掏出生地、当归放于自己榻旁的几案上。刚走出两步，她侧着头一笑，又回身在桌上放了一味没药。

"云歌，肯定是你占公主便宜的事情被公主发现了，我的金子、我的金子。"许平君欲哭无泪。

云歌觉得许平君的猜测不对，可也想不出是为什么，只能沉默。

"这次真是亏大了，人被咬了，还一文钱没有赚到。"许平君越想越觉得苦命。

云歌郁郁地说："你先别哭命苦了，还是想想见了大哥如何解释吧！本来以为伤好一些时才回去，结果现在就要回家，连掩饰的办法都没有。"

许平君一听，立即安静下来，皱着眉头发呆。

长安城。

上官桀原本就因为皇帝未让他随行同赴甘泉宫而心中不快。此时听闻皇帝因为在山道上受伤，所以命霍光代他宴请三王，气怒下将手中的酒盅砸在了地上。

早就想摆脱霍光钳制的上官安，立即不失时机地劝父亲放弃以前和燕王的过节，不妨先假装接受燕王示好，联手铲除霍光，毕竟霍光现在才是上官氏最大的威胁。否则，万一霍光和燕王联合起来对付他们，形势对他们可就极度不利了。

等铲除霍光，独揽朝政后，想收拾偏居燕北之地的燕王，并非什么难事。

至于广陵王和昌邑王，封地虽然富庶，可一个是莽夫，一个是疯子，都不足虑。

上官桀沉思不语。

自从在霍府见过孟珏，上官桀就花足了心思想要拉拢。

虽然彼此言谈甚欢，孟珏还暗中透漏了他与燕王认识的消息，并代燕王向他献上重礼示好，可最近却和霍光走得很近。

女儿上官兰对孟珏很有好感，他也十分乐意玉成此事，将孟珏收为己用。

但孟珏对女儿上官兰虽然不错，却也和霍成君来往密切。

的确如上官安所说，燕王既然可以向他们示好，也很有可能在争取霍光。别人被霍光的谦谦君子形象迷惑，他和霍光同朝三十多年，却知道霍光手段的狠辣比他有过之而无不及。

第十四章
纵使相逢应不识
259

先发者制人，后发者制于人。

上官桀心意渐定，怒气反倒去了，很平和地对上官安说："我们是不能只闲坐着了。"

甘泉宫。

刚送走三王的霍光面对皇帝给予的荣耀，却无丝毫喜色。屏退了其他人，只留下孟珏喝茶。

两人一盅茶喝完，霍光看着孟珏满意地点点头。

深夜留客，一盅茶喝了有半个时辰，他一句话没有说，孟珏也一句话没有问。

他不急，孟珏也未躁。

别的不说，只这份沉着就非一般人能有，女儿的眼光的确不错。

是否布衣根本不重要，他的出身还不如孟珏。更何况，对他而言，想要谁当官，现在只是一句话的问题。重要的是这个人有多大的能力，可以走多远，能否帮到他。

"孟珏，你怎么看今夜的事情？"

孟珏笑着欠了欠身子，"晚辈只是随口乱说，说错了，还望霍大人不要见怪。今夜的事情如果传回长安，大人的处境只怕会很尴尬，霍大人应该早谋对策。"

霍光盯着孟珏，神色严厉，"你知道你说的人是谁吗？"

孟珏恭敬地说："晚辈只是就事论事。"

霍光怔了会儿，神色一下变得十分黯然，"只是……唉！道理虽然明白，可想到女儿，总是不能狠心。"

不能狠心？行小人之事，却非要立君子名声。燕王的虚伪在霍光面前不过万一。孟珏心中冷嘲，面上当恶人却当得一本正经，"霍大人乃正人君子，但对小人不可不防，毕竟霍大人的安危关系霍氏一族安危，如今社稷不稳，也还要依赖霍大人。"

霍光重重叹了口气，十分无奈，"人无害虎心，虎却有伤人意，只能尽量小心。"话锋一转，突然问："你怎么看陛下？"

孟珏面上笑得坦然，心内却是微微犹豫了下，"很有可能成为名传青史的明君。"

霍光抚髯颔首，孟珏静坐了一瞬，看霍光再无说话的意思，起身告退。

霍光脸上的严肃褪去，多了几分慈祥，笑着叮咛："我看成君心情不太好，问她又什么都不肯说，女大心外向，心事都不肯和我说了，你有时间去看看她。"

孟珏没有搭腔，只笑着行完礼后退出了屋子。

道路两侧的宫墙很高，显得天很小。

走在全天下没有多少人能走的路上，看着自己的目标渐渐接近，可一切并没有想象中那么快乐。

虽然知道已经很晚，也知道她已经睡下，可还是没有管住自己的脚步。

本来只想在她的窗口静静立会儿，却不料看到人去屋空，榻铺零乱。

他的呼吸立即停滞。

是广陵王？是霍成君？还是……

正着急间，却看到桌上摆放的三小片草药：生地、当归、没药，他一下摇着头笑了出来。

不可留是生地，思家则当归，身体安康自然是无药。

什么时候，这丫头袋子里的调料变成了草药？

孟珏笑拿起桌上的草药，握在了手心里。似有暖意传来，从手心慢慢透到了心里。

突然想到生地和当归已经告诉了他她们的去向，既然能回家，当然是安全，何必再多放一味没药？

没药？无药！

无药可医是相思！

这才是云歌留给他的话吗？她究竟想说的是哪句？云歌会对他说后面一句话吗？

孟珏第一次有些痛恨汉字的复杂多义。

左思右想都无定论，不禁自嘲地笑起来，原以为会很讨厌患得患失的感觉，却不料其中自有一份甘甜。

握着手中的草药，孟珏走出了屋子，只觉屋外的天格外高，月亮也格外亮。

孟珏回到长安，安排妥当其他事情后立即就去找云歌，想问清楚心中的疑惑。

到门口时，发现院门半掩着，里面叮叮咚咚地响。

推开门，看到厨房里面一团团的黑烟逸出，孟珏忙随手从水缸旁提了一桶水冲进厨房，对着炉灶泼了下去。

云歌一声尖叫，从灶膛后面跳出，"谁？是谁？"一副气得想找人拼命的样子，隐约看清楚是孟珏，方不吼了。

孟珏一把将云歌拖出厨房，"你在干什么，放火烧屋吗？"

云歌一脸的灶灰，只一口牙齿还雪白，悻悻地说："你怎么早不回来，晚不回来，一回来就坏了我的好事。我本来打算从灶心掏一些伏龙肝，可意外地发现居然有一窝白蚁在底下筑巢，这可是百年难见的良药，所以配置了草药正在熏白蚁，想把它们都熏出来，可你，你……"

孟珏苦笑，"你打算弃厨从医吗？连灶台下烘烧十年以上的泥土药名叫伏龙肝都知道了？白蚁味甘性温，入脾、肾经，可补肾益精血，又是治疗风湿的良药，高温旁生成的白蚁，药效更好。你发现的白蚁巢穴在伏龙肝中，的确可以卖个天价。云歌，你什么时候知道这么多医药知识了？"

云歌还是一脸不甘，没好气地说："没听过天下有个东西叫书籍吗？找我什么事情？"

孟珏却半晌没有回答，突然笑了笑说："没什么。花猫，先把脸收拾干净了再张牙舞爪。"

孟珏把云歌拖到水盆旁，拧了帕子。云歌去拿，却拿了个空，孟珏已经一手扶着她的头，一手拿毛巾替她擦脸。

云歌的脸一下就涨红了，一面去抢帕子，一面结结巴巴地说："我自己来。"

孟珏任由她把帕子抢了去，手却握住了她的另一只手，含笑看着她。

云歌说不出是羞是喜，想要将手拽出来，又有几分不甘愿，只能任由孟珏握着。

拿着帕子在脸上胡乱抹着，也不知道到底是擦脸，还是在躲避孟珏的视线。

"好了，再擦下去，脸要擦破了。我们去看看你的白蚁还能不能用。"

孟珏牵着云歌的手一直未放开，云歌脑子昏昏沉沉地随着他一块儿进了厨房。

孟珏俯下身子向灶膛内看了一眼，"没事。死了不少，但地下应该还有。索性叫人来把灶台敲了，直接挖下去，挖出多少是多少。"

云歌听到，立即笑拍了自己额头一下，"我怎么那么蠢？这么简单、直接、粗暴的法子，起先怎么没有想到？看来还是做事不够狠呢！"

云歌说话时，凑身向前，想探看灶膛内的状况，孟珏却是想起身，云歌的脸撞到了孟珏头上，呼呼嚷痛，孟珏忙替她揉。

厨房本就不大，此时余烟虽已散去，温度依然不低，云歌觉得越发热起来。

孟珏揉着揉着忽然慢慢低下了头，云歌隐约明白将要发生什么，只大瞪着双眼，一眨不眨地看着孟珏。

孟珏的手拂过她的眼睛，唇似乎含着她的耳朵在低喃，"傻丫头，不是第一次了，还不懂得要闭眼睛？"

云歌随着孟珏的手势，缓缓闭上了眼睛，半仰着头，紧张地等着她的第二次，实际第一次的吻。

等了半响，孟珏却都没有动静，云歌在睁眼和闭眼之间挣扎了一瞬，决定还是偷偷看一眼孟珏在干什么。

偷眼一瞄，却看到刘病已和许平君站在门口。

孟珏似乎没有任何不良反应，正微笑着，不紧不慢地站直身子，手却依然紧搂着云歌，反而刘病已的笑容很是僵硬。

云歌眯着眼睛偷看的样子全落入了刘病已和许平君眼中，只觉得血直冲脑门，臊得想立即晕倒，一把推开孟珏，跳到一旁，"我，我……"却什么都"我"不出来，索性一言不发，低着头，大踏步地从刘病已和许平君身旁冲过，"我去买菜。"

临出院门前，又匆匆扭头，不敢看孟珏的眼睛，只大嚷着说："孟珏，你也要留下吃饭。嗯，你以后只要在长安，都要到我这里来吃饭。记住了！"说完，立即跳出了院子。

许平君笑着打趣："孟大哥，听到没有？现在可就要听管了。"

孟珏微微而笑，"你的胳膊好了吗？"

许平君立即使了个眼色，"你给的药很神奇，连云歌都活蹦乱跳了，我的伤更是早好了。你们进去坐吧！我去给你们煮些茶。"

孟珏会意，再不提受伤的事情，刘病已也只和孟珏闲聊。

许平君放下心来，转身出去汲水煮茶。

刘病已等许平君出了屋子，敛去了笑容，"她们究竟是怎么受伤的？和我说因为不小心被山中的野兽咬伤了。"

孟珏说："广陵王放桀犬咬她们，被昌邑王刘贺所救。大公子就是刘贺的事情，平君应该已经和你提过。"

刘病已的目光一沉，孟珏淡淡说："平君骗你的苦心，你应该能体谅。当然，她不该低估你的智慧和性格。"

刘病已只沉默地坐着。

许平君捧了茶进来，刘病已和孟珏都笑容正常地看向她，她笑着放下茶，对孟珏说："晚上用我家的厨房做饭，我是不敢吃云歌厨房里做出来的饭菜了。这段时间，她日日在里面东煮西炒。若不是看你俩挺好，我都以为云歌在熬炼毒药去毒杀霍家小姐了。"

孟珏淡淡一笑，对许平君的半玩笑半试探没有任何反应，只问道："谁生病了吗？我看云歌的样子不像做菜，更像在尝试用药入膳。"

许平君看看刘病已，茫然地摇摇头，"没有人生病呀！你们慢慢聊，我先去把灶火生起来，你们等云歌回来了，一块儿过来。"

刘病已看云歌书架角落里，放着一副围棋，起身拿过来，"有兴趣吗？"

孟珏笑接过棋盘，"反正没有事做。"

猜子后，刘病已执白先行，他边落子，边说："你好像对我很了解？"

孟珏立即跟了子，"比你想象的要了解。"

"朋友的了解？敌人的了解？"

"本来是敌人，不过看到你这落魄样后，变成了两三分朋友，七八分敌人，以后不知道。"

两个人的落子速度都是极快，说话的工夫，刘病已所持白棋已经占了三角，布局严谨，一目一目地争取着地盘，棋力相互呼应成合围之势。

孟珏的黑棋虽然只占了一角，整个棋势却如飞龙，龙头直捣敌人内腹，成一往直前、绝无回旋余地的孤绝之势。

刘病已的落子速度渐慢，孟珏却仍是刘病已落一子，他立即下一子。

"孟珏，你的棋和你的人风格甚不相同，或者该说你平日行事的样子只是一层你想让他人看到的假象。"

"彼此，彼此。你的满不在乎、任情豪侠下不也是另一个人？"孟珏淡淡一笑，轻松地又落了一子。

刘病已轻敲着棋子，思量着下一步，"我一直觉得不是我聪明到一眼看透你，而是你根本不屑对我花费精力隐瞒。你一直对我有敌意，并非因为云歌，究竟是为什么？"

孟珏看刘病已还在思量如何落子，索性端起茶杯慢品，"刘病已，你只需记住，你的经历没什么可怜的，比你可怜的大有人在。你再苦时，暗中都有人拼死维护你，有些人却什么都没有。"

刘病已手中的棋子掉到了地上，他抬头盯着孟珏，"你这话什么意思？"

孟珏淡淡一笑，"也许有一日会告诉你，当我们成为敌人，或者朋友时。"

刘病已思索地看着孟珏，捡起棋子，下到棋盘上。

孟珏一手仍端着茶杯，一手轻松自在地落了黑子。

云歌进门后，站到他们身旁看了一会儿。

明知道只是一场游戏，却越看越心惊，忽地伸手搅乱了棋盘，"别下了，现在势均力敌刚刚好，再下下去，就要生死相斗，赢了的也不见得开心，别影响胃口。"说完，出屋向厨房行去，"许姐姐肯定不肯用我的厨房，我们去大哥家，你们两个先去，我还要拿些东西。"

刘病已懒洋洋地站起，伸了个懒腰，"下次有机会再一较胜负。"

孟珏笑着："机会很多。"

刘病已看云歌钻在厨房里东摸西找，轻声对孟珏说："不管你曾经历过什么，你一直有资格争取你想要的一切，即使不满，至少可以豁出去和老天对着干一场。我却什么都不可以做，想争不能争，想退无处可退，甚至连放弃的权利都没有，因为我的生命并不完全属于我自己，我只能静等着老天的安排。"他看向孟珏，"孟珏，云歌是你真心实意想要的吗？云歌也许有些天真任性，还有些不解世事多艰、人心复杂，但懂得生活艰辛、步步算计的人太多了，我宁愿看她整天不愁世事地笑着。"

孟珏的目光凝落在云歌身上，沉默地站着。

云歌抬头间看到他们，嫣然而笑。笑容干净明丽，再配上眉眼间的悠然自在，宛如空谷芝兰、远山闲云。

刘病已郑重地说："万望你勿使宝珠蒙尘。"

云歌提着篮子出了厨房，"你们两个怎么还站在这里呢？"

孟珏温暖一笑，快走了几步，从云歌手中接过篮子，"等你一块儿走。"

云歌的脸微微一红，安静地走在孟珏身侧。

刘病已加快了步伐，渐渐超过他们，"我先回去看看平君要不要帮忙。"

公主原本想借甘泉宫之行和皇帝更亲近一些，等皇帝心情好时，再借机聊一些事情。没想到话还未说，就不知何缘故得罪了皇帝，自小和她亲近的皇帝开始疏远她。

甘泉山上，皇帝对她十分冷淡，却对广陵王安抚有加。

广陵王回封地时，皇帝亲自送到甘泉宫外，不但赏赐了很多东西，还特意加封了广陵王的几个儿子。

可对她呢？

常有的赏赐没有了，随意出入禁宫的权利也没有了。她哭也哭过，闹也闹过，却都没有用。

回长安后，她费心搜集了很多奇巧东西，想挽回和皇帝的关系。皇帝只礼节性地淡淡扫了一眼，就命人放到一旁。

很快，她和皇帝关系恶劣的消息就在长安城内传开，公主府前的热闹渐渐消失。

往年，离生辰还有一个月时，就有各郡各府的人来送礼。送礼的人常常在门前排成长队，今年却人数锐减，门可罗雀。

公主正坐在屋内伤心。

丁外人喜滋滋地从外面进来，"公主，燕王送来重礼给公主贺寿，两柄紫玉如意，一对鸳鸯蝴蝶佩，一对水晶枕……"

因为知道父皇在世时，燕王曾觊觎过太子之位，所以一直对燕王存有戒心。燕王虽年年送礼，公主却年年回绝。可没有料到门庭冷落时，燕王仍然派人来恭贺寿辰。

公主虽绝不打算和燕王结交，但也不能再狠心拒绝燕王的礼物，毕竟锦上添花的人多，雪里送炭的却实在少，"收下吧！好好款待送礼来的人。"

丁外人笑着进言："难得还有如此不势利的人，公主不如回一封信给燕王。"

公主想了想，"也好，是该多谢王兄厚意，口头传达总是少了几分诚意。"

丁外人忙准备了笔墨，伺候公主写信，"公主，今年的生辰宴打算怎么办？"

公主恹恹地说："你也看到现在的情形了，往年陛下都会惦记着此事，可今年却不闻不问，本宫没心情办什么生辰宴。"

丁外人说："虽然那些势利小人不来奉承了，可上官大人、桑大人都已经送了礼，总不能不回谢一番。经此一事，留下的都是真心待公主的人，看着是祸事，其实也是好事。再说了，公主和陛下毕竟是亲姐弟，陛下年幼失母，多有公主照顾，感情非同一般。等陛下气消了，总有回旋余地，公主现在不必太计较，上官大人私下和我提过，会帮公主在陛下面前说话，霍夫人也说会帮公主打听陛下近来喜好。"

公主的眉头舒展了几分，"还是你想得周到。本宫若连生辰宴都不办了，只能让那帮势利小人看笑话。这事交给你负责，除了上官大人、桑大人，你再给霍光下个帖子，霍光不会不来，有他们三人，本宫的宴席绝不会冷清，看谁敢在背后胡言乱语？"

丁外人连连称是，面上一派谨慎，心内却是得意万分。

皇帝脾性古怪，喜怒难测，刚才给公主说的话，是照搬霍禹安慰他的话，他根本不信，公主却一厢情愿地相信了。

就刚才这几句话，他已经又进账千贯，霍禹的、上官安的、燕王的。

应不应该凭此消息，去讹诈孟珏一番？

霍禹向他打听公主宴会，只是一件小事，可孟珏是个一心结交权贵的傻商人，只要和权贵有关的消息，和他开多少钱，都傻乎乎地给，不拿白不拿。

为了过乞巧节，云歌和许平君一大早就在做巧果。许平君还和族中的堂姐妹约好晚上一起去乞巧。

刘病已早上听到她和云歌商量时，并没有反对。可下午和孟珏打发来的一个人低语了几句后，就不许她们两个去了，说要和她们一起过乞巧节。

云歌和许平君摆好敬神的瓜果，各种小菜放了满满一桌子。许平君笑拿了一个荷包递给云歌，"这是我抽空时随手给你做的。"

荷包上绣着朵朵白云，绣工细密精致，显然费了不少工夫。云歌心中感动，不好意思地说："我没有给姐姐做东西。"

许平君哈哈笑着："这些菜不是你做的吗？我吃了，就是收了你的礼。你若想送我针线活，今天晚上还要好好向织女乞一下巧。"

云歌笑嘟着嘴，"大哥，你听到没有？姐姐嘲讽我针线差呢！"

刘病已有些心不在焉，一直留意着外面动静，听到云歌叫他，只是一笑。

因为农乃立国之本，所以历代皇帝都很重视乞巧节，皇后会着盛装向织女乞巧，以示男耕女织的重要。

由上而下，民间家家户户的女子也都很热闹地过乞巧节。女伴相约凭借针线斗巧，也可以同到瓜藤架下乞巧，看蜘蛛在谁的果上结网，就表明谁得到了织女的青睐。

还因为织女和牛郎的凄美传说，乞巧节又被称为"七夕"。这一天，瓜田李下，男女私会、暗定终身的不少，情人忙着偷偷见面，爱闹的女伴们既要乞巧，还要设法去逮缺席的姐妹，热闹不下上元佳节。

往年的乞巧节，笑闹声要从夜初黑，到敲过二更后，可今年却十分异常，初更后，街道上就一片死寂，只各家墙院内偶有笑语声。

云歌和许平君也渐渐觉察出异样，正疑惑间，就听到街上传来整齐的步伐声、金戈相击的声音。有军人高声喊："各家紧闭门户，不许外出，不许放外人进入，若有违反，当谋反论处。"

许平君吓得立即把院门拴死，云歌却想往外冲，许平君拉都拉不住。

刘病已握住了云歌正在拉门的手，"云歌，孟珏不会有事，大哥给你保证。"

云歌收回了手，在院子里不停地踱着步，"是藩王谋反了吗？燕王？广陵王？还是……昌邑王？"

刘病已摇头："应该都不是，如果藩王造反，一般都是由外向内攻。或者和臣子联合，内外呼应，臣子大开城门，引兵入城，而非现在这样紧锁城门，更像瓮中捉鳖。"

于安接到手下暗线的消息，立即跑去禀告皇帝，声音抖得不能成话，"陛，陛下，上官大人暗中调了兵。"

刘弗陵腾地站起，这一天终于来了。

上官父子都出身羽林营，上官桀是左将军，上官安是骠骑将军。

经过多年经营，羽林营唯上官氏马首是瞻，没有皇帝手谕，上官父子能调动的兵力自然是羽林营。

羽林营是父皇一手创建的彪悍之师，本意是攻打匈奴、保护皇帝，现在却成了权臣争夺权力的利器，一直自视甚高的父皇在地下做何想？

刘弗陵嘲讽一笑。

霍光的势力在禁军中，儿子霍禹和侄子霍云是中郎将，侄子霍山是奉车都尉，女婿邓广汉是长乐宫卫尉，女婿范明友则恰好是负责皇帝所居的宫殿——未央宫卫尉。

霍光此时应该也知道了消息，他能调动的兵力肯定是禁军。

禁军掌宫廷门户，皇帝安危全依赖于禁军，算是皇帝的贴身护卫。禁军调动应该只听皇帝一人命令，可现在，禁军只听霍光的命令，如同刘弗陵的咽喉紧紧被霍光的手扼住。

父皇，你当年杀母亲是因为认为母亲会弄权危害到我。如今呢？你亲自挑选的辅政大臣又如何？

刘弗陵突然对于安说："你立即派人去接阿姊进宫，就说今日是她的生辰，朕想见她。"

于安立即应"是"，转身匆匆出去，不过一会儿工夫，又转了回来，脸色铁青，气急败坏地说："陛下，范明友带人封锁了未央宫，不许奴才出未央宫，也不许任何人进出。"

"你们随朕来。"刘弗陵向外行去，于安和几个太监忙紧随其后。

范明友带人挡在了刘弗陵面前。

范明友跪下说："陛下，臣接到消息说有人谋反，为了确保陛下安全，请陛下留在未央宫内。"

刘弗陵手上的青筋隐隐跳动，"谁谋反？"

"大司马大将军霍大人正在彻查，等查清楚会立即来向陛下禀告。"

刘弗陵依旧向前行去，挡着他路的侍卫却寸步不让，手搁在兵器上，竟有刀剑出鞘之势。随在刘弗陵身后的太监立即护在了他身前，起落间身手很不凡。

范明友跪爬了几步，沉声说："所谓'良药苦口、忠言逆耳'。

古有大臣死谏，今日臣也只能以死冒犯陛下。请陛下留在未央宫内。即使陛下日后赐死臣，只要陛下今夜安全得保，臣死得心甘情愿。"

宣德殿外，全是铠甲森冷的侍卫。人人都手按兵器，静等范明友吩咐。

于安哭向刘弗陵磕头，"天已晚，求陛下先歇息。"

刘弗陵袖内的手紧紧拽成拳头，微微抖着，猛然转身走回了宣德殿。

刘弗陵抓起桌上的茶壶欲砸，手到半空却又慢慢收了回去，将茶壶轻轻搁回了桌上。

于安垂泪说："陛下想砸就砸吧！别憋坏了身子。"

刘弗陵转身，面上竟然带着一丝奇异的笑，"朕的无能，何必迁怒于无辜之物？早些歇息吧！结果已定。明日准备颁旨嘉奖霍光平乱有功就行。"

于安愣愣："禁军虽有地利之便，可若论战斗力，让匈奴闻风丧胆的羽林营远高于宫廷禁军，两败俱伤更有可能。"

刘弗陵笑看着于安，语气难得的温和："上官桀身旁应有内奸。范明友对答十分胸有成竹，若只是仓促间从霍光处得到命令，以范明友的性格，绝不敢和朕如此说话。上官桀的一举一动都在霍光预料之内，表面上霍光未有动作，只是守株待兔而已。"

刘弗陵转身向内殿走去，"朕现在只希望已经失势的阿姊可以置身事外。"

于安闻言，冷汗滴滴而出。

公主生辰宴的事情，他已有听闻，只是因为皇帝自甘泉宫回来后，就对公主十分冷漠，他未敢多提。想到公主宴请的宾客，上官桀、霍光、桑弘羊。

于安张了张嘴，可看到皇帝消瘦孤单的背影，他又闭上了嘴。

老天垂怜！公主只是一介妇人，无兵无势，不会有事，不会有事……

公主寿筵所请的人虽然不多，却个个分量很重。

上官氏一族，霍氏一族，原本因为桑弘羊年龄太大，请的是桑弘羊的儿子桑安，可桑安因病缺席，公主本以为桑氏不会来人贺寿，但令公主喜出望外的是桑弘羊竟亲自来了。

宴席上，觥筹交错，各人的心情都是分外好。

经过多日冷清，公主府又重现热闹，公主的心情自然很好。

上官桀和上官安两父子笑意满面地看着霍光，频频敬酒。今日一过，明天的汉家朝堂就是上官家族的了。

霍光和霍禹两父子也是谈笑间，酒到杯干，似乎一切尽在掌控中。

上官桀笑得越发开心，又给霍光倒了一杯酒，"来，霍贤弟再饮一杯。"霍光以为通过女儿霍怜儿掌握了上官氏的举动，却不知道上官氏是将计就计，霍怜儿冒险传递出去的消息都是上官氏的疑兵之计。

宴席间，气氛正浓烈时，突闻兵戈声，霍云领着一队宫廷禁军，全副武装、浑身血迹地冲进了公主府，"回禀大司马大将军，羽林军谋反。未得皇命，私自离营，欲攻入未央宫。"

刹那间，宴席一片死寂。

只看禁军已经将整个屋子团团围住。上官桀神情大变，上官安大叫："不可能！"

上官桀向前冲去，想抢一把兵器。

庭院中的霍云立即搭箭射出。

上官桀捂着心口的羽箭，惨笑地看向霍光："还是你……你更……更狠……"身子倒在了地上，眼睛却依然瞪着霍光。

席上的女眷刚开始还在哭喊，看到上官桀命亡，却突然没了声音。

一个个惊恐地瞪大着眼睛。

上官安怒叫一声，猛然抡起身前的整张桌子，以之为武器向霍光攻去。

在这一瞬，被权力富贵侵蚀掉的彪悍将领风范，在上官安身上又有了几分重现。

霍禹接过禁军递过的刀挡在了霍光身前。

霍怜儿大叫："夫君，我爹答应过不杀你，你放下……你放下……"

上官安的腿被两个禁军刺中，身形立时不稳。

霍禹挥刀间，上官安的人头落在了地上，骨碌碌打了转，双目依旧怒睁，正朝向霍怜儿，似乎质问着她，为什么害死他？

霍怜儿双腿软跪在了地上，泪流满面，"不会……不会……"

霍成君和霍怜儿并非一母，往日不算亲近，可面对此时的人间惨剧，也是满面泪痕，想去扶姐姐，却被母亲紧紧抱着。

霍夫人把霍成君的头按向自己怀中，"成君，不要看，不要看。"

两个禁军过来，护着霍夫人和霍成君出了大堂。

霍光看向桑弘羊，桑弘羊的两个随从还想拼死保护他，桑弘羊却是朗声大笑着命侍从让开，挂着拐杖站起，"老夫就不劳霍贤弟亲自动手了。当日先帝榻前，你我四人同跪时，老夫就已料到今日。同朝为官三十多年，还望霍贤弟给个全尸。"看了眼已经瘫软在地的公主，轻声一叹，"霍贤弟勿忘当日在先帝榻前发的毒誓，勿忘、勿忘……"说着，以头撞柱，脑浆迸裂，立时毙命。

两个随从看了看周围持着刀戈的禁卫，学着主人，都撞柱而亡。

丁外人跪在地上向霍禹爬去，身子抖成一团："霍大人，霍公子，我一直对霍大人十分忠心，我曾帮霍公子……"

霍禹轻点了下头，一个禁卫立即将剑刺入丁外人心口，阻止了丁外人一切未出口的话。

从禁军冲入公主府到现在，不过瞬间，就已是满堂血迹，一屋尸身。

上官桀倒给霍光的酒，霍光还仍端在手中，此时霍光笑看着上官桀的尸体，饮完了最后一口。

霍禹看了霍云一眼，霍云立即命令禁军将所有堂内婢女侍从押下。

禁军从公主府中搜出燕王送的重礼，还有半路截获的公主和燕王的通信，霍光淡淡吩咐："先将公主幽禁，等禀奏过陛下后，请陛下裁决。"

没有一个人敢发出声音。

寂静中，霍怜儿的抽泣声显得格外大，她这才真正确认了自己的夫君上官安的确已被自己的兄弟杀死。

她从地上站起，颤巍巍地向霍光走去，眼睛直勾勾地盯着霍光，"爹爹，你不是答应过女儿吗？你不是答应过女儿吗？"

霍光温和地说："怜儿，天下好男儿多得是，上官安因为爹爹，近年对你也不算好，爹爹会补偿你。"

霍怜儿泪珠纷纷而落，落在地上上官安的血中，晕出一道道血痕。

"爹爹，你是不是也不会放过靖儿？小妹呢？小妹是皇后，爹爹应该一时不会动她。靖儿呢？他是爹爹的亲外孙，求爹爹饶他一命。"霍怜儿哭求。

霍光撇过了头，对霍禹吩咐："命人带你姐姐回府。"

霍怜儿眼中只剩绝望。

霍禹去扶霍怜儿，霍怜儿顺势拔出了他腰间的刀，架在自己的脖子上。

霍禹不敢再动，只不停地劝："姐姐，你的姓氏是霍，姐姐也还年轻，想再要孩子很容易。"

霍怜儿一边一步步后退，一边对着霍光笑说："爹爹，你答应过女儿的，答应过女儿的……"

胳膊回旋，血珠飞出。

刀坠，身落。

恰恰倒在了上官安的头颅旁。

她用刚刚杀死过上官安的刀自刎而亡，似乎是给怒目圆睁的上官安一个交代。

云歌三人一夜未睡，估计长安城内的很多人也都是一夜未合眼。

宵禁取消，云歌急着想去找孟珏。

刘病已和许平君放心不下，索性陪着云歌一起出门。

往常，天一亮就人来人往的长安城，今日却分外冷清，家家户户仍深锁着门。就是好财的常叔都不肯做生意，关门在家睡大觉。

一品居反倒大开了大门，仿若无事地依旧做着生意。

云歌心中暗赞，不愧是百年老店，早已经看惯长安城的风起云落。

许平君也啧啧称叹。

刘病已淡淡一笑，"听说当年卫太子谋反时，卫太子和武帝两方的兵力在长安城内血战五日，长安城血流成河，一片萧索，一品居是第一个正常恢复生意的店家。如今的事情和当年比，根本不算什么。"

清晨的风颇有些冷，云歌轻轻打了个寒战。

她第一次直接感受到长安城一派繁华下血淋淋的残酷。

一个俏丽的白衣女子拦住了他们，指了指一品居，笑说："公子正在楼上，请随奴婢来。"

云歌三人跟在白衣女子身后进了一品居，白衣女子领着她们绕过大堂，从后面的楼梯上了楼，熟悉程度，不像顾客，更像主人。

白衣女子挑开帘子，请云歌三人进。

孟珏正长身玉立于窗前眺望街道，窗上蒙着冰鲛纱，向外看，视线不受阻挡，外人却难从外一窥窗内。

孟珏转身时，面色透着几分憔悴，对着刘病已说："今日起，霍光就是大汉幕后的皇帝。"

话语惊人，云歌和许平君都不敢吭声。

刘病已却似对孟珏无前文无后文的话很理解，"你本来希望谁胜利？"

孟珏苦笑着揉了揉眉头，对白衣女子吩咐："三月，你带云歌和平君先去吃些东西，再给我煮杯浓茶。"

云歌和许平君彼此看了一眼，跟在三月身后出了屋子。

孟珏请刘病已坐，"两败俱伤当然是最好的结果，或者即使一方胜，也应该是惨胜，如今霍光却胜得干净利落。霍光的深沉狠辣远超出我所料。"

刘病已说："我只能看到外面的表象，如果方便，可否说给我听听？"

孟珏说："上官桀本想利用公主寿筵，在霍光回府路上伏杀霍光。却不料他的一举一动，霍光全知道。霍光在公主宴席上提前发难，把上官桀、上官安、桑弘羊当场诛杀。之后命霍禹提着上官父子的人头出现在本要伏杀他们的羽林军前，军心立散。审问后，嘴硬的立杀，剩下的个个都指证上官桀和上官安私自调动羽林军，有谋反意图。"

"上官桀怎么没有在公主府外暗中布一些兵力，和负责伏击的羽林营相互呼应？"

"当然布了。不过因为霍光完全知道他的兵力部署，所以全数被禁军诛杀，没有一个能传递出消息。霍光明知道会血溅大堂，却依然带着女眷参加，上官桀在公主府外布置了兵力，又看到霍光带着最疼爱的霍成君出席晚宴，以为霍光没有准备，自己肯定万无一失。"

刘病已问："霍光怎么会知道上官桀打算调兵伏杀他？"

孟珏喝了口浓茶，"上官安的夫人霍怜儿给霍光暗中通传过消息，不过那些消息全是假的，霍怜儿的自责完全没有必要。真正的内奸，霍怜儿和上官安只怕到死都没有想到。"

"是谁？"

"上官安心爱的小妾卢氏。卢氏处处和霍怜儿作对，两人针锋相对了多年，霍怜儿一直把卢氏视作死敌，估计霍怜儿怎么都不会想到卢氏竟是她的父亲霍光一手安排给上官安的。上官桀发觉霍怜儿偷听他们的谈话后，本打算将计就计，让霍怜儿传出假消息，迷惑霍光，却不料霍光另有消息渠道。上官桀虽是虎父，却有个犬子，估计上官桀根本想不到上官安竟然会把这么重要的事情告诉小妾。"

刘病已笑："自古皆如此，豪族大家的败落都是先从内里开始腐烂。霍光是什么人？根本不需要详细的消息。只要上官安在床榻上销魂时，随意说一句半句，霍光就有可能猜透上官家的全盘计划。"

孟珏颔首同意。

刘病已轻叹一声，"霍怜儿不知道实情也好，少几分伤心。"

孟珏唇边一抹讥讽的笑："你若看到霍怜儿死前的神情，就不会如此说了。"

刘病已神情微变，"四个辅政大臣中，霍光最爱惜名声。昨日公主宴席上的人只怕除了霍氏的亲信，全都难逃一死。你既然事先知道可能有变，怎么还跟去？不怕霍光动杀心吗？"

孟珏苦笑："霍光应该已经对我动了疑心，我昨日若不去，霍光为保事情机密，我的麻烦更大。"

刘病已笑起来："常在河边走，哪能不湿鞋？"

孟珏神情郑重："在事情平息前，你帮我多留意着云歌。"

刘病已点头："不用你说。现在宫内情形如何？"

孟珏摇了摇头："趁着昨夜之乱，霍光将禁军换了一次血，把所有不合他意的统领全部换掉，现在宫禁森严，宫内究竟什么情形，只有霍光知道。看昨日霍光的布局，他应该打算告上官桀、桑弘羊、上官安联合燕王谋反，公主也牵连其中。"

刘病已大笑起来："谁会相信？长安城内的兵力，从禁军到羽林营都是上官桀和霍光的人，朝政被上官桀和霍光把持多年，皇帝没有几个亲信，当今皇后又是上官桀的孙女，假以时日，将来太子的一半血脉会是上官氏。燕王和上官桀有什么关系？半点关系没有。燕王可是要亲信有亲信，要兵有兵，几个儿子都已经老大。上官桀还想杀了刘弗陵，立燕王？上官桀就是脑子被狗吃了一半，也不至于发疯到谋反去立燕王。"

孟珏笑问："从古到今，谋反的罪名有几个不是'莫须有'？只要胜利方说你是，你就是。众人巴结讨好胜利者还来不及，有几个还有工夫想什么合理不合理？民间百姓又哪里会懂你们皇家的这些曲折？"

刘病已沉默了下来，起身踱到窗边，俯视着长安城的街道。

半晌后悠悠说："世事真讽刺！十多年前，李广利、江充在明，钩弋夫人、燕王、上官桀在暗，陷害卫太子谋反。当时，他们大概都没有想到自己的下场。李广利、江充搭进性命忙碌了一场，不过是为钩弋夫人作了嫁衣裳。钩弋夫人倒是终遂了心愿，可还未笑等到儿子登基，就被赐死。上官桀如愿借着幼主，掌握了朝政，却没有想到自己的下场也是谋反灭族的大罪。这些人竟然没有一个人能笑到最后。今日你我坐在这里闲论他人生死，他日不知道等着我们的又是什么命运？"

孟珏笑着走到刘病已身侧，"你算借着霍光之手，得报大仇，应该开心才对。"

刘病已冷嘲，"你几时听过，自己毫无能力，假他人之手报了仇的人会开心？今日这局若是我设的，我也许会开心，可我连颗棋子都不是。"

孟珏微微一笑，"现在是我麻烦一身，你只需笑看风云就行，即使要消沉，那人也应该是我，几时轮到你了？"

刘病已想起往事的惆怅被孟珏的笑语冲淡，面上又挂上了三分随意，三分惫懒的笑。

孟珏推开了窗户，眺望向蓝天，"人生的乐趣就在未知，更重要的是拼搏的过程，结果只是给别人看的，过程才是自己的人生。正因为明日是未知，所以才有无数可能，而我要的就是抓住我想要的可能。"孟珏说话时，罕见地少了几分温润，多了几分激昂，手在窗外一挥，似乎握住了整个蓝天。

云歌在外面拍门，"你们说完了没有？"

刘病已去拉开了门，牵起许平君向楼下行去。

云歌忙问："你们去哪里？"

许平君笑着回头："你心里难道不是早就巴望着我们这些闲人回避吗？"

云歌皱了皱鼻子，正想回嘴，孟珏把她拉进了屋子，一言未发地就把她揽进了怀中。

云歌紧张得心怦怦乱跳，以为孟珏会做什么，却不料孟珏只是安静地抱着她，头俯在她的头上，似有些疲惫。

云歌心中暗嘲自己，慌乱的心平复下来，伸手环抱住了孟珏。

他不言，她也不语。

只静静拥着彼此，任凭窗外光阴流转。

未央宫。

刘弗陵正倾听着霍光奏报上官桀伙同燕王谋反的罪证。

燕王本就有反心，他的谋反证据根本不用伪造都是一大堆。上官桀、上官安近来与燕王过从甚密，且私自调动羽林营，再加上人证、物证，也是铁证如山。公主之罪有物证，书信往来，还有公主的侍女作证。

霍光罗列完所有书信、财物往来的罪证后，请求刘弗陵立即派兵围攻燕国，以防燕王出兵。

面对霍光如往日一般的谦恭态度，刘弗陵也一如往日的不冷不温："一切都准你所奏。立即诏告天下，命田千秋发兵燕国，诏书中写明只燕王一人之过，罪不及子孙。大司马搜集的罪证既然如此齐全，想必留意燕王已久，他身边应有大司马的人，燕王即使起事，朕也应该不用担心兵乱祸及民间。"

霍光应道："臣等定会尽力。"

刘弗陵道："燕王和鄂邑盖公主虽然有罪，毕竟是朕的同胞兄姊，朕若下旨杀他们，日后恐无颜见父皇，将他们幽禁起来也就是了。"

霍光还想再说，刘弗陵将国玺放在霍光面前："你若不同意朕的意思，尽可以自己颁旨盖印。"

刘弗陵的一双眼睛虽像汉武帝刘彻，但因为往日更多的神情是淡漠，所以原本的八分像只剩了三分。

此时眼神凌厉，暗藏杀气，正是霍光年青时，惯看的锋芒。

霍光心中一震，不禁后退了一步，一下跪在了地上，"臣不敢。"

刘弗陵收回了国玺，沉吟未语。

既然走到这一步，现在只能尽力避免因为权力之争引起战事祸乱百姓。

一瞬后，刘弗陵说："传旨安抚广陵王，同时加重广陵国附近的守兵，让广陵王不敢轻举妄动。如果三天之内不能让燕王大开城门认罪，大司马应该能预想到后果。"

霍光面色沉重地点了下头，"臣一定竭尽全力，昌邑国呢？需不需要……"

"不用管昌邑王。"刘弗陵说完，起身出了殿门。

———— ⬿ ————

于安跟在刘弗陵身后，看刘弗陵走的方向通往皇后所居宫殿——椒房宫。心中纳闷，一年都难得走一次，今日却是为何？

椒房宫外的宫女多了好几个新面孔，一些老面孔已经找不到。

于安恨叹，霍光真是雷霆手段。

宫女看见皇帝驾临，请安后纷纷回避。

刘弗陵示意于安去打开榻上的帘帐。于安欲掀，里面却有一双手拽得紧紧，不许他打开。

于安想用强，刘弗陵挥了挥手，示意他退下，去屋外守着。

"小妹，是朕，打开帘子。"

一会儿后，帘子掀开了一条缝，一张满是泪痕的脸露在帐子外，"皇帝大哥？奶娘说我爷爷、我奶奶、我爹爹、我娘亲、我弟弟，我的兰姑姑都死了，真的吗？"

刘弗陵轻轻颔了下首。

上官小妹的眼泪落得更急，张着嘴想放声大哭，却扫了眼殿外，不敢哭出声音，"爹不是说，如果我进宫来住，他们就会过得很好吗？"

刘弗陵说："小妹，我现在说的话很重要，你要认真听。你今年十三岁了，已经是大人了，大人就不该再总想着哭。你外祖父处理完手头的事情就会来看你，你若还在哭，他会不高兴，他若不高兴……"

小妹身子往床榻里面蜷了蜷，像一只蜗牛想缩进壳里躲藏，可她却没有那个壳，只能双手环抱着自己，"我知道，外祖父若不高兴，就会也杀了我。"

刘弗陵呆了下，"看来你真长大了。如果外祖父问你，想念爹娘吗？你该如何回答？"

小妹一边抹着眼泪，一边说："我就说，我六岁就搬进宫来住，和他们很少见面，虽知道爹娘应该很好，可怎么好却实在说不上来，虽然很想娘亲，可有时候觉得日常照顾我起居的宫女姐姐更亲切。"

刘弗陵赞许地点点头，"聪明的小妹，这几年，你在宫里学了不少东西。"

刘弗陵起身，向外行去。

小妹在他身后叫道："皇帝大哥，你什么时候再来看我？"

刘弗陵脚步顿了顿，却没有回答小妹的问题，身影依旧向前行去。

殿堂宽广，似乎无边，小妹定定看着那一抹影子在纱帘间越去越淡。

终于，消失不见。

只有还轻轻飘动的纱帘提醒着她，那人真的来过这里。

小妹放下纱帐，随手抓起一件衣服塞进嘴里，把嘴堵得严严实实，眼泪如急雨，双手紧握成拳，疯狂地挥舞着，却无一点声音发出。

帘帐外。

馨甜的熏香袅袅散开。

一屋幽静。

七里香虽然已经开门，生意却依然冷清。

许平君瞟了眼四周，见周围无人，凑到云歌耳边小声问："你忙完了吗？忙完了，今日我们早点走。"

云歌诧异地问："大哥不是嘱咐过我们，他来接我们一块儿回去吗？不等大哥吗？"

许平君脸有些红，低声说："我想去看大夫，身上已经一个月没有来了，我怀疑，怀疑是……"

云歌皱着眉头想了会儿："估计是你日常饮食有些偏凉了，应该没有大碍。这个月多吃些温性食物。"

许平君轻拧了云歌一把，"真是笨！我怀疑我有了。"

云歌还是没有反应过来，呆呆问："你有了什么？"

许平君翻了个白眼，先前的几分羞涩早被云歌气到了爪哇国，"有孩子了！"

云歌呆了一瞬，猛然抱住许平君，却又立即吓得放开她，好像抱得紧一些都会伤到孩子。

云歌小心翼翼地碰了碰许平君的腹部，兴奋地说："待会儿大哥肯定高兴死。我现在就找人去找大哥。"

许平君拉住云歌的手："我还不敢肯定，所以想自己先去看大夫，等确定了再告诉病已。说不定是我空欢喜一场呢！"

云歌点头："也是，那我们现在就走。"

当大夫告诉许平君的确是喜脉时，许平君和云歌两人喜得连话都说不完整。

一向节俭的许平君更是破天荒头一遭，给大夫额外封了一些钱，一连声地道谢："谢谢，谢谢，谢谢……"

谢得年轻的大夫不好意思起来，对着许平君说："不用谢了，不用谢了。要谢该去谢你家夫君，这可不是我的功劳。"

一句急话又是一句错话，大夫闹了个满面通红，不过终于让许平君的"谢谢"停了下来。

云歌捶着桌子险些笑倒。

云歌和许平君出医馆时，天色已黑。

两人都十分兴奋，云歌笑着说："好了，从今日起，你的饮食我全权负责。安胎药最好不吃，毕竟是药三分毒，我回去仔细看看书，再让孟珏给你诊脉，一定……"

云歌忽觉得巷子异常安静，几分动物的本能让她立即握着许平君的胳膊跑起来，却已是晚了。几个蒙面大汉前后合围住了她们。

云歌顾及许平君，立即说："你们要谁？不管你们出于什么目的，抓我一个就够了。"

一个人微哼了一声："两个都要。"

许平君抓着云歌的手，身子抖得不成样子，"我们没有钱，只是普通百姓。"

云歌轻握住许平君的手，"我们会听话地跟你们走，不要伤到我们，否则鱼死网破，一拍两散。"

领头的人耸了耸肩，似乎对自己如此容易就完成了任务，十分诧异，向其余人挥了下手，命他们把云歌和许平君塞进一辆捂得严严实实的马车，一行人匆匆离开。

许平君摸着自己的腹部，哀愁地问："他们是什么人？"

云歌摇了摇头："你没有钱，我没有钱，你没有仇家，我没有仇家，这件事情只能问孟珏或者大哥了。姐姐不用担心，他们没有当场下毒手，反而带走我们，就证明是用我们向孟珏或者大哥提要求，既然如此，就暂时不用担心。"

许平君无奈地点了点头，靠在了云歌肩头。

也许因为孩子，许平君比平时多了几分娇弱。云歌突然之间有一种她需要保护两个人的责任。

云歌忽然摸到孟珏当日赠她的匕首，因为这把匕首打造精美，携带方便，割花草植物很好用，所以云歌一直随身带着。

云歌低声和许平君说："假装哭，不要太大声，也不要太小声。"

许平君虽莫名其妙，但素来知道云歌鬼主意最多，所以呜呜咽咽地假装哭起来。

云歌嘴里假装劝着她，手下却是不闲，掏出匕首，掀开马车上的毯子，沿着木板缝隙，小心地打着洞。

等钻出一个小洞时，云歌把匕首递给许平君，示意她收好。

掏出几个荷包，打开其中一个，里面装着一些胡椒子，她小心地握着胡椒子，胡椒子顺着小洞，一粒粒滑落。可是马车还未停，胡椒子就已经用完，云歌只能把荷包里所有能用的东西都用上。

看马车速度慢下来，云歌立即把毯子盖好，抱住了许平君，好似两个人正抱头哭泣。

云歌和许平君都被罩着黑布带下了马车。

等拿下黑布时，已经在一间屋子里，虽然简陋，但被褥齐全，没多久还有人送来食物。

云歌嘱咐许平君先安静休息一夜，一则，静静等待孟珏和刘病已来救他们，二则，如果孟珏和刘病已不能及时来，她们需要设法逃走的话，必须有好的体力。

许平君小声问："你的法子能管用吗？"

"不知道，看孟珏和大哥能不能留意到，也要盼今夜不要下雨。"

许平君本来心绪不宁，可看云歌睡得安稳，心里安定下来，也慢慢睡了过去。等她睡着，云歌反倒睁开了眼睛，瞪着屋顶，皱着眉头。

怕什么来什么，想着不要下雨，云歌就听到风声渐渐变大，不一会儿，雨点就敲着屋檐响起来。

云歌郁闷地想，难道老天要和我玩反的？那老天求求你，让我们都被抓起来吧！转念间，又不敢再求，万一好的不灵坏的灵呢？还是自力更生，靠自己吧！

许平君被雨声惊醒，发愁地问："云歌，我们真能安全回家吗？"

云歌笑说："会呀！孟珏和大哥应该早就发觉我们失踪了，也许已经发现我丢下的胡椒子，即使不能直接找到我们，至少有眉目可以追查，而且下雨有下雨的好处，下雨时，守卫就会松懈，方便我们逃走。"

第二日。

雨仍旧没完没了地下着，看守她们的人不跟她们说话，却会很准时地送饭菜。

云歌看出这些人都是经过训练的人，并非一般的江湖人。

她不知道这些人究竟想要用她们要挟孟珏和大哥去做什么，可身体内的一点动物直觉，让她从这些人的眼神中，感觉到了杀意。他们看她和许平君的眼光像狼看已经臣服在爪下的兔子，恐怕不管孟珏和大哥是否按照他们所说的去做，他们都会杀了她和许平君。

云歌本来更倾向于等孟珏来救她们，此时却知道必须要自救。

好不容易挨到天黑，云歌让许平君退开几步，小心地打开一个鹿皮荷包。

一只婴儿拳头大小的蜘蛛从里面慢悠悠地爬出。

云歌静静退开，只看蜘蛛不紧不慢地从窗口爬了出去。

许平君小声问："那个东西有毒？"

云歌点点头："前两日我花了好多钱向胡商买的，是毒药却也是良药。这种蜘蛛叫作'黑寡妇'，偶尔会以雄蛛为食。这只蜘蛛是人养的，为了凝聚它体内的毒性，自小的食物就是雄蛛，下午守卫进来送饭时，我在两个守卫的身上下了雄蛛磨成的粉，它此时饿了两天，肯定会闻味而去，剩下的就要看运气了。"

许平君悄悄伏在门边，紧张地倾听着外面的动静。

云歌用匕首，把被子小心地划开，被面给许平君做了雨披，里子全部划成布条，一节节打成死结后，连成了一条绳子。

因为雨大夜黑，除了偶有巡逻的守卫经过，其他人都在屋里饮酒吃菜。

看守云歌和许平君的两人却要在屋檐下守夜，心绪烦躁中，根本没有留意地面上静静爬着的危险。

"黑寡妇"在分泌毒药的同时会先分泌出一种麻醉成分，将被咬的猎物麻醉。

一个守卫不耐烦地搓着手。

一个低声说："再忍一忍，今天晚上就会做了她们，说不定过一会儿，头儿就会来通知我们了。"

两个人忽然觉得十分困倦，一个实在撑不住，说了声"我坐会儿"，就靠着门坐下，另外一个也坐了下来。

不一会儿两人都闭上了眼睛。

许平君朝云歌打手势，云歌点了下头，先让许平君拿了大蒜往鞋子上抹。

"'黑寡妇'很讨厌大蒜味。不知道它钻到哪里去了，还是小心一些的好。"

许平君一听，立即往手上、脸上、脖子上都抹了不少。

云歌笑着把自己做好的雨披罩在许平君身上。

许平君知道自己有孩子，也未和云歌客气，只重重握了下云歌的手。

云歌拿匕首小心地将门有锁的那块，连着木板削了下来。

一开门，两个守卫立即倒在了地上，许平君惊恐地后退了一大步："他们都死了吗？"

"没有，没有，大概只是晕过去了，许姐姐快一点。"云歌哄着许平君从两人的尸体上跨过去，把匕首递给许平君，指了指依稀记着的方向："你向那边跑，我马上来。"

"你呢？"

"我要伪装一下这里，拖延一些时间，否则巡逻的人往这里一看，就知道我们跑了。"

云歌强忍着害怕将门关好，将两个守卫的尸体一边一个靠着门框和墙壁的夹角站好。远看着，没有任何异样。

云歌追上许平君时，面孔苍白，整个身子都在抖。

许平君问："云歌，你怎么了？你呕吐过？"

云歌摇头："我没事，我们赶紧跑，趁他们发现前，尽量远离这里。"

两个人猫着腰，在树丛间拼命奔跑。跑了一段后，果然看到当日马车停下来的高墙。

云歌的武功虽差，可借着树，还能翻过去，许平君却是一点功夫没有。

"我先上去，把绳子找地方固定好。"

云歌匆匆爬上树，借着枝条的荡力，把自己荡到了墙顶上。将匕首整个插入墙中，把布条做的绳子在匕首把上绑好，云歌垂下绳子，"许姐姐，快点爬上来。"

许平君看着高高的墙，摇了摇头，"我爬不上去。"

云歌着急地说："姐姐，你可以爬上来。"

许平君还是摇头："不行！万一摔下来了呢？"

云歌想了一瞬，跳了下去，蹲在地上，"许姐姐，你拽着绳子，踩在我肩膀上。我慢慢站起来，等我全站起来时，你的头已经离墙头只有两人高的距离了，你一定可以爬上去，我会在下面保护你，绝对不会让你摔着。"

许平君的手放在腹部还在犹豫，云歌说："许姐姐，他们会杀我们的，我感觉到了，所以我们一定要逃。"

许平君咬了咬牙，站到了云歌肩膀上。

做了母亲的人会格外娇弱，可也格外勇敢。

云歌在下面紧张地盯着许平君，她看到许平君的害怕，看到许平君才爬了一半时，已经力气用尽的挣扎。

云歌一面紧张地伸着手，一面不停地说："还有一点就快到了，还有一点就快到了。"

隐隐听到纷乱的人语声和脚步声。

云歌不能回头看，也不能爬上墙，只盯着许平君，一遍遍鼓励许平君爬到墙顶。

许平君叫："云歌，他们追来了，你……你快上来，不要管我了。"

云歌骂起来："许平君，我要管的才不是你，谁喜欢管你这个没用鬼？我管的是你肚子里的孩子，你还不爬，你想害死孩子吗？大哥会恨你的。"

许平君听着身后的人语声、脚步声越来越近。她一面哭着，一面想着孩子，体内又有了一股力气，让她爬上了墙顶。

云歌立即说："把绳子拽上去，然后顺着绳子滑下去，这个很简单，快走！"

许平君居高临下，已经看到一大群手持兵器的人，她哭着问："你呢？你快上来。"

云歌朝她不屑地撇了下嘴："我走另外一条路。我有武功，没了你这个拖累，很容易脱身，你快点下去，别做我的拖累！"说完，就飞掠了出去。

追兵听到云歌在树丛间刻意弄出的声音，立即叫道："在那边，在那边。"

许平君一边哭着，一边顺着绳子往下滑。

双脚一落地，立即踉踉跄跄地拼命跑着，心中疯狂地叫着"病已、病已、孟珏、孟珏，你们都在哪里？你们都在哪里？"

脸上的泪水，天上的雨水，漆黑的夜，许平君满心的绝望。

都是因为她要偷偷去看大夫，如果不是她要去看大夫，就不会被人抓走；都是因为她这个拖累，否则云歌早已经逃掉。全是她的错！

漫天的雨，四周都是漆黑。

许平君只知道跑，却不知道如何才能跑出黑暗，想到云歌此时的境遇，许平君再难压抑心中的悲伤，对着天空吼了出来："病已，病已，你们究竟在哪里？"

不料竟然听到："平君，平君，是你吗？"

"是我，是我。"许平君狂呼，大雨中，几个人影出现在她面前。她看到刘病已的瞬间，身子软了下去。

刘病已立即抱住了她，她哭着喊："去救云歌，快去，快去，要不然就晚了……"

孟珏脸色煞白，将身上的雨披扔给刘病已，立即消失在雨幕中。

刘病已看了看孟珏消失的方向，又看了看虚弱的许平君，顿住了欲动的身形，对身后陆续而来的游侠客们大声说："病已的朋友还困在里面，请各位兄弟配合孟珏兄先救人。"

有人一边飞纵而去，一边笑问："救了人之后，我们可就大开杀戒了，老子许久没有用人肝下酒了。"

刘病已豪爽地大笑道："自然！岂能不尽兴而回？"低头间，语声已经温和："我先送你回家。"

许平君摇头："我要等救到云歌再走，我们是一块儿来的，自然该一块儿走。"

刘病已问："你身体吃得消吗？"

许平君强笑了笑："就是淋了些雨，我是恐惧、害怕更多。"

刘病已未再多言，用孟珏的雨篷把许平君裹好，抱着许平君追众人而去。

刘病已护着许平君站在墙头一角，俯瞰着整个宅院。

许平君只觉突然置身于另外一个世界。

有人胖如水缸，慈眉善目，有人瘦如竹竿，凶神恶煞，有娇媚如花的女子，也有冠袍齐整的读书人，却个个身手不凡，一柄扇子，一把伞，甚至轻轻舞动的绸带，都可以立即让敌人倒下。

有两三个是她认识的，更多的是她从未见过的面孔。即使那些熟悉的面孔，现在看来，也十分陌生。

许平君小声问："这就是传说中隐藏行踪的江湖游侠客、疾恶如仇的绿林好汉吗？"

"嗯。"

"都是你的朋友？"

"嗯。"

许平君和刘病已认识已久，虽然刘病已的脾气有时候有些古怪，有些摸不透，可她一直觉得自己还是了解刘病已的。

可现在她有些困惑，她真的了解刘病已吗？

刘病已眉目间有任情豪侠，可流露更多的却是掌控苍生性命，睥睨天下的气势。许平君忽然觉得即使当日看到的广陵王和刘病已比起来，气势也差了一大截。

突然看到何小七手中的长刀挥过，一个人的人头飞了起来，许平君不禁失声惊呼。她猛然意识到，那些倒下的人不仅仅是倒下。她胃里一阵翻滚，身子摇晃欲坠。幸亏刘病已一直搂着她的腰，才没有跌下去。

刘病已轻轻把她的脸按到自己的肩头，用斗篷帽子遮住了外面的一切："不要看了，也不要多想，这些人都是坏人，是罪有应得。"

刘病已却是淡然地看着越来越血腥的场面，甚至看的兴趣都不是很大，只是目光在人群中移动，搜寻着熟悉的身影。

待看到孟珏怀里抱着的人，他轻吁了口气，笑着将手放到嘴边，打了个极其响亮的呼哨，底下一片此起彼伏的呼应声，紧接着就是一人不留的血腥屠杀。

刘病已抱着许平君落下了墙头，"云歌受伤了吗？"

孟珏摇摇头，又是好笑又是无奈："有些擦伤，都不要紧。她是自己把自己给吓晕了。她杀了个人，估计是第一次杀人，本来就吓得要死，结果那人没死透，云歌跑时被他拽住了脚，她一看那人状如厉鬼的样子，就晕了过去，幸亏二月及时找到她，否则……"

"我以前和她去过墓地，看她胆子挺大，没想到……"刘病已摇头笑起来，孟珏身后的随从也都笑起来。

许平君此时高悬的心才放了下来，又是笑又是哭地骂："还说自己会武功，原来就这个样子！"

正说着，刘病已的朋友陆续出来，冲刘病已抱抱拳，大笑着离去。

许平君不怎么敢看他们，眼睛只能落在孟珏的方向。幸亏孟珏的侍从也如他一般，个个气度出众，女子若大家小姐，男子像诗书之家的公子。

刘病已笑望着已经再无一个活人的宅院："这场大雨，什么痕迹都不会留下。"

孟珏对刘病已赞道："快意恩仇，王法若闲，杀人事了去，深藏身与名，难怪司马迁会特意为刺客和游侠列传。"

马车已到，二月挑起了帘子，请他们上车。

上了车，孟珏笑向许平君说："我给你把一下脉。"

许平君脸红起来："孟大哥知道了？"

孟珏笑着点头："猜到你的心思，知道你肯定想自己亲口告诉他，所以还替你特意瞒着他。"

刘病已笑问："你们两个说的什么哑谜？"

许平君低着头把手伸给孟珏，孟珏诊完后，笑说："没什么，虽然淋了点雨，受了些惊，但你往日身体很好，回去配几服药，好好调理一下就行，不过以后可不能再淋雨了，不是每次都会如此幸运。"

许平君犹有余惊地点头，"你们如何找到我们的？"

刘病已回道："要多谢云歌的胡椒子。胡椒是西域特产，一般百姓见都没见过，除了云歌，还能有谁会把这么贵重的调料四处乱扔？虽然我们发现得晚了，但毕竟给了我提示。"

云歌这时才悠悠醒转，眼睛还没有睁，已经在大喊："不要抓我，不要抓我。"

许平君刚想笑着提醒，孟珏却示意她别吭声，抓着云歌的脚笑问："是这样抓着你吗？"

云歌身子在抖，声音也在抖："别抓我，别抓我，我没想杀你，是你先要杀我，我不想杀你的……"

孟珏本想捉弄一下云歌，此时才发现，云歌真被吓得不轻，不敢再逗她，轻拍着她的脸颊："云歌，是我。"

云歌睁开眼睛看到孟珏，害怕的神色渐渐消失，怔了一会儿，猛然打起孟珏来："你怎么现在才来？你怎么那么笨？我还以为你很聪明！我杀了三个人……呜呜……我杀了三个人……我还碰了他们的尸体，软软的，还是温的，不是冷的……世上究竟有没有鬼？我以前觉得没有，可我现在很害怕……呜呜……"

云歌打着打着，俯在孟珏怀里哭起来。

孟珏轻摇着云歌，在她耳边哄道："我知道，不怪你，不怪你，这些人命都算在我头上，阎王不会记在你账上的。"

许平君不好意思地撇过了头，刘病已挑起帘子一角，把视线移向了窗外。

云歌把第一次杀人后的恐惧全部哭出来后，渐渐冷静下来。等发现马车里还有别人时，立即闹了个大红脸，用力掐了下孟珏，瞪着他，怨怪他没有提醒自己。

孟珏笑抽了口冷气，拽住云歌的手，不让她再乱动。

云歌笑瞟了眼刘病已，看向许平君，许平君笑摇摇头。

云歌一面看着刘病已，一面笑得十分鬼祟，刘病已揉了揉眉头："你们有什么事情瞒着我？"

云歌敛了嬉笑，凶巴巴地问："我和许姐姐究竟是因为你们哪一个遭了无妄之灾？"

刘病已随手帮许平君整了下她身后有些歪斜的靠垫，胳膊交握在胸前，懒洋洋地侧躺到许平君身旁，笑着说："没我的事，问我们的孟大公子吧！"

孟珏先向许平君行了一礼赔罪，又向刘病已行了一礼赔罪，"燕王狗入穷巷，想用你们两人要挟我帮他刺杀霍光。"

云歌不解地问："那抓我不就行了，干吗还要抓许姐姐？"

孟珏早已猜到原因。燕王曾看到过他和许平君在一起，而自己当时因为几分私心，故意混淆了燕王的视线，没有料到云歌后来会自己跑到燕王面前去。虽然许平君已经嫁了他人，但燕王为了确保万无一失，就把云歌和许平君都抓了起来。

孟珏虽心中明白，口上却只能说："大概你们两个恰好在一起，怕走漏消息，就索性两个人都抓了。"

云歌问："刺杀霍光还不如刺杀燕王，燕王已经无足轻重，霍光却是只手可遮天，你们怎么办了？"

孟珏和刘病已相视一眼，孟珏说："我和病已商量后，就直接去见了霍光，将燕王想借我之力刺杀他的事情告诉了霍光，我配合霍大人尽力让燕王早日放弃顽抗，病已则全力查出你们的所在。下午接到飞鸽传书，燕王已经畏罪自尽了。"

孟珏轻描淡写地就把一个藩王的死交代了过去。

"啊？"云歌十分震惊，"燕王不像是会自杀的人，他更像即使自己死，也一定拼一个鱼死网破的人。敌人死一个，他平了，敌人死两个，他赚了。何况皇帝不是没有赐死他吗？他自尽什么？要不甘心，就索性开始打，要想苟活，就认个罪，然后继续好吃好喝地活着。"

孟珏和刘病已视线交错而过，孟珏笑着说："皇帝的大军已经兵临城下，燕王大概因为做皇帝的梦破了，一时想不通就自尽了。云歌，你想这么多做什么？他死他生，和你都没有关系。"

云歌哼了一声："没有关系？没有关系？我今晚怎么……"说着又难受起来。孟珏握住了她的手："都过去了，我保证以后不会再有这样的事情。"

云歌朝孟珏强笑了笑："我没有怪你。"

孟珏淡淡笑着，眼睛里却几分心疼："我怪我自己。"

许平君咳嗽了几声："我胳膊上已经全是鸡皮疙瘩了。"

云歌立即红了脸，闭上眼睛装睡："我困了，先睡一会儿。"

虽然吃了孟珏配置的安神药，可云歌一时间仍然难以挥去第一次杀人的阴影，晚上，常常被噩梦惊醒。

孟珏和云歌都是不管世俗的人，见云歌如此，孟珏索性夜夜过来陪着云歌。

两人隔帘而睡。虽一时间不能让云歌不再做噩梦，但至少云歌做噩梦时，有人把她从噩梦中叫醒，把她的害怕赶走。

第十六章
绾发结同心
299

刘病已知道许平君怀孕的消息后，又是悲又是喜，面上却把悲都掩藏了起来，只流露出对新生命的期待。

买了木头，在院子中给婴儿做摇篮，还打算再做一个小木马。

他不让许平君再操劳，把家里的活都揽了过去，做饭有云歌负责，洗碗、洗衣、打水、酿酒就成了他的事情。

许平君唠叨："让别人看见你一个大男人给妻子洗衣服该笑话你了。"

刘病已笑着说："是不是大丈夫和洗不洗衣服没有关系，再说，怎么疼妻子是我的事情，和别人何干？"

许平君心里透着难言的甜，常常是刘病已在院子中做摇篮，她就在一旁给婴儿做着衣服。

阳光透过树荫洒进院子，清丽明媚。

她做累了，一抬头就能看到弯着腰削木头的刘病已，不禁会有一种幸福到恍惚的感觉。

从小到大，在苦苦挣扎的日月间，她总是盼着实现这个愿望，实现那个愿望。第一次，她心满意足地渴盼着时光能停在这一刻。

手轻轻放在腹部，她在心里说："宝宝，你还未出生，就有很多人疼你，你比娘亲幸福呢！不管你是男孩还是女孩，爹和娘都会很疼你。你会有一个很疼你的姑姑，将来还会有一个很能干的姑父。"

大清早，孟珏就出门而去，未到中午又返了回来，要云歌陪他去一趟城外。

孟珏未用车夫，自己驾着马车载着云歌直出了长安。

云歌坐在他身侧，一路嘀嘀咕咕不停，东拉西扯，一会儿说她的菜，一会儿说她读到的哪句诗词，一会说起她的家人。讲到高兴时，会自己笑得前仰后合，讲到不开心时，会皱着眉头，好像别人欠了她的钱。

孟珏只是静听，笑容淡淡，表情并未随着云歌的谈笑而起伏。可他会递水囊给云歌，示意云歌喝水；也会在太阳大时，拿了斗笠罩到云歌头上；还会在云歌笑得直打跌时，腾出拽马缰的手，扶着云歌的胳膊，以防她跌下了马车。

等马车停在一座庄园前，云歌才反应过来孟珏并非带她出来游玩。

门匾上写着"青园"两字，园子虽维护得甚好，可看一草一木、一廊一柱，显然颇有些年头，云歌低声问："这是谁家园子？"

孟珏握住云歌的肩膀，神情凝重："云歌，还记得上次我带你见过的叔叔吗？"

云歌点头。

"这也是他的产业，风叔叔病势更重了，药石已无能为力，今日怕是最后一次见他。过一会儿，不管风叔叔和你说什么话，都不要逆了他的心意。"

云歌用力点头："我明白了。"

孟珏握住了云歌的手，带着她在回旋的长廊上七拐八绕，不一会儿到了一座竹屋前。

孟珏示意云歌在外面等着，自己挑了帘子先进去，到了里屋，他快走了几步，屈膝半跪在榻前，"小珏来向风叔请罪。"

有小厮来扶陆风坐起，放好软垫后又悄悄退了出去。

陆风凝视着孟珏半晌都没有说一句话。孟珏也是一言不发，只静静跪着。

陆风似有些累了，闭上了眼睛，叹了口气，"挑唆着燕王谋反，激化上官桀和霍光的矛盾，该死的都死了，现在霍光一人把持朝政，你可满意？小珏，你的心真大，难怪九爷不肯把西域的产业交给你。"

陆风听到屋外女子和小厮说话的声音，"你带了谁来？云歌吗？"

孟珏回道："是云歌，怕叔叔病着不愿意见客，就没敢让她进来。"

　　陆风打断了他的话，怒道："不敢？你别和我装糊涂了，叫云歌进来。"

　　云歌进来后，看孟珏跪在榻前，也立即上前跪了下来。榻上的人虽然面色蜡黄，可眼神仍然锐利，也没有一般病人的味道，收拾得异常干净整洁。

　　陆风看着云歌，露了笑意："丫头，我和你非亲非故，你为什么跪我？"

　　云歌红着脸偷瞟了孟珏一眼，虽然是低着头，语气却十分坦然："你是孟珏的长辈，孟珏跪你，我自然也该跪你。"

　　陆风笑点了点头："好孩子，你这是打算跟着小珏了吗？"

　　云歌摇了摇头："不是。"

　　陆风和孟珏都是一怔，孟珏侧头看向云歌，云歌朝他一笑，对陆风说："不是我跟着他，也不是他跟着我，是我们在一起，是我们一起走以后的路。"

　　陆风大笑起来："真是玉……和……女儿……"话说了一半，陆风剧烈地咳嗽起来，孟珏忙帮他捶背，又想替他探脉，陆风摆了摆手，"不用费事，就那个样子了，趁着能笑再多笑几回。"

　　陆风看了看孟珏，又看了看云歌，从枕下拿出了一块墨铁牌，递给云歌。

　　云歌迟疑了下，伸手接过。

　　陆风笑对云歌说："云歌，若小珏以后欺负你，你就拿这块钜子令找执法人帮忙。"

　　云歌说："钜子令？我好像在哪里看到过。啊！墨子，墨家学徒都要听从钜子的号令。"

　　陆风说："我虽非墨家学徒，却十分景仰墨子，所以执法人的组织的确仿效墨家组织而建。人虽然不多，可个个都身手不凡，平常都是些普通手工艺人，可一旦钜子下令，都会赴汤蹈火，在所不辞。因为做生意时，常有下属为了利益出卖良心，所以设置执法人来监督和处决违反了规矩的下属。长安、长安，却是常常不安，你拿着这个，护你个平安吧！"

云歌把钜子令递回给陆风："我用不着这个。"

陆风温和地说："云歌，这是长辈的一片心意，听话收下。"

云歌还想拒绝，却想起孟珏先前叮嘱的话，这些话恐怕都是陆风最后的心愿。云歌虽和陆风只见过两面，却因为陆风对她异常亲切，他又是孟珏的叔叔，云歌已把陆风视作了自己的长辈，此时听到陆风如此说，再不能拒绝，只能收下了钜子令，"谢谢风叔叔。"

陆风凝视着云歌，"看到你和孟珏一起，我很开心。可惜九……"陆风眼中似有泪，"云歌，你先出去，叔叔还有话交代小珏。"

云歌磕了个头，出了屋子。

陆风对孟珏说："以后大汉疆域内所有产业都是你的了，任你支配。"

孟珏俯身磕头，"谢过叔叔。"

陆风板着脸说："一是因为你姓孟，二是因为云歌，三是因为我们都是男人，我也曾年轻过。小珏……"陆风半闭着眼睛，斟酌着想说什么，最后却只是伸手轻拍了下孟珏的肩，"你跟在九爷身边多年，多多少少总该受了几分影响。既然决定交给你了，我就不必再废话。"

陆风闭上了眼睛："你回去吧！小珏，你不用再来看我了。我大概今日晚些时候就离开长安，一直想念小时候走过的地方，也一直想得空时再游历一番，却一直拖到了现在，希望还能有时间，正好去看看小电、小雷他们。"

小厮进来，服侍陆风躺下。

孟珏连磕了三个头后，起身出屋，掀起竹帘的瞬间，听到屋内低低一句，"不要再错过。"

第十六章
绾发结同心

孟珏的手停了一瞬，轻轻放下竹帘，走向了在廊下等着他的人，"云歌。"

云歌立即跑过来，孟珏笑握住了云歌的手。

他们和陆风的感情不深，而且告别时，陆风的精神也还好，所以并未有太多伤感，可两人的心情还是十分沉郁。

孟珏牵着云歌的手，没有下山，反倒向山上攀去。

两人一口气爬到山顶。俯瞰着脚下的群山，遥望着一望无际的碧空，心中的沉闷才消散了几分。

山顶上的风很大，吹得云歌摇摇欲倒。云歌迎风而立，不禁觉得身子有些凉，正想说找个风小的地方，孟珏已经把她揽到了怀中，背转过身子，替她挡住了风，头俯在云歌耳侧问："有人刚才的话是说愿意嫁给某人了吗？以后可以和儿女说'当年是你娘追着你爹喊着说要嫁的'。"

云歌刚才对着陆风落落大方，此时只和孟珏在一起，反倒羞得恨不得找个地洞去钻，再被孟珏一嘲，立即恼羞成怒，挣扎着要推开孟珏，"谁追着你了？刚才说的话都是顺着风叔叔的心意说的，不算数。"

孟珏的胳膊未松力，反倒抱得更紧，"好，刚才的都不算数。现在重新来过，云歌，你愿意嫁给我吗？"

云歌立即安静了下来，恍恍惚惚地竟想起了很多年前的一个夜晚，有人在星空下和她说："我收下了。云歌，你也一定要记住！""以星辰为盟，绝无悔改。"

"云歌，你愿意嫁给我吗？"孟珏抬起了云歌的头，他的眼睛里有微不可察的紧张。

昨夜的星辰，只是儿时梦。今日眼前的人，才是她的良人。

云歌笑低下了头，轻声说："你去问我爹，我爹说可以就可以。"

孟珏笑着打趣："这话的言外之意就是'我已经说可以了'？"

云歌没有吭声，孟珏轻挑起了云歌的下巴，在孟珏的唇亲到云歌的脸颊时，云歌闭上了眼睛。

苍茫的高山顶，野风呼呼地吹。

不知道是孟珏无意碰落了发簪，还是狂野的风，云歌的发髻松散在风中，青丝随着风声起舞，轻打着她的脸。

孟珏以手为簪，将乌发缠绕到手上，替云歌绾住了一头的发，而云歌的发也缠缠绕绕地绾住了他的手，孟珏笑咬着云歌的唇喃喃说："绾发结同心。"

面颊是冷的，唇却是热的。

云歌分不清是梦是真，好似看到满山遍野火红的杜鹃花一瞬间从山头直开到了山尾，然后燃烧，在呼呼的风声中噼啪作响。

云歌这几日常常干着干着活，就抿着嘴直笑，或者手里还拿着一把菜，人却呆呆地出神，半日都一动不动，满面潮红，似喜似羞，不知道想些什么。

许平君推开云歌的院门，看到云歌端着个盆子，站在水缸旁愣愣出神。

许平君凑到云歌身旁，笑嘲着问云歌："你和孟大哥是不是私订了终身？"

云歌红着脸一笑："就不告诉你！"

许平君哈哈笑着去挠云歌痒痒："看你说不说？"

云歌一面笑着躲，一面撩着盆子里的水去泼许平君，其实次次都落了空。

两人正在笑闹，不料有人从院子外进来，云歌泼出去的水，没有浇到许平君身上，却浇到了来人身上。

云歌的"对不起"刚出口，看清楚是霍成君，反倒愣在了当地，不知道该说什么。

许平君立即警惕地站到了云歌身旁，一副和云歌同仇敌忾的样子。

霍成君的侍女在院门外探了下头，看到自家小姐被泼湿，立即冲着云歌骂："你要死了？居然敢泼我家小姐……"

霍成君抹了把脸上的水，冷声说："我命你在外面守着，你不看着外面，反倒往里看？"

侍女立即缩回了脑袋："奴婢该死！"

因为来者是霍成君，是霍光的女儿，云歌不愿许平君牵扯进来，笑对许平君说："许姐姐，你先回去，我和霍小姐说会儿话。"

许平君犹豫了下，慢慢走出了院子。

云歌递了帕子给霍成君，霍成君没有接，脸若寒霜地看着云歌，只是脸上未干的水痕像泪水，把她的气势削弱了几分。

云歌收回帕子，咬了咬唇说："你救过我一命，我还没有谢过你。"

霍成君微微笑着说："不但没有谢，还恩将仇报。"

云歌几分无奈："你找我什么事情？"

霍成君盯着云歌仔细地看，仿佛要看出云歌究竟哪里比她好。

她有美丽的容貌，有尊贵的身份，还有视她为掌上明珠的父亲。

她一直以为她的人生肯定会富贵幸福，可这段日子，姐姐和上官兰的惨死，让她从梦里惊醒。

作为霍光的女儿，她已经模模糊糊地看到了自己的未来。可她不甘心。她知道她生来就是属于富贵的人，她已经享受惯了荣华富贵的日子，她不可能放弃她的姓氏和姓氏带给她的一切，可她又不甘心如她的姐姐一般只是霍氏家族荣耀下的一枚棋子，婚姻只是政治利益的结合，她既想要一个能依然让她继续过高高在上生活的人，又不想放弃内心的感觉。而孟珏是她唯一可能的幸福，孟珏有能力保护自己、保护她。她绝不想做第二个姐姐，或者上官兰。

云歌被霍成君盯得毛骨悚然，小小地退开几步，干笑着问："霍小姐？"

霍成君深吸了口气，尽力笑得如往常一般雍容："孟珏是一个心很高、也很大的人，其实他行事比我哥哥更像父亲，这大概也是父亲很喜欢他的原因。孟珏以后想走的路，你根本帮不上他。你除了菜做得不错外，还有什么优点？闯祸，让他替你收拾烂摊子？云歌，你应该离开长安。"

云歌笑着做了个送客的姿势，"霍小姐请回。我何时走何时来，不烦你操心。大汉的皇帝又没有下旨说不准我来长安。"

霍成君笑得胸有成竹："因为我的姓氏是霍，所以我说的任何话都自然可以做到。只希望你日后别纠缠不休，给彼此留几分颜面。"

院门外传来刘病已的声音，似乎刘病已想进，却被霍成君的侍女拦在门外。

刘病已扬声叫："云歌？"

云歌立即答应了一声，"大哥。"

霍成君笑摇摇头，几分轻蔑："我今日只是想仔细看看你，就把你们紧张成这样，如果我真有什么举动，你们该如何？我走了。"

她和刘病已擦肩而过，本高傲如凤凰，可碰上刘病已好似散漫随意的眼神，心中却不禁一颤，傲慢和轻蔑都收敛了几分。霍成君自己都无法明白为何一再对这个衣着寒酸的男子让步。

"云歌？"刘病已试探地问。

云歌的笑容依旧灿烂，显然未受霍成君影响，"我没事。"

刘病已放下心来："你倒是不妄自菲薄，换成是你许姐姐，现在肯定胡思乱想了。"

云歌做了个鬼脸，笑问："大哥是说我脸皮厚吧？一只小山雉居然在凤凰面前都不知道自惭形秽。"

刘病已在云歌脑门上敲了下："云歌，你只需记住，男人喜欢一个女子，和她的身份、地位、权势、财富没有任何关系。"

云歌笑点了点头。

刘病已和孟珏的面前虽摆着围棋子，两人却不是下棋。

刘病已将白棋密密麻麻地摆了两圈，然后将一枚黑子放在了已经被白子包围的中间。

一枚孤零零的黑子，身居白子中间，看不到任何活路。

孟珏笑着颔首："一圈是宫廷禁军，一圈是羽林营，现在都由霍光控制。"

刘病已又拿过黑子的棋盒，陆续在四周而下，一一吻合如今大汉在各个关隘边疆的驻兵，虽然偶尔有些地方有一两枚白子，但整个棋盘看上去，却是密密麻麻的黑子天下。此时再看白子，身处黑子的海洋中，已经显得势单力薄。

孟珏点了点头："这个天下毕竟姓刘，百姓心中的皇帝也是姓刘。不过……"孟珏在白棋周围轻画了一圈，"白棋守在了最重要的位置。如果外面的黑棋轻易行动，白棋感到危险，永远都可以先行一着。"孟珏将白棋中间的黑棋拿出了棋盘。

刘病已又搁了一枚黑子进去："这几年他一直努力推行改革，减赋税、轻刑罚、少动兵戈、于民养息，不管在儒生口中，还是百姓心中都是一位明君。现在看来，白子更多的只是对权力的渴望。听闻霍光极其爱惜名声，这样的人十分看重千秋万世后的名声，他肯定不会希望史册记录中的他是谋反的奸臣。"

孟珏笑说："霍光虽然很是了得，刘弗陵也不是昏君，刘家的子孙也并非刘弗陵一人，霍光如果真谋反，他面临的将是天下群起而攻之，所以除非刘弗陵把他逼到绝路，否则霍光很清楚天下的形势，他不敢反，也不会反。刘弗陵的命在他股掌间，他的命又何尝不在刘弗陵股掌间？反倒是外面的藩王，恐怕日日盼着霍光能对刘弗陵下手，到时候他们可以名正言顺地起兵，召集天下兵马，自然一呼百应。"

刘病已的面色怔了一怔，抬眸从孟珏脸上一扫而过，复又垂眸，点了点居中的黑子："他呢？你如何看？"

孟珏想了会儿说："他是个不太像皇帝的皇帝。其实之前，他本可以利用上官桀和霍光相持时，先亲近霍光一方激化矛盾，再对上官桀示好，稳住局面，然后暗中调集外地驻兵，用'清君侧'之名回攻长安。这个法子虽也凶险重重，但以他的智慧不可能看不出这个法子更稳妥。天下也许会因此大乱一时，但不破不立，动荡过后，他却可以真正掌控天下。"

刘病已说："你的法子很有可能就变成一场大的兵戈之战。自大汉国力变弱，四夷就频频起事，始元元年益州的廉头、姑缯，牂柯郡的谈指、西南夷的二十四邑皆反，始元四年西南夷姑缯、叶榆又反，始元五年匈奴攻入关。在如此情形下，如果他多考虑一分社稷百姓，少考虑一分他的皇位，他的选择只能是如今这样，尽量不动兵戈。"

孟珏笑看着刘病已问："如果换成你，你会选择哪种做法？会选择牺牲几万、甚至十几万百姓的命来先保住自己的权力，还是刘弗陵的做法？"

刘病已笑，没有正面回答孟珏的问题，"我不可能是他，所以根本不会面临这样的选择。"

孟珏笑笑地看了眼刘病已，端起茶杯，喝了口茶："虽然以前你也很留心朝中动静，可今日……你好像和以前不一样。"

刘病已低垂了眸子，手中玩着围棋子，"大概要做父亲了，突然之间觉得我不能再让我的儿子像这样过一辈子，所以……"刘病已抬眼迎向孟珏审视他的视线，"我想我会尽力争一争，看有无法子扭转我的命运，所求不多，至少让我的儿子不用藏头缩尾地活着。"

孟珏淡淡笑着："当今天下只有他和霍光能给你一个光明正大活下去的身份。霍光应该早知你在长安城，却一直不动声色，恐怕不能指望他帮你。如果你能放下过去的一切，也许可以去见见他。"孟珏的手指落在棋盘中央的黑子上。

刘病已的笑容几分惨淡："我有什么资格放不下？不是我能不能放下，而是他能不能相信我已经放下。"

孟珏接到帖子，霍光想要见他。虽明知此行定会大有文章，但他若想在长安立足，如今的霍光却是万万不能得罪，只能坦然去拜见霍光。

他和燕王的私密谈话只有他们两人知道，孟珏一直很确信，即使有人知道他和燕王交往，也不可能知道具体情形，可看过霍光的行事手段，孟珏的确信已经变得不确信。

他无法知道霍光究竟知道多少关于他的事情，又会如何看他在各个权臣之间若有若无的煽风点火，所以只能暗中做好准备，相机而动。

霍光以前待客，彼此距离不过一丈，这个距离可以保证隐藏的护卫，令突然而来的刺杀失效。自从上官桀死后，霍光将距离增加到了一丈半。虽然只是半丈的距离，却已经让刺杀变得近乎完全不可能。

"孟贤侄，这茶的味道可喜欢？"

穿着家居便袍的霍光气质儒雅，丝毫看不出他翻手覆手间，掌握着长安城所有人的生死。

孟珏笑回道："'气飘然若浮云也'，这是先帝所赞过的武夷山茶，世间多以此茶赞君子。大丈夫身在紫阂而意在云表，处江湖，居庙堂，掌权势，却不改清白之志。"

霍光本是另外有话说，不料听到孟珏这番回答，一下喜上眉头，连声而赞："说得好！好一个'大丈夫身在紫阂而意在云表'！若世间人都明白君子之志，也就不会有那些完全无根据的流言猜忌了。"

孟珏笑着欠了欠身子，一派淡然。

霍光看着孟珏，眼内情绪复杂，一会儿后缓缓说："这茶是极品的茶，可若不是用上好木炭烹煮，湛露泉水来煎，蓝田美玉杯相盛，再好的茶也先损了一半。"

霍光轻声咳嗽了一下，立即有人不知道从哪里走出，静静地将几卷羊皮卷轴放在孟珏面前。孟珏拿起看了一眼，又搁到桌上，心中警戒，面上却依旧淡然笑着。

霍光笑着说："你肯定还没有想到，这茶是成君缠了我好几日，特意亲自煮的。成君是我最疼的女儿，只要你好好对她，我也一定会提供最好的木炭，最好的水，最好的玉杯，让你能成就一杯好茶。"

孟珏唇边仍抿着笑意，静静端起了桌上的茶。与其说好好对霍成君不如说忠心于霍氏家族。

霍光等着孟珏的回答，孟珏却是半晌没有说话。

霍光眼中的不悦渐重，孟珏的确是非同一般的人才，他悉心栽培的儿子和孟珏相比，都实在不成器。自见到孟珏，霍光一直留意地观察着他，对他的欣赏日重。

可霍光越欣赏孟珏，孟珏此时的处境反而越危险，霍光不会留一个潜在的危险敌人。

霍光笑着搁下手中茶盅，正想命人送客，忽听到外面帘子响动，蹙眉叹气："所有儿女之中，就这个女儿最是顽劣，偏偏最让人心疼。"

霍成君索性不再偷听，挑了帘子进来："爹又说女儿的坏话。"

自甘泉山后，孟珏只在公主府中遥遥见过一次霍成君，那一次霍成君还对他仍有怒气，没想到这次霍成君看到他，不但没有丝毫怨气，反倒眉目蕴情，娇羞一笑。

霍光看看孟珏，再看看成君，心中暗叹，的确是一对璧人，难怪成君一意想嫁孟珏。

霍成君今日恰用了茉莉花油梳头，霍光闻到隐隐的茉莉香，再看到霍成君默默站着的样子，心头突然一痛。

似乎前生的事情了，一个女子也这样远远地站着，低着头似乎在看他，又似乎没有看他。不知是她身上的脂粉，还是她身后的茉莉花丛，晚风中一阵阵淡雅的香。

又想起垂泪的怜儿，白发人送黑发人的悲哀，心终于软了下来，决定再给孟珏一个机会。

霍光站起，笑对霍成君说："爹有事先行一步，就不送客了，你帮爹送孟珏出府。"

霍成君欣喜地抬头，皎洁的颜若刚开的茉莉花，霍光慈祥地看了眼霍成君，出了屋子。

霍成君和孟珏两人沿着长廊，并肩而行。

孟珏说："多谢小姐代为周全。"

霍成君笑着，美丽下藏了几分苦涩："我和爹爹说你和我，你和我……再加上爹爹很欣赏你，所以……其实你和燕王、上官桀他们往来的事情本就可大可小，认真地说来，上官安还是我姐夫呢！我自然和他们有往来，我是不是也有谋反嫌疑？不过爹爹一贯谨慎，又明白你在朝堂上的志向不低，所以若不是他的朋友，他自然不能给自己留一个凶险的敌人。"

孟珏沉默着没有说话。

霍成君的笑容有几分怯怯，脸颊绯红，像一朵夕阳下的茉莉花，透着楚楚可怜："虽然爹爹常说有舍才有得，想要得到，先要学会舍去。可我……我……没有那么想。云歌，云歌她很好。爹爹有很多女人，好几个姐夫也都有侍妾，你若想……我愿意和云歌同……同侍……一……"霍成君羞得满面通红，说话声音越来越低，到后来已是完全听不到她说了什么。

孟珏仍是没有说话，霍成君也未再开口。

两人沉默地走着，到了府邸侧门，霍成君低着头，绞着衣带，静静站着。

孟珏向她行礼作别，她侧着身子回了一礼，一直目送着孟珏消失在路尽头，人仍然立着发呆。

丫头扶着霍夫人经过，霍夫人叹气摇头，挥手让侍女都退下。

"成君，如愿了吗？"

霍成君好似如梦初醒，亲昵地挽住了娘亲的胳膊，"嗯。大概事情太突然，孟珏一时反应不过来，所以没有立即和爹说我和他的事情。爹本来已经对孟珏动怒，可看到我就又给了他一次机会。娘，为什么特意让我抹茉莉花油，为什么特意让我穿鹅黄的衫子？"

霍夫人瞪了霍成君一眼："哪来那么多'为什么'？我看我是把你娇纵得实在不像话了。"

霍成君抱住了母亲，宛如小女孩般将头藏在了母亲怀中，撒着娇，"娘，娘……"声音却慢慢透出了哽咽。

霍夫人轻拍着霍成君的背："娘明白。只希望你挑对了人，女人这一生，什么都可以错，唯独不可以嫁错人。"

霍成君说："女儿明白，所以女儿不想嫁那些所谓'门当户对'的人，一个上官安已经足够，女儿宁愿如别的姐姐一样，嫁一个能完全依附爹爹的人。"

霍夫人虽没有说话，表情却是完全认可了霍成君的说辞。当年还因为霍光没有选自己的女儿嫁给上官安而生气，现在却无比庆幸嫁给上官安的人不是她的亲生女儿，"成君，以后不可再在你爹面前如此打扮。这一次你爹是心软，下一次却说不定会因为你的装扮而心硬似铁。"

霍成君俯在母亲胸口点了点头。

小青给霍成君卸妆,望着镜子中霍成君娴静的面容,小青说:"小姐,你和以前不太一样了。"

如果目睹了姐姐、姐夫的惨死还能和以前一样,那才奇怪。霍成君淡淡问:"哪里不一样了?"

小青困惑地摇摇头:"不知道,比以前更好看了。"

霍成君笑斥:"嘴抹了蜜油吗?"

小青替霍成君梳着头发,看霍成君似乎心情还好,遂问:"小姐,你既然愿意让孟公子纳了云歌,为什么那天还特意去对云歌说那些话?"

霍成君笑了笑,起身向榻边走去:"这些事情,你不需要知道,你需要做的就是忠心。我好,你自然也好。我不好,大姐的丫头、上官兰的丫头是什么下场,你也知道。睡吧!这几日需要做的事情还很多。"

云歌在屋子里出出进进,和只无头苍蝇一样,看着很忙,却不知道她在忙些什么。

孟珏静坐在灯前看书,眼光却一直无意识地随着云歌在转。

云歌纳闷地到镜子前转了一圈,好像头发还算整齐,脸也很干净,"喂,玉之王,我有什么问题吗?"

孟珏笑摇头:"你没有问题。"

云歌指着自己鼻尖:"那你干吗老是盯着我?"

孟珏忽地把云歌拽进自己怀里,抱了个结结实实。

云歌扭着身子说："我活儿还没有干完呢！"

孟珏低低叫了声"云歌"，柔得像水，却又沉得像铅，一下就坠到了云歌心底，云歌只觉心中莫名地一涩，安静了下来，反手也抱住孟珏，头在他脖子间温柔地蹭着："我在这里呢！"

孟珏说："别干活了，陪我到外面去走一走。"

云歌和孟珏两人手挽着手，慢慢走着。

越走越偏，渐渐走到了农家的田地间。

夜风中，谷物的清香徐徐而来。

脚步声惊动了正在休息的青蛙，扑通一声跃进池塘，引起蛙鸣一片，不一会儿又安静下来，更显得夜色宁静。

云歌很是淘气，青蛙安静下来，她却学着青蛙的叫声，对着池塘叫起来，引得青蛙又跟着她叫。她得意地冲着孟珏笑："我学得像吗？我会学好多种动物的叫声呢！"

孟珏笑在她额头弹了一记，"青蛙以为从外地来了一只好看的母青蛙，它们正呱呱叫着追求母青蛙。"

骂她是母青蛙？越是好看的母青蛙，那不就是越难看的人？云歌朝孟珏做了个鬼脸，笑对着池塘又叫了一通，侧头对孟珏说："我和它们说了，母青蛙和一只更好看的公青蛙在一起，它们就不要再叫了。"

走了很久，孟珏仍未说回去，云歌虽已经困了，但看孟珏不说，她也不提，只陪着孟珏。

到田埂上，道路很窄，两人并肩同行有些困难，孟珏蹲下了身子："我来背你。"

云歌嘻嘻笑着跳到孟珏背上："正好累了呢！"

过人高的高粱，时有过于繁密的几杆高粱从地里探到路中间，云歌伸着手，替孟珏把面前的高粱拨开。

月光在青纱帐里流转，在云歌的手指间舞动，映得云歌的皓腕晶莹如玉。

"云歌，给我唱支歌。"

云歌伏在孟珏的肩上，随口哼哼：

三月里来三清明，

桃红不开杏花红，

蜜蜂采花花心上动。

五月里来五端阳，

杨柳梢儿抽门窗，

雄黄药酒闹端阳。

七月里来七月七，

天上牛郎配织女，

织女本是牛郎的妻

……

青纱帐里，月色温柔，云歌的声音时高时低，仿佛在梦中流动。

孟珏感觉到云歌偷偷在他的脖子上亲了下，他不禁唇角勾了起来，可笑意还未全展开，就凝结在了嘴角。

孟珏背着云歌回家时，已经半夜，云歌好梦正酣。

孟珏把云歌安置好，人坐在院子中沉思衡量。

云歌睡觉的姿势总是不老实，一床大被子，硬是被她蹬得一大半盖在了地上。孟珏时而进屋替她把被子掖好，又静静坐回黑暗中。

刘病已清晨推开云歌院门时，看到孟珏坐在青石凳上，几分倦容，衣袍的下摆湿漉漉的，像是在外面坐了一夜，被露水所浸。

刘病已看云歌的门窗仍然紧闭，估计云歌还未起，压着声音问："怎么了？"

孟珏侧头看着刘病已："原来不是皇帝也会有江山美人的困扰。若有一日，你要在江山、美人中抉择，你选哪个？"

刘病已几次嘴唇翕动，想要回答，却一直不能回答，最后摊摊手，"我不会有这种烦恼。"

孟珏笑着站起："云歌昨日睡得有些晚，不要叫她了。我晚上也许会晚一点回来，让云歌不要等我吃饭。"

顾长的身影，从轻薄的日影中穿过。往日翩翩风采不再，多了几分憔悴。

屋内，赤脚站在窗边的云歌，慢慢地一步步退回了榻上，放下纱帐，拿被子把自己从头裹了起来。

厚实的被子仍然不能温暖她，寒意从心内一点点透出来，冷得她开始打着哆嗦。

身子瑟瑟，若寒风中的秋叶，随时会凋零。

晚上，孟珏回来时，云歌除了面色略显苍白，别的都很正常。

她依旧如往日一般，端着一些色彩奇怪，不知道什么东西的菜肴给孟珏，孟珏也是接过就吃。

云歌静坐在一旁，看孟珏一口口把她所做的东西吃完。

"好吃吗？"

孟珏咽下最后一口汤，抬头看向云歌："不知道，我不知道吃下去的东西是苦是酸还是甜，我吃任何东西都一样。"

云歌没有任何惊疑，只是平静地点了点头。

孟珏问："你知道多久了？从开始做这些稀奇古怪的菜就知道了吗？"

云歌笑了笑："可惜我太没用，给你吃了很多乱七八糟的东西，却一直没有治好你。"

孟珏握住了云歌的手，"义父的医术赞一声'扁鹊再世'都一点不为过，他试了无数法子都没有治好我这个怪病，最后和我说'非药力能为，心病还需心来医'。虽不太懂义父的意思，可义父都说了'非药力能为'，你何必为此自责？"

云歌凝视着他们交握的手，眼中一下有了泪意，猛地撇过了头。

孟珏以为云歌是为了他的病，轻揽住了云歌的肩，"这么多年早就习惯了，别再往心里去，只要你不嫌弃我就好。你是名动天下的厨师，我却完全不能品尝你做的菜，像瞎子娶了美女，只听到他人一声声赞好，究竟怎么好，他却完全不知道。"

云歌回头，眼中的泪意已去，笑呸了一声孟珏，"明明是你在安慰我，怎么说着说着，声声都是我该安慰你呢？"

孟珏看着云歌的笑颜，忽然有一种不敢面对的感觉。把她的头按在了自己的怀里，紧紧地抱住了云歌。

云歌在他怀中，脸上的笑意慢慢褪去，大大地睁着双眼，瞪着前方，实际看到了什么却一点都不知道。

这段日子，孟珏出门时，云歌从不过问他的去向，孟珏回来时，她却很黏他。

孟珏以为是因为他的病，加上本来就希望云歌能如此，所以既未深思，也没有起疑。

两人相处时，都对对方异样的好，那样的甜蜜让许平君看得大呼"受不了"，刘病已却是神情复杂。

刘病已站在院子门口已经半日，而院中的云歌却是坐在大太阳底下一动未动，也未曾留意到已经看了她很久的刘病已。

刘病已推了下门，吱呀声惊动了云歌，云歌立即满面笑容地跳起，待看清是刘病已，面上的笑意透出了疲惫。

刘病已将云歌拖到树荫下，"你已经知道了？"

云歌勉强维持的笑意全部消失，面容凄苦，缓缓点了点头，"大哥，不要告诉他。"

刘病已心中苦涩，不知道说什么能安慰云歌。这一瞬，他深感自己无能，也再次深刻体会到权势的力量，如果他有权势，那么一切都会不一样。

云歌沉默了会儿，又笑着说："大哥，我没有事情的。他不是还没有做出选择吗？也许他会选择我，不选择江山呢！"

刘病已很想问"如果没有选择你呢？"可是看到云歌勉强维持的笑容，无法问出口，只能亦笑着点了点头："会的。"

在云歌用一个个时辰来计算时间的日子里，她小心翼翼地贪恋着孟珏的温情。每一次的拥抱，她都会想，也许这就是最后一次了；每一次的笑语，她也会想，也许是最后一次两人同笑了。

她努力地抓住尽可能多的快乐，努力地让自己在孟珏的生命中留下更多的印记。

她不知道这样的时间还能有多久，而她在等待的煎熬中，又还能坚持多久，只是现在，她舍不得他，舍不得放手。

长安城的街道，从刚到时的陌生，到现在的熟悉。她和孟珏在这座雄伟的城池里留下了太多痕迹。

云歌不知道为什么会走到霍府的后门前，也不知道自己为什么会躲在树丛里，凝视着这座府邸发呆，也许只是想看清楚究竟什么东西在吞噬着她的幸福。

这座府邸像一头老虎，威严地盘踞在长安城。

大汉天下，长安城内，有多少人渴望着能和"霍"这个姓氏沾上一点半点关系？"霍"字所代表的威严、权势、尊贵、财富，又有几个人能拒绝？掌控天下的位置，有几个男人能不心动？

这样的男子当然有，至少她就知道三个，爹爹、二哥、三哥。以前她以为那很普通，可现在才知道自己家里的男子都是异类。她的母亲、她未来的嫂嫂都是幸运的女人，可她似乎没有这样的运气。

云歌淡淡地笑开。

很奇怪，她居然对这座府邸没有一点厌恶，甚至对霍成君，她也没有任何恶感。也许在她心中，一切都只是孟珏的选择，都只是她和孟珏之间的事情，和霍府、霍成君没有什么关系。

脑内思绪纷杂，她不知道站了多久，天色暗沉时，才突然惊醒，自己应该回去了，孟珏也许已经在屋中等她。

她正要转身离开，却看到角门开了。

薄暮昏暝中，距离又远，视线本该很模糊，可因为那个人影太过熟悉，熟悉到她明知道自己绝不该再看下去，可脚却仿似钉在了地上。

霍成君送孟珏出府时，天色已黑。

小青拿了灯笼过来，主仆二人视线一错而过，霍成君是疑问的眼神，小青微微点了点头。

到了府门口，孟珏正要离去，她却拽住了孟珏的袖子，满面飞红，欲说不说。

孟珏安静地笑看着她，既未接近，也未抽出袖子。

霍成君低着头说："很少看到爹爹下棋能下得那么开心，我听娘说，爹前日又在她面前赞了你，娘亲也十分开心。"

孟珏淡笑着没有说话，霍成君缓缓将身子靠在了孟珏身上。

孟珏的手轻轻扶在霍成君腰上，既未主动迎合，却也未拒绝。

门扉半掩，花影扶疏。

女子窈窕，男子翩翩，昏黄的灯光，将两人的身影勾勒得温情脉脉。

很久，很久，两个互相依偎的身影都未动。

惜别，惜别，不忍别！

只有情愫暗生的男女才会如此默默相对，别时艰难吧？！

孟珏笑扶起霍成君，"我该回去了。"

霍成君微笑着叮咛："天色已黑，路上小心。"

孟珏一笑，很温和地说："外面风冷，你也早些回去，不要吹着了。"说完转身离开，步履虽缓慢，却再未回头。

霍成君立在门口，目送着孟珏的身影消失不见。

霍成君的目光投向了对面树丛的阴影中，虽然那里看着一片漆黑，她的视线却久久未动。

这是一个没有月亮的晚上，天很高，也很黑，星很稀，也很暗。

街道两侧树上的黄叶纷纷随风而落。

云歌伸手握住了一片落叶，喃喃说："起风了。"

街上偶有的几个行人都缩着脖子，匆匆往家赶。

云歌停了脚步，侧着脑袋想了会儿，"该回家了。"

她深吸了几口气，想平复胸中的疼痛。回家了就不会再难过，也不会再心疼，喃喃对自己说："我不喜欢疼痛的感觉，我会好起来的。"

可是真的吗？

她不敢深思。她现在唯一的选择只能是像蜗牛一样，缩回壳里。

一个须发皆白的老头忽地如旋风一般，冲到云歌面前，挥舞着手，兴高采烈，大呼小叫："云歌，云歌，真的是你！哈哈哈……我可是有福了，乖云歌儿，快给师傅做顿饭。"

年纪已经老大，性格却还像顽童，动作敏捷又如少年。

云歌满怀伤心中，他乡遇故知，如同见了亲人，鼻子一酸，就想掉泪，却又立即逼了回去，挤了笑说："不要乱叫，我可没有拜你为师，是你自己硬要教我的。侯伯伯，你怎么在长安？可见过我二哥？"

侯老头瞪着眼睛，吹着胡子，很生气的样子，可又想起来别人怕他生气，云歌却不怕，历来都是他有求于云歌，云歌可从来没有求过他办事，满肚子的气不禁都泄了，满脸巴结地看着云歌，"乖云歌儿，老头子很久没见过你二哥了。我刚去了趟燕北，想回西域，顺路经过长安。你怎么也在这里？"

侯老头根本未等云歌回答，就又猴急地说："唉！唉！云歌儿，多少人求着我想拜师，有人长跪三日三夜，我都没有答应，你这丫头却……你们家尽出怪人，当年求着你二哥学，你二哥只是笑，虽然笑得很君子，却笑得毫不回应，后来找你三哥，你三哥倒弄得好像是老头子欠了他钱，寒着脸来句'没兴趣'，太让老头子伤心了，学会我的本事好处可多了去了……"

云歌一脸不屑，"快别吹牛了！你当年求着我跟你学什么'妙手空空儿'时，我说'我才不会去偷东西'，你说'学会了，天下除了我，没有任何人再能偷你的东西'，我觉得不被偷还挺不错的，就跟着你学了。结果呢？我刚到长安就被人偷了。"

侯老头一生游戏风尘，不系外物，唯独对自己的'妙手空空儿'自傲，听到云歌如此说，立即严肃起来，像换了个人，"云歌，你说的是真话？你虽然只学了三四成去，偷东西也许还不成，可人家若想偷你，却绝不容易。"

云歌点头："全是真话。我身上一共带了七八个荷包，全部丢掉了，害得我住店没钱，被小二羞辱了一通，幸亏……"那个人的名字跳入脑海里，云歌声音一下哽咽，她立即闭上了嘴巴。面上维持着一个随时可能破碎的笑。

侯老头没有留意到云歌的异样，只满心疑惑，喃喃自语："不可能，不可能。即使长安城有高妙的同行，想要不惊动你，最多也只能偷到四个荷包，七八个荷包，除非是我才可以，啊？！"

侯老头笑起来，又变得神采飞扬，"哎呀！我知道是谁偷了你东西。唉！笑话，笑话！我就教了两个徒弟，你们还对面不相识，不过也没有办法，我们这行的规矩就是'偷偷摸摸'，收徒弟也是如此，大张旗鼓地告诉别人我收了徒弟，那人家不就都知道你是'空空儿'了吗？那还偷什么？老头子纵横天下几十年，见过我真貌的都没几个……"

眼看着侯老头即将拐题拐到他一生的光辉偷史，云歌打断了他，"侯伯伯，说重点！究竟是谁偷了我的东西？难道是你的徒弟？"

侯老头赔着小心的笑："乖云歌儿，你大概是被你师兄，不对，他虽然年龄比你大，不过比你晚跟我学艺。入门为后，应该叫师弟，你大概是被你师弟偷了。当时师傅和你说我是天下第一时，还没有教小珏呢！如今，如今……"侯老头似乎还十分不甘愿，"如今我也许是天下第二了，小珏悟性非同一般，又肯下功夫，哪像你？不过也奇怪，小珏怎么会偷你的东西？他虽跟我学了'妙手空空'，可能让他看上眼，主动出手的东西恐怕还没有。光顾着玩了，好几年都没有见他，他也来长安了吗？云歌儿，你莫要生气，他也不知道你是他师姐，因为你一直不肯叫我师傅，也没有真正学到我的本事，所以老头子就和他说只有他一个徒弟，好鼓励他刻苦学艺，继承衣钵。"

云歌身子晃了下，面色苍白，"侯伯伯，小珏的全名叫什么？"

侯老头想起自己的徒弟，满心得意："孟子的孟，玉中之王的珏，孟珏，是老头子这一生唯一敬重的人的义子。"

云歌站立不稳，跟跄地后退了几步，曾在心中掠过的一些疑问刹那间似乎全部明白。

侯老头此时才留意到云歌面色异样的苍白，"云歌儿，你怎么了？病了吗？"

云歌强笑了笑："没有，只是有些累了。我今天在外面忙了一天，侯伯伯，我想先回去休息了。您住哪里，我得空时再去看你，或者我们西域见，到时一定给您做菜吃。"

侯老头指了指前面的客栈，"就在那里落脚。今夜的风肯定还要大，乖云歌儿，你快回去好好休息，回头打起精神，好好给师傅做几道菜。"

漆黑的夜，风越吹越大。

无数的树叶在风中呼旋，从云歌头上、脸旁飞过，将本就看不清前方的黑夜搅得更是支离破碎，一片迷蒙。

云歌茫然地走在混乱的天地间。

很多东西，曾经以为天长地久的东西，原来坍塌只是一瞬间。

曾以为他和她是长安城内一场最诗意的相逢，像无数传奇故事，落难女子，巧遇翩翩公子搭救，救下的却是一生一世的缘分。

可原来真相是这样，他拿了她的钱袋，然后再出现在她的面前对她施恩，让没有生活经验、没有钱的她只能依靠他，但他没有想到她会凭借菜肴赚钱，根本就没有依靠他。他的计谋虽然没有得逞，可他毕竟用这个法子强行闯入了她的世界。

难怪他会在深夜弹奏《采薇》。

"昔我往矣，杨柳依依；今我来思，雨雪霏霏。行道迟迟，载渴载饥。我心伤悲，莫知我哀。"

他既然是侯伯伯的徒弟，那大概听侯伯伯提过二哥，也许本就知道《采薇》是二哥最喜欢的曲子。

当时还以为是一种奇妙的缘分，却原来又是有意为之。

可为什么呢？为什么要如此对她？她哪里就值得他花费这么多心思？

她拔下了头上绾发的金银花簪，又掏出怀中风叔给的钜子令仔细看着。当日的一幕幕，一点一滴都从脑中仔细回放过。

父母禁止她进入大汉疆域，自己家中却一切都是汉人习俗。

风叔叔对她异样关爱，还有对她家人的打探，当时以为是因为侄子的终身大事，所以需要了解她的出身背景，现在想来，当日风叔叔的问题其实句句都只是想知道她的父母过得好不好。

如果没有她，风叔叔那天对孟珏的惩罚会是什么？禁止他使用任何钱财和人脉？

他向她表白心意，告诉她不会再和霍成君往来时，正是风叔叔重病时，想必那个时候，风叔叔正在思考把家业交给谁。

他特意带着她去见风叔叔。

……

云歌蓦然大笑起来。笑得身子发软，人一寸寸地往地上滑。

她的身子缩成了一团，抱着膝盖，头埋在膝盖间，一个人蹲在漆黑的街道中央。

风刮起落叶呼啸着吹过她的身子，失去了绾束的一头发丝被风吹得张扬飞舞。

云歌迟迟未回家，刘病已打着灯笼寻到这里。

看到一条长长的街道，空旷凄凉。

一个缩得很小很小的人，缩得像是一个蜗牛，蜷缩在街道中央。

在漫天落叶飞舞中，青丝也在飞舞，张扬出的全是伤心。

刘病已心悸，一步步小心地靠近云歌，只觉一不小心那个人儿也会随着落叶消失在风中。

"云歌，云歌……"

地上的云歌却听而不闻。

因为风太大，手中的灯笼被风吹得直打旋，一个翻转，里面的火烛点燃了灯笼，在他手中忽地蹿起一团火焰。

原本昏黄的光芒骤然变得灿亮，云歌被光亮惊动，抬头看向刘病已。

长长的睫毛上仍有泪珠，脸上却是一个渺茫的笑。娇颜若花，在跳跃的火光下，恍惚如月下荷花上的第一颗露珠。

　　火光淡去，云歌的面容又隐在了黑暗中。

　　刘病已呆站了好一会儿，才扔掉了手中已无灯笼的竹竿，弯腰扶云歌站起。

　　握住了云歌零乱的发，看到云歌手里拿着一根簪子，他想拿过来，先替她把头发绾好，云歌却握着不肯松手。

　　刘病已无奈，只能随手解下腰间挂着的同心结，用作发绳，把云歌的头发绾起、束好。

　　刘病已护着云歌避开风口，找了小巷子绕道回家。

　　两人走了很久后，云歌似乎才清醒，一下停住了脚步："我想回家，我不想再见他。"

　　刘病已很温和地说："我们就要到家了。他晚饭前来过一次，看你不在，就又走了。他让我们转告你，他要去见一个人，办些事情，这一两天恐怕没有空，等忙完后再来看你。"

　　云歌听了，没有任何表情，只是停住的脚步又动起来。

　　"今天发生了什么事情？你不等他做选择了吗？"

　　云歌摇了摇头，"没什么。"

　　云歌的脾气看着随和，执拗起来却非同一般。

　　刘病已知她不愿意说，也就不再问，只说："回家后好好睡一觉，一切都会好起来的。大哥向你保证，一切一定都会好起来的。"

　　许平君听到拍门声，立即迎了出来。

　　"云歌，刮着那么大的风，干什么去了？真正担心死人，怎么这么狼狈的样子……"

当她看到云歌束发的头绳是她给刘病已打的同心结时，语声哽在了口中。

刘病已把云歌交给许平君，"我去给云歌烧些热水，做些吃的。"转身去了厨房。

在路上，云歌主意已定，她想回家。

知道和刘病已、许平君相聚的时光已是有限，伤痛中又添了几分留恋。

许平君帮云歌舀了热水，给云歌洗脸净手。

云歌看许平君眼光时不时扫一眼她的头发，虽然笑着，神情却有些奇怪，她一面去摸自己的头发，一面笑问："我的头发怎么了？"摸到绾着头发的发绳，她拿了下来，发现是一个同心结。

当日红衣教过她做。她后来才知道为什么红衣不肯打给她，要她自己动手。

同心结，结同心。

女子把自己的心意结在穗子中，系在心上人的腰上，希冀着永结同心。

云歌大窘，忙把同心结捋平，还给许平君，"我，我……"她想不出来如何解释明明挂在刘病已腰间的同心结怎么跑到了她的头上，因为她也很恍惚，只记得她和大哥在巷子里面走路。

许平君笑着把同心结收起，"没什么了！男人都对这些小事不上心，你大哥只怕根本分不清同心结和其他穗子的区别。"一面找了自己的发簪帮云歌把头发梳好、绾起，一面似乎十分不在意地问："你和孟大哥怎么了？我最近在你大哥面前提起你和孟珏，你大哥的神色就有些古怪，孟大哥欺负你了吗？"

云歌听出了许平君语气下几分别的东西，心中又多了一重悲伤，感情已去，却不料友情也是这么脆弱，直到现在许平君仍旧不能相信她。

云歌忽然觉得长安城再无可留恋之人，侧身把许平君拽到自己身旁坐下，"姐姐，我要走了。"

"走？走哪里？"

"我要回家了。"

许平君愣住："家？这里不就是你的家？什么？你是说西域？为什么？你大哥知道吗？"

云歌摇了摇头："大哥不知道。我是突然决定的，而且我害怕告别，也不想告别了。"

"孟大哥呢？他不和你一块儿走？"

云歌的头倚在了许平君肩头，"他会娶霍家的小姐。"

"什么？"许平君怒气冲头，就要跳起来。

云歌抱住她，"姐姐，你有身子呢！可别乱生气，你看我都不生气。"云歌将金银花簪和钜子令放在许平君手中，"孟珏来时，你帮我把这两样东西给他。"

许平君想到她们和霍成君的差距，心头的火气慢慢平复了下去。再想到连云歌这般的人都有如此遭遇，不禁十分悲哀，"云歌，你不去争一争吗？为什么连争都不争就退让呢？你的鬼主意不是向来很多吗？你若想争，肯定能有办法。除了家世，你哪里不如霍家小姐了？"

"不值得。况且感情和别的事情不一样，是你的就是你的，不是你的强求来也不见得幸福。"云歌伸手去抓盆子里的水，一只手用力想掬住水，可当她握成拳头的手从盆子里出来时，水都从指缝间溜走。她向许平君摊开手掌，里面没有握住一滴水，而另一只手随随便便从盆中一舀，反倒掌心都是水，"这就是感情，有时候越是用力，越是什么都没有。"

云歌的话说得饶有深意，许平君下意识地握住了袖中的同心结。不会，我自小知道的道理就是想要什么一定要自己去争取，我可以握住这个，我也一定可以握住我们的同心结。

"云歌，我们还能再见面吗？"

"为什么不能？我只是有些累，想回家休息一段时间。等我休息好了，也许就会来看你们。即使我不来长安，你和大哥也可以来看我。"云歌一直笑着说话，可她却不知道自己现在神情憔悴，眉尖也是紧锁。

许平君轻拍着云歌的背，心下舍不得，还想劝一下云歌，但话语在心头徘徊了几圈后，叹了口气，未再说话。

霍府嫁女，到时候只怕比公主大婚还盛大，云歌若留在长安城，难道让她去看长安城大街小巷的热闹吗？况且没有了孟珏，云歌就是独自一人了……

"你什么时候走？"

"我不想再见他了，自然是越早越好。"

许平君眼里有了泪花："云歌……"

云歌声音也有些哽咽："不要哭！老人说怀孕的人不能哭，否则以后孩子也爱哭。"

听到刘病已在外面叫："可以吃饭了。"

许平君立即擦去了眼角的泪，云歌笑着小声说："等我走了你再告诉大哥。"许平君犹豫了一瞬，点点头。

长安城外骊山的温泉宫始建于秦始皇，汉武帝又多次重建。刘弗陵登基后虽再没有在温泉宫花费银钱，但当年的奢华气息仍充斥于宫殿的各个角落。

卫太子之乱前夕，汉武帝刘彻中了巫蛊之毒后，曾选择在此地休养。

因为当时局势混乱，而刘彻晚年的疑心病又非同一般，从皇后、妃子、皇子到臣子都不能相信，所以不许长安城内侍卫进入温泉宫，此处的护卫靠的全是藏在皇帝身后的影子——太监。

因为先帝的遗命，又有刘弗陵的默许，于安经过十年的苦心经营，将宫廷中，除禁军外的第二大力量在此处大力培养，如影子般悄无声息地笼罩着整座骊山。

整个温泉都在宫殿内，温泉四周是雕着莲花纹的镶金汉白玉，既是装饰，也是为了防止因为湿气而打滑。

一级级台阶渐次没入温泉中，白蒙蒙的水汽笼罩着整个屋子。

刘弗陵此时正坐在一级台阶上，温泉水只浸到肩膀，靠着身后的玉石枕，合目似睡。

他不喜欢人近身，所以于安只能守在珠帘外。

有太监悄悄进来，朝于安行礼，于安上前和他低声说了几句话，匆匆回去。

因看不清楚帘内的情形，于安不敢轻易出声打扰，只能搓着手等。

刘弗陵没有睁眼地问："什么事情？"

于安忙回道："陛下，奴才无能。奴才已经把当日在甘泉宫的女子都查了一遍，查到现在，仍没找到唱歌女子。不过倒是有别的消息。不知道陛下还记得曾给陛下做过一次菜的雅厨竹公子吗？她当时也在甘泉宫，后来被奴才下令轰出去了。听服侍过公主的太监富裕说，雅厨虽叫'竹公子'，其实是个女子。"

刘弗陵慢慢睁开了眼睛，沉默了一瞬间："她叫什么名字？"

"因为富裕在公主府时，并非公主的心腹，公主府中知道公主事情的近侍大都已死了，所以还没有打听到她的名字，不过竹公子是长安城七里香的厨子，奴才已经命人去七里香查了，估计最迟明日晚上就会有消息。"

刘弗陵回忆着当日吃过的竹公子所做的菜，再想到甘泉山中的歌声，猛然从温泉中站了起来，匆匆擦了下身子，一边穿衣一边说："于安，去命人备车，回长安，直接去七里香。"

于安跪下磕头，"陛下来温泉宫不是为了等着见孟珏吗？虽只见过一面，奴才对此人的印象却很深刻。听闻他和霍家小姐情投意合，有人说霍光对他极为赏识，待他如儿子一般，却不知道他为何求到了奴才的手下，让奴才代他求陛下见他一面。奴才琢磨着这里面定有些文章。陛下，不如等见了他，再回长安。"

刘弗陵整理好衣袍，掀帘而出，"他什么时候来？"

于安估算了下时间，"他说今日晚上设法离开长安，快则半夜，慢则明日清晨，不过他即使半夜到了，肯定也不敢打扰陛下休息，定是等到明日寻了合适时间找人通知奴才。"

刘弗陵微颔了下首，"我们星夜赶去长安，他明日若到了，命他先候着，朕最迟明日晚上见他。"

于安一想，虽觉得皇帝之举太过反常，可时间安排上也算合理，遂应了声"是"，退下去命人备马车。

马车内，刘弗陵靠在软垫上，闭着眼睛似乎在睡，心内却是一点不安稳。

不敢去想竹公子会不会是他等的人。这么多年，他守在长安城内，唯一所能做的就是静静等待，这是唯一一次他的主动，主动地去抓命运也许不愿意给他的东西。

其实最明智的做法是在骊山静静等候消息，如果是，再行动，如果不是，那么一切如旧。

他如此匆匆下山，虽然尽量隐秘了行踪，也故布了疑阵，可并不见得能百分之百地避开暗处窥视的耳目，但是他静静等候的时间太久了，久得太怕错过，太怕万一。

如果竹公子真是她，他一定要尽早见着她，万一有人欺负她了呢？万一她不开心呢？万一她要离开长安呢？万一她遇见另外一个人呢？一天之间可以发生的事情太多，而他早就对老天失去信心。

下山时，还没有风，可越走却风越大，走在山道上，人都觉得要被风吹跑。

于安实在不安，大着胆子凑到马车旁，"陛下，今夜风很大，实在不宜出行，不如回去吧！最迟明日晚上就有消息了，实在无须陛下亲自跑一趟。"

刘弗陵眼睛未睁地说："你可以回去。"

于安立即说："奴才不敢。"又退了回去，继续行路。

一匹黑马，一身黑斗篷，云歌纵马驰骋在风中。

风刮在脸上刀割般地疼，她却只觉痛快。

很多日子没有如此策马狂奔过了，可惜坐骑不是铃铛，也不是汗血宝马，否则可以享受和风赛跑的感觉。

爹爹和娘亲不见得在家，有时候去得远了，两三年不回家都是正常。二哥也不知道在哪里漂泊。幸亏三哥是个懒鬼，肯定在家。现在想着三哥，只觉温暖，甚至十分想念三哥冷着脸对她爱理不理的样子。

难怪老人常说"娘的心在儿身，儿的心在石板"，儿女快乐得意时，常常忘记家，可一旦受伤，最想回去的地方就是家。

曾经以为爱她的人定会把她视作独一无二的珍宝，不管她在别人眼里如何，在他眼里却一定是聪明、可爱、美丽的，是不可替代的，是千金不可换的。可现在才明白，那不过是少女时最瑰丽的梦。

人太复杂了，人的欲望太多了。很多时候千金不可换，也许万金就能换了，甚至也许一千零一金就可以了。

云歌感觉眼睛又有些酸胀，却实在不愿为他再掉眼泪，迎着冷风，扯着嗓子大叫了一声，冷风割得腮帮子火辣辣地疼，眼泪硬生生地被逼了回去。

来时，长安是天朝大汉的都城，是世上最繁华、雄伟的城池，更是她自小向往已久的地方。长安盛着她的梦，盛着她以为的快乐。

可是，现在，她只想永不再想起这座城池，想把这里发生的一切都忘记。

马儿跑快点，再跑快点，把一切都丢开，都远远丢开……

黑色的马。

最容易隐于黑夜的黑衣。

面容被遮去，只一双黑沉的眼睛露在外面。

虽然明知道即使半夜赶到骊山，也见不到刘弗陵，可还是要尽量减少在路上逗留的时间，减少行踪泄漏的可能。

幸亏今夜风大，路上的旅人少到无。他们也因为刀子般的风，可以顺理成章地蒙面赶路。

他的缓兵之计已到尽头，再拖延下去，霍光肯定会起疑。

刘弗陵是他现在唯一的希望，既然刘弗陵肯答应避开所有人见他，应该已经预料到他想说的话，也应该会同意。

虽然他的家破人亡、满门血仇和刘弗陵并没有直接关系，可他一直对和刘弗陵合作十分抗拒，所以他一直都只是为了自己的目的远远地审视着刘弗陵，估量着刘弗陵。却没有想到最终被世事逼迫到如此，就如同他没有想到从小一直憎恨着的刘病已，和自己竟然会有执棋论事的一天。

如果是以前，一切都会很简单，他肯定会选择对自己最有利的做法——娶霍成君。

霍成君不同于霍怜儿，她很清楚自己要什么，也有能力为自己争取，霍成君的心性才适合辅助他在长安城得到一切他想要的东西。

而云歌的利用价值，和霍成君比起来，已经不足一提。

他当年初进长安，一介布衣，既无人又无钱。小贺虽然承诺助他，可在先帝的削藩政策下，所有藩王的财力都严格受朝廷控制，小贺在长安城的势力也有限。他的所有计划都需要风叔叔的产业和人力支持，可风叔叔深受义父影响，对朝廷争斗敬而远之，绝对不会支持他的任何行动，他想用风叔叔的财富和人脉介入大汉党派争斗中，根本不可能。

唯有云歌，他义父深爱女子的女儿，能让一切不同。义父是风叔叔心中的神，而他是义父唯一的后人，云歌加上孟的姓氏才能让一切从不可能到可能。

事实证明了他的推测，风叔叔本来当日已经对他动怒，可见到云歌发上的金银花簪时，别的一切在风叔叔心中立即都不重要，重要的是他看见了一个姓孟的少年执起了那个金银花下女子的手，弥补了他们心中最深的无可奈何与遗憾。

现在，风叔叔已经将大汉的产业全部交给他。虽然三个伯伯还不肯将西域的产业交给他，但在权倾天下的霍氏家族面前，那些产业已经不再重要。

他一再尝试，也无数次想说服自己，甚至他抱了霍成君，还尝试过吻她。他一遍遍告诉自己"都是女人，闭上眼睛抱在怀里不都一样吗？况且只论容貌，霍成君并不比云歌差。"

可是不一样，虽然他理智上怎么想都觉得应该一样，可就是不一样。

他脑子里说"一样，一样"，慢慢俯下身子去吻霍成君，可心却在极其明确地告诉他"不一样，不一样"，在最后一瞬，就在他要吻上霍成君的唇时，他竟然控制不住自己地推开了霍成君。

面对霍成君惊伤和不可置信的神情，他立即笑着安慰霍成君，道歉说自己不该一时冲动冒犯她。

可心中明白，只是因为那个人是云歌，他只是无法让那个人从他指间溜走，那是他的小云歌呀！

是在他最肮脏、最无助、最潦倒时，仍然会反手握住他手的云歌。

是在他冷言讥讽时，仍然会笑的云歌。

是他以为自己厌恶了很多年的娇小姐。一边厌恶着，一边却牢牢记住了她的每一句话、每一个笑容，她的绿罗裙，她的名字。

三个伯伯极其偶尔地会提起云歌的天山雪驼铃铛。

每次都只是因为他碰巧说到什么，才会让伯伯们碰巧提一两句他们刻意回避着的人与事，所以每一次他都会十分恰好、十分不经意地"碰巧"在场。

追逐着天山雪驼的足印，他在草灰蛇线中寻觅那个他所厌恶的人的消息。

知道她与铃铛到过厝木湖，去了孔雀河，还知道她的铃铛陪着她越过了兴都库什山，到了天竺国的迦湿弥罗，这趟行程她一去就是三年，音讯全无。

她那么任意，又那么自在地挥霍着时间，享受着生命。

而他在读书，在练剑，在学医，在用毒，在习琴，在跟着三个伯伯学做生意，在密切地观察着大汉发生的一切。

他的每一刻时间都没有浪费。

他努力学习着一切，他一天只睡两个时辰，他边吃饭边背书，甚至睡梦中他都在反复练习着义父的一举一动，他要用义父的完美风姿掩去身上的戾气，他要他的敌人看见他时，绝无疑心，他要所有曾经蔑视过他的人，都要在他面前自惭形秽。他不知道自己是否也曾潜意识想过，再见那个喜穿绿衣的丫头时，他要一切都是最好。

时间在林木枯荣间流逝，他安静地等着复仇的合适时机，安静地准备着一切，也许……在他心中，在他从不肯承认的某个角落里，也还在耐心地等待她的归来。

他等待着她归来时，他和她的完美重逢。

他做到了！他以他无懈可击的姿态出现，而这次她成了乞儿，可她对他视若不见、无动于衷。

她没有认出他？！

她当然不会认出他！

介意？释然？

他鄙夷着她的蠢笨，嘲讽着她的伪善，厌恶着她对一切的不在乎，可是唯独没有惊讶。

八年的时间，在他的心底深处，也许他早已知道她是什么样子的人。

……

时间太久远了，牵绊也太多了，一切早在他自己知道前已经发生，他已无法理智地抹去心中的所有印记。

在无数次隔着时间、空间的注视中，在长达八年的留意中，他已经习惯在他的时间、空间里，有她的存在。

所以他现在只能像个傻子一样，不在长安城享受温暖，却奔驰在冷风中；不去走康庄大道，而要去过独木桥。

　　这样大的风，很不适合出行，所以孟珏一路疾驰未见一人。

　　孟珏还以为可以就这样一直到骊山，却不料看到一辆马车出现在路的尽头，四周还有不少人相护。

　　这样的夜晚还要赶路，肯定有非比寻常的事情。

　　孟珏心中疑惑，放慢了马速，谨慎地让到路侧。他身后的六月和八月也立即随着孟珏让到路旁。

　　不知道是因为冷风中骑马，还是别有原因，一行人都穿着大斗篷，面目也是如孟珏他们一样遮着。

　　马车周围的人看到路侧的三人，手都暗暗放在了兵器上。

　　六月和八月也是全力戒备。

　　彼此相安无事地就要擦肩而过，各自都松了口气。

　　可突然之间，路侧的树林内一群蒙面人攻出，直扑马车而去。

　　马车周围的人立即将马车团团护住，六月和八月也是一前一后护住了孟珏，只看刀光剑影，一场厮杀已经展开。

　　此行所带的太监，全是高手，是自先帝起，就暗中训练的影卫。来者人数虽多，于安却并不怕，震怒下喝道："全给我杀了！"

　　孟珏虽知道有误会，可因为刺客正是从自己身后的林子攻出，怎么看都像是自己一伙的，一时根本解释不清楚，而且对方已经下了杀手，他们不能不自保，只能稀里糊涂地打了起来。

　　所有太监都是自小经过严格训练的好手，不仅是功夫，更有杀人和折磨人的法子。

来行刺的刺客也都算好手，奈何碰到一群锁在深宫里，从小到大，什么事情都不做，就专心练杀人的人，而且因为六根不全，大部分人的招式都是充满了阴狠的杀意，用招比刺客更狠毒。

刺客渐渐不敌，纷纷倒在太监们的软剑下，而且全是一些最痛苦的死法。

刘弗陵听到外面的兵戈声渐小，轻敲了敲马车壁，淡淡说："口供。"

于安懊悔地跺脚，刚才被气糊涂了，立即喝道："留活口。"扫眼间，却只剩下孟珏那边的三人。于安纵身飞出，直扑孟珏。

于安三岁起就受教于宫廷内的老太监，为日后服侍皇子做准备，他的天赋又很高，否则刘彻也不会从几千个太监中，选中他来服侍大汉未来的皇帝。几十年下来，于安一身阴柔的功夫说冠绝天下也不为过。

孟珏身边的名师虽多，可学艺时年龄已大，和一般人过招，他的功夫还算好，碰上于安这样的绝顶高手却是处处危险。

六月和八月已经多处受伤，本来命在旦夕，可和他们过招的两个太监竟然玩起了猫捉老鼠的游戏，并不要六月和八月的命，只是用剑一下下在他们身上划着，不深不浅，只要见血。

孟珏一再说"有误会"，但于安只想活捉了他，根本懒得听。

孟珏的傲气被激出，索性再不解释，沉下心来，招招直取于安的要害，因为招式来自西域杀手代代累积的经验，虽然简单，却是即使自己死，也一定要对方陪上半条命的打法。

于安因为想要活口，又不想自己受伤，招式开始有了顾忌。

虽然一时间还拿孟珏无可奈何，但打败孟珏只是迟早的事情。

其余太监都护在马车周围，笑看着那边胜利已定的打斗。

突然风中传来阵阵辛辣刺鼻的味道，树林中腾起浓烈的烟雾。

于安一惊，以为又有刺客攻到，不敢因小失大，立即回身去保护刘弗陵。

历代宫廷斗争下来，宫中最不缺的就是毒药和解毒药，每个太监身上这些东西都没有少带，既是用来杀人、救人，必要时，也可以用来灭自己的口。

于安并不怕对方用毒，什么天山雪莲、百年何首乌、千年人参，他都吃过，可现在竟然没有任何解毒效果。众人都是咳嗽不停，眼睛也觉得火辣辣地疼，直流泪。但若说中毒又不像，因为众人的劲力没有受丝毫影响。

浓烟中，打斗的人出剑都有些歪斜，孟珏虽是满心诧异，却一面咳嗽着，一面不禁笑起来。

这拿调料做武器的人，估计世间除了他的云歌再无第二个了。

既不是毒药，自然也无药可解。若说解药，唯一的解药就是用清水漱口和冲洗眼睛。

于安因为怕还有人袭击，所以和其他太监都一面流着眼泪咳嗽，一面紧张地护着马车，不敢轻举妄动，只能旁观几个太监和孟珏他们打斗。

云歌拿湿帕子遮住了口鼻，在浓烟中爬到孟珏身旁，向正和孟珏他们打斗的太监们丢了一大捧东西，一声粗叫："五毒蚀心粉！"

几个太监纷纷下意识地跳开，回避药粉。云歌拽着孟珏就跑，六月和八月忙跟在他们身后。

太监们随即就发现丢在身上的东西居然是茴香子、胡椒子、八角和其他一些乱七八糟的东西，虽然不知道别的是什么，但想来"五毒蚀心粉"怎么也不会包括茴香，深感上当受骗，大怒着追了上去。

经过云歌点燃的火堆旁，孟珏随手往里面丢了一团东西，一阵白烟腾起，扑鼻的香气替代了辛辣刺激的味道。

孟珏回头说："奉劝各位不要再追了,这次可绝对是'童叟无欺,如假包换'的毒药,而且我的毒药绝非一般的毒药,即使你们有解毒圣药,武功也要大打折扣。"

追来的太监虽然都竭力屏住呼吸,可还是脚步虚浮,速度大减。果如孟珏所言,即使有解药,也有些劲力不继。

云歌指了指树林里那帮刺客留下的马,孟珏三人立即去牵马,云歌却停在了原地,孟珏翻身上马后,看云歌竟然还呆呆站在那,立即策马回身,伸手想拉云歌和他同骑一匹马。

云歌呆呆地看着孟珏,却没有伸手去握他的手。

云歌眉如远山,眼若秋水,原本写意飞扬,此时却眉间蕴着凄楚,目中透着泪意。

孟珏惊讶不解:"云歌?"

六月和八月看到那些武功高强到变态的人快要追到,着急地催促:"公子!"

"云歌?"孟珏又叫了一遍,一面策着马向云歌靠近,俯身想直接把她强拎上马。

云歌却跳了开去,在孟珏不能相信的质问眼光中,她决绝地扭过了头,在马后臀上狠打了一下,孟珏的马冲了出去,六月和八月立即打马跟上。

云歌起先点燃的火堆被风吹得不断有火星飞出,遇到枯叶,借着风势,林子内各处都有火燃起,马儿被火惊吓,开始疯跑,孟珏根本无法勒住马,只能在颠簸的马背上,回身盯着云歌,眼中全是疑问和不能相信,云歌却看都不看他一眼。

天,墨般漆黑,地上红焰狂舞。

风在天地间盘旋怒鸣,受惊的马在火光中奔跑闪避,发出长长的嘶鸣。

一抹单薄的身影渐渐消失在孟珏的视线中。

云歌拉住已经被火焰吓得乱跳的马，想要翻身上马。

一个太监眼看着人就要全跑光，气急交加，一时忘了于安说过的"留活口"，随手将手中的剑朝云歌飞掷出。

云歌的身子在刚触到马背的刹那，一阵透心的巨痛从后背传来，她低头困惑地看着自己胸前，不明白怎么会有一截剑刃从胸前冒出，手上鲜红的濡湿又是从哪里来？

她的眼前渐渐发黑，手从马鬃上无力地滑下，身子软软摔落在了地上。

马儿前蹄高高提起，仰头对着天空发出悲鸣，却唤不起主人，只有火光将它定格成了漆黑天空下一道悲凉的剪影。

林间的风呼呼吹着。

火焰随着风势越腾越高，越烧越旺，烧得整个树林都变成了火的海洋，天地间一片血红的透亮。

刘弗陵掀起帘子，走下了马车，静静看着前方熊熊燃烧的大火。

大风吹得他的袍子猎猎作响，在火光的映照下，他的面寒如水，眸沉似星。

图书在版编目（CIP）数据

云中歌.1，绿罗裙 / 桐华著. — 长沙：湖南文艺
出版社，2014.4
ISBN 978-7-5404-6642-8

Ⅰ. ①云… Ⅱ. ①桐… Ⅲ. ①长篇小说—中国—当代
Ⅳ. ①I247.5

中国版本图书馆CIP数据核字（2014）第048324号

上架建议：长篇小说·言情

云中歌 . 1，绿罗裙

作　　者：桐　华
出 版 人：刘清华
责任编辑：薛　健　刘诗哲
整体监制：陈　江　毛闽峰
策划编辑：钟慧峥
营销编辑：刘碧思
封面设计：熊　琼
版式设计：崔振江
出版发行：湖南文艺出版社
　　　　　（长沙市雨花区东二环一段508号　邮编：410014）
网　　址：www.hnwy.net
印　　刷：北京中科印刷有限公司
经　　销：新华书店
开　　本：787mm×1092mm　1/16
字　　数：317千字
印　　张：22
版　　次：2014年4月第1版
印　　次：2014年4月第1次印刷
书　　号：ISBN 978-7-5404-6642-8
定　　价：36.00元
（若有质量问题，请致电质量监督电话：010-84409925）